W9-CTZ-173

UNION GÉNÉRALE D'ÉDITIONS
8, rue Garancière - Paris VIe

MANSFIELD PARK

Tome I

PAR

JANE AUSTEN

Traduit de l'anglais
par Denise GETZLER

10|18

CHRISTIAN BOURGOIS ÉDITEUR

Titre original:
Mansfield Park

© Christian Bourgois Éditeur 1982
ISBN - 2-264-00651-X

CHAPITRE I

Voici une trentaine d'années, mademoiselle Maria Ward de Huntingdon fut assez heureuse pour captiver, avec sept mille livres de rente comme seule fortune, le cœur de Sir Thomas Bertram, de Mansfield Park, dans le comté de Northampton, et se hausser ainsi jusqu'au rang de femme de baronnet, acquérant de surcroît tout le bien-être et les avantages matériels qu'offrent une belle maison et un revenu considérable. Ce ne fut dans tout Huntingdon qu'exclamations sur la magnificence d'un tel mariage, et son oncle, l'homme de loi en personne, lui permit d'y prétendre équitablement en lui accordant une somme d'au moins trois mille livres. Ses deux sœurs ne pouvaient manquer de tirer profit de son élévation ; et ceux qui, parmi leurs connaissances, jugeaient mademoiselle Ward et mademoiselle Frances d'une aussi grande beauté que mademoiselle Maria, n'hésitèrent pas à prédire pour elles des mariages presque aussi avantageux. Mais il n'existe pas au monde autant d'hommes en possession d'une vaste fortune qu'il n'y a de jolies femmes pour les mériter. Mademoiselle Ward, au bout d'une demi-douzaine d'années, se trouva contrainte de contracter alliance avec un ami de son beau-frère qui était presque entièrement dépourvu de fortune personnelle, le révérend Norris, et quant à mademoiselle Frances, son sort fut encore bien pire. A dire vrai, le mariage de mademoiselle Ward, tout bien considéré, n'était pas si méprisable ; car Sir Thomas put donner à son ami un revenu en lui octroyant le bénéfice de Mansfield, et monsieur et madame Norris s'engagèrent dans

la voie de la félicité conjugale avec guère moins de mille livres
par an. Quant à mademoiselle Frances, elle se maria, selon
l'expression populaire, pour désobliger sa famille, et en
arrêtant son choix sur un lieutenant de marine, sans éducation, fortune ou parenté, c'est une chose qu'elle fit à fond.
Son choix n'aurait guère pu être plus fâcheux. Sir Thomas
Bertram possédait crédit et influence, et il eut été heureux,
tant par principe que par orgueil que mû par le souci d'agir
comme il fallait et le désir de voir tous ceux de sa parenté
dans des situations respectables, de mettre tout en œuvre
pour les employer en faveur de la sœur de Lady Bertram ;
mais la profession de son mari était telle qu'aucune influence
ne pouvait l'atteindre ; et avant qu'il n'ait eu le temps de
concevoir toute autre méthode susceptible de leur porter
assistance, voilà que les deux sœurs avaient cessé tout
commerce. Cette rupture était le résultat naturel de la
conduite de chacune des deux parties, semblable en cela à
celles qu'entraîne presque toujours un mariage inconsidéré.
Afin de s'épargner des reproches inutiles, madame Price
n'écrivit point de lettres à ce sujet à sa famille jusqu'à ce
qu'eût sonné l'heure du mariage. Lady Bertram, qui était une
femme aux sentiments paisibles et d'une humeur remarquablement débonnaire et indolente, se serait parfaitement
contentée de cesser tout simplement toutes relations avec sa
sœur, et de ne plus songer à cette affaire ; mais madame
Norris, avec son esprit d'entreprise, n'eut de cesse qu'elle
n'eût écrit une longue lettre de reproches à Fanny, dans
laquelle elle soulignait combien sa conduite était déraisonnable et lui prédisait qu'elle aurait à en subir les conséquences,
toutes plus néfastes les unes que les autres. Ce fut au tour de
madame Price de se sentir blessée et de manifester sa colère ;
une réponse qui englobait les deux sœurs dans la même
rancœur, et traitait la fierté de Sir Thomas avec tant
d'irrespect que madame Norris ne put décemment garder ces
remarques pour elle, mit fin pendant une période considérable à toute relation entre les deux sœurs.

La distance qui séparait leurs demeures était si grande, la
société qu'elles fréquentaient si dissemblable, qu'il aurait dû
leur être quasiment impossible d'avoir des nouvelles l'une de
l'autre pendant les onze années qui suivirent, ou du moins Sir
Thomas aurait dû trouver fort étonnant d'apprendre de la

bouche de madame Norris que Fanny avait eu un autre enfant, nouvelle qu'elle lui annonçait de temps à autre d'une voix courroucée. Quand onze années se furent écoulées, toutefois, madame Price ne fut plus en mesure d'entretenir un ressentiment aussi orgueilleux, car alors elle perdrait les seuls liens de famille qui auraient pu lui être de quelque secours. Une famille nombreuse et sans cesse croissante, un mari hors d'état de s'employer activement, mais néanmoins de force à affronter la compagnie et les bons vins, ainsi que le maigre revenu qui devait subvenir à leurs besoins, lui donnèrent le vif désir de regagner l'amitié de ceux qu'elle avait sacrifiés si étourdiment ; elle s'adressa donc à Lady Bertram en une lettre qui témoignait d'une telle contrition, d'une telle mélancolie, d'une telle surabondance d'enfants, d'un tel dénuement pour tout le reste, que cela ne put que les rendre tous favorables à une réconciliation. Elle se préparait pour la neuvième fois à faire ses couches, et après avoir déploré cet état de choses et imploré leur soutien comme parrains de l'enfant attendu, elle ne pouvait dissimuler combien il était important pour elle qu'ils puissent à l'avenir subvenir aux besoins des huit enfants déjà existants. Son aîné était un garçon de dix ans, un beau gars intrépide, qui aspirait à faire son entrée dans le monde ; mais que pouvait-elle faire ? Pourrait-il, par chance, être de quelque utilité par la suite, pour Sir Thomas, dans l'exploitation de son domaine des Antilles ? Il était prêt à accepter n'importe quelle situation, si inférieure fût-elle, ou bien quelle était l'opinion de Sir Thomas sur Woolwich ? ou encore que faire pour envoyer un jeune garçon en Orient ?

Cette lettre ne fut pas sans porter ses fruits. Elle rétablit une paix bienveillante. Sir Thomas fit parvenir des listes de professions et des conseils amicaux, Lady Bertram envoya de l'argent et des vêtements de bébé, et madame Norris écrivit les lettres.

Tels furent les effets immédiats, et avant qu'une vingtaine de mois ne soient écoulés, madame Price en avait retiré des bienfaits encore plus grands. Madame Norris faisait souvent remarquer aux autres qu'elle ne pouvait s'empêcher de penser à sa pauvre sœur et à sa famille, et paraissait, bien que beaucoup ait déjà été fait pour elle, vouloir faire encore davantage : et elle finit par avouer qu'elle souhaitait que l'on

déchargeât la pauvre madame Price de la dépense et de la
garde de l'un de ses enfants. « Ne pouvaient-ils s'entendre
pour prendre en charge sa fille aînée, alors âgée de neuf ans,
âge qui exigeait plus d'attention que ne pouvait lui en
accorder sa pauvre mère ? Ce qu'il en résulterait pour eux de
souci et de dépense ne serait rien en comparaison de la bonté
qu'ils auraient montrée par ce geste. » Lady Bertram tomba
d'accord avec elle sur-le-champ. « Je pense que c'est ce que
nous avons de mieux à faire », dit-elle. « Qu'on aille
chercher cet enfant ». Sir Thomas ne pouvait donner son
consentement sans réserve aussi instantanément. Il discuta et
balança ; c'était une lourde responsabilité ; il fallait assurer
l'avenir de cette jeune fille ; éduquée comme elle l'avait été,
ce serait plus une marque de cruauté que de bonté que de la
retirer du sein de sa famille. Il pensait à ses quatre enfants, à
ses deux fils, à des cousins amoureux, etc. Mais il n'eut pas
plutôt commencé à faire état de ses objections, que madame
Norris l'interrompit par cette réplique qui fournissait une
réponse à toute objection, formulée ou non.

« Mon cher Sir Thomas, je vous entends parfaitement, et
rends justice à la générosité et à la délicatesse de vos pensées,
qui sont en vérité tout à fait en harmonie avec votre conduite
en général ; et je tombe entièrement d'accord avec vous dans
l'ensemble sur le fait qu'il convient de faire tout notre
possible afin d'assurer le sort d'une enfant confiée à notre
garde ; et je ne serai certainement pas la dernière à offrir mon
obole en une pareille occasion. Puisque je n'ai pas d'enfant à
moi, de qui pourrais-je m'occuper, sinon des enfants de ma
sœur, dans la mesure où il m'est donné de pouvoir accorder
quelque maigre secours ? et je suis sûre que monsieur Norris
se montrera également équitable ; mais, vous le savez, je suis
une femme de peu de mots, qui ne fait pas de grandes
déclarations. Qu'un point de détail ne nous empêche pas
d'accomplir une bonne action. Donnez à une jeune fille de
l'éducation, faites-la entrer dans le monde ainsi qu'il se doit,
et il y a fort à parier qu'elle fera un beau mariage, sans qu'il y
ait besoin pour autant de recourir à des dépenses supplémentaires. Une de nos nièces, Sir Thomas, puis-je dire, ou du
moins une des *vôtres*, ne saurait grandir dans un tel voisinage
sans en retirer de nombreux avantages. Je ne crois pas qu'elle
soit aussi belle que ses cousines. Je croirais plutôt qu'elle le

sera moins ; mais elle serait présentée à la société sous des auspices si favorables que selon toute vraisemblance elle trouverait un beau parti. Vous pensez à vos fils. Mais ne croyez-vous pas que *voilà* la chose au monde la moins susceptible de se produire ; élevés comme ils le seraient en frère et sœur ? C'est moralement impossible. Je n'en ai jamais connu d'exemple. C'est, en fait, le seul moyen de se prémunir contre une telle liaison. Supposons qu'il s'agisse d'une jolie fille, et que dans sept ans d'ici, Tom et Edmond la voient pour la première fois, voilà qui ferait des ravages. Qu'on ait pu souffrir de la voir grandir loin de nous, dans la pauvreté, à l'abandon, serait plus qu'il n'en faut pour deux garçons aussi aimables que les nôtres, et ils ne manqueraient point de s'éprendre d'elle. Mais dès lors où on les élève ensemble, serait-elle même d'une beauté angélique, qu'elle ne sera jamais pour eux autre chose qu'une sœur. »

« Il y a une grande part de vérité dans ce que vous dites », répondit Sir Thomas, « loin de moi l'idée de semer des obstacles purement imaginaires pour contrecarrer un plan qui s'accorde si bien à leurs situations respectives. Ma seule intention était de faire remarquer qu'il ne fallait pas que nous nous engagions à la légère ; pour que cette offre soit vraiment utile à madame Price, et nous fasse honneur, nous devons assurer à cette enfant l'état de demoiselle de bonne famille, ou plutôt considérer que nous sommes dans l'obligation de le lui assurer à l'avenir, quelles que soient les circonstances, si ce train de vie que vous souhaitez pour elle si ardemment ne lui est pas proposé ».

« Je vous comprends parfaitement », s'écria madame Norris, « vous êtes la bienveillance et la délicatesse même, et je suis sûre que nous ne serons jamais en désaccord sur ce point. Je suis toujours disposée, dans la mesure où cela m'est possible, vous le savez bien, à agir pour le bien de ceux que j'aime ; et bien que je ne puisse jamais éprouver pour elle la centième partie du respect que j'éprouve pour vos propres enfants, ni ne puisse en aucune façon la considérer comme ma propre fille, il me serait odieux d'imaginer que je puisse laisser cet enfant à l'abandon. N'est-elle pas l'enfant d'une de mes sœurs ? et pourrais-je supporter de la voir dans le besoin, alors que j'ai un morceau de pain à lui donner ? Mon cher Sir Thomas, malgré tous mes défauts, j'ai le cœur

tendre : et si pauvre que je sois, je m'ôterais plutôt le pain de
la bouche, que d'accomplir un acte qui manquât de générosité. Aussi, si vous n'êtes pas d'un avis contraire, j'écrirai
demain à ma pauvre sœur, et lui ferai part de cette proposition ; et, dès que cette affaire sera réglée, je me mettrai en
quête de faire venir l'enfant à Mansfield ; vous savez que je ne
ménage pas ma peine. J'enverrai Nounou à Londres dans ce
but, elle trouvera peut-être un lit chez son cousin, le sellier,
et pourrait s'entendre avec l'enfant pour l'y retrouver. La
diligence l'emmènera facilement de Portsmouth jusqu'à
Londres, et s'il n'y a personne de confiance, elle pourra la
prendre en charge. On trouve toujours, j'en suis sûre,
quelque honorable femme de marchand qui aille dans cette
direction ».

Sir Thomas ne fit plus d'objections, si ce n'est lorsqu'elle
s'en prit au cousin de Nounou ; on proposa donc pour
remplacer ce rendez-vous quelque chose de plus respectable
quoique plus onéreux, considéra l'affaire comme réglée, et
commença à jouir des plaisirs que procurait un projet aussi
charitable. Ces sensations agréables n'auraient pas dû, en
toute justice, être également réparties ; car, si Sir Thomas
était pleinement décidé à être conséquemment le vrai protecteur de l'enfant choisi, madame Norris n'avait, elle, pas la
moindre intention de délier sa bourse pour subvenir à ses
besoins. Était-il question de marche, de conversation ou de
manigances, elle se montrait des plus charitables, et personne
mieux qu'elle ne savait dicter aux autres leur libéralité : mais
son amour de l'argent égalait son amour de l'autorité, et elle
savait tout aussi bien épargner le sien que dépenser celui de
ses amis. Lorsque, par son mariage, elle s'était trouvée avec
un revenu inférieur à celui auquel elle pouvait prétendre, elle
avait, sur-le-champ, mis sur pied une politique de stricte
économie ; et ce qu'elle avait dans les commencements
entrepris par sagesse, devint bientôt pour elle un sujet de
prédilection, car elle employait ainsi par nécessité une
sollicitude que nul enfant ne venait réclamer. S'il lui avait
fallu subvenir aux besoins d'une famille, peut-être madame
Norris eût-elle été plus prodigue de son argent ; mais comme
elle n'avait aucun souci de cet ordre, rien ne mettait un frein à
sa frugalité, ni n'atténuait la satisfaction qu'elle éprouvait à
accroître d'année en année un revenu qui n'avait jamais été

dépensé. Aucune réelle affection envers sa sœur ne s'opposant à ce qu'elle appliquât le principe dont elle s'était engouée, elle dut restreindre son ambition et se contenter du mérite d'avoir conçu le projet et mis en branle ce coûteux acte de charité ; mais peut-être, se connaissant si peu elle-même, rentra-t-elle au presbytère après cette conversation avec la certitude bienheureuse d'être la sœur et la tante la plus généreuse qui fût au monde.

Quand le sujet revint sur le tapis, elle donna de plus amples explications sur son opinion, et à cette question calmement posée par Lady Bertram, « chère sœur, l'enfant viendra-t-elle en premier chez vous ou chez nous ? » elle fit cette réponse qui surprit quelque peu Sir Thomas : elle serait dans la plus totale incapacité de participer de quelque façon que ce fût à son entretien. Il avait considéré l'enfant comme particulièrement bienvenue au presbytère, comme la plus souhaitable des compagnies pour une tante qui n'avait pas d'enfants ; mais il s'aperçut qu'il avait fait fausse route. Madame Norris était désolée, mais dans l'état des choses, il était hors de question que la petite fille restât avec elle et avec son mari. Le médiocre état de santé de monsieur Norris ne l'autorisait pas : il ne pouvait pas plus supporter le bruit que fait un enfant qu'il ne pouvait voler ; s'il se relevait jamais de ses crises de goutte, il en irait tout autrement : elle serait alors toute disposée à prendre son tour et n'attacherait aucune importance à la gêne qui en naîtrait ; mais présentement le pauvre monsieur Norris requérait sa présence à tout instant, et ce serait véritablement le tourmenter que de faire allusion à un projet pareil.

« S'il en est ainsi », dit Lady Bertram avec le plus grand calme, « il vaut mieux qu'elle vienne avec nous ». Après un bref instant de silence, Sir Thomas ajouta dignement : « Oui, que notre demeure soit la sienne. Nous nous efforcerons d'accomplir notre devoir envers elle, et elle pourra au moins profiter de la présence de compagnons de son âge, et d'une préceptrice attitrée ».

« Très juste », s'écria madame Norris, « voilà deux considérations de la plus haute importance : et il sera bien égal à mademoiselle Lee d'avoir trois élèves au lieu de deux seulement ; il ne saurait y avoir de différence. Je regrette de ne pouvoir me montrer plus utile ; mais vous voyez que je fais tout ce qui est en mon pouvoir. Je ne suis pas de celles qui ménagent leur peine ; Nounou ira la chercher, bien que cela puisse me causer du désagrément que de voir partir pour trois jours ma principale conseillère. Je suppose, ma sœur, que vous mettrez l'enfant dans la petite mansarde blanche, près des anciennes chambres d'enfants ? Ce sera l'endroit qui conviendra le mieux, à côté de mademoiselle Lee, pas loin des fillettes, et tout près des femmes de chambre ; l'une ou l'autre d'entre elles pourrait l'aider à s'habiller, et prendre soin de ses habits, car j'imagine qu'il nous semblera injuste de demander à Ellis de prendre soin d'elle ainsi que des autres. En vérité, je ne vois pas en quel autre endroit vous pourriez la mettre ».

Lady Bertram ne fit aucune objection.

« J'espère qu'elle se montrera bien intentionnée », poursuivit madame Norris, « et qu'elle sera sensible à ce bonheur peu commun d'avoir de tels amis ».

« Si par hasard elle était mal intentionnée », dit Sir Thomas, « notre devoir serait, dans l'intérêt de nos propres enfants, de ne pas la garder dans le sein de notre famille ; mais il n'y a aucune raison pour que nous nous attendions à de si grands maux. Nul doute que nous ne trouvions beaucoup à redire et ne devions espérer autre chose qu'une grossière ignorance, des idées mesquines et des manières déplorablement vulgaires ; mais ces défauts-là ne sont ni incurables, ni dangereux pour ses compagnes ou compagnons. Si mes filles avaient été *plus jeunes* qu'elle, j'aurais considéré l'arrivée d'une telle compagne, comme une affaire de la plus haute gravité ; mais, en l'occurrence, j'espère qu'il n'y aura, dans cette association, rien à redouter pour *elles*, et tout à gagner pour *elle* ».

« C'est exactement mon opinion », s'écria madame Norris, « c'est ce que j'ai dit à mon mari ce matin même. Le seul fait d'être avec ses cousines sera en lui-même une éducation pour l'enfant, disais-je, même si mademoiselle Lee ne lui apprend rien, elle apprendra grâce à *elles* à être bonne et intelligente ».

« J'espère qu'elle ne taquinera pas mon petit carlin », dit Lady Bertram. « Je viens à peine d'apprendre à Julia à le laisser tranquille ».

« Nous allons rencontrer quelques difficultés, madame

Norris », fit observer Sir Thomas, « lorsqu'il nous faudra, ainsi qu'il se doit, faire la distinction entre les jeunes filles, à mesure qu'elles grandiront ; préserver dans l'esprit de mes *filles* la conscience de ce qu'elles sont, sans qu'elles méprisent pour autant leur humble cousine ; et, sans l'attrister trop profondément, lui rappeler qu'elle n'est pas une *demoiselle Bertram*. J'aime à croire qu'elles deviendront de très bonnes amies, et ne tolérerai, sous aucun prétexte, que mes filles manifestent la moindre arrogance à l'égard d'un membre de leur parenté ; mais elles ne sauraient, cependant, être égales. Leurs rang, fortune, droits et espérances seront toujours différents. C'est un point d'une extrême délicatesse, et il faut que vous nous secondiez dans nos efforts pour choisir une ligne de conduite équitable ».

Madame Norris se déclara tout entière à son service ; et tout en s'accordant pour dire que c'était une chose des plus difficiles, elle n'en réussit pas moins à le persuader qu'à tous deux ils parviendraient facilement à régler cette affaire.

Ce ne fut pas en vain, on le croira volontiers, que madame Norris écrivit à sa sœur. Madame Price, bien que plutôt surprise, semblait-il, que le choix se soit porté sur une fille, alors qu'elle avait tant de beaux garçons, accepta la proposition avec une extrême gratitude, les assurant que sa fille était une fillette bien intentionnée, d'un bon naturel, et souhaitait qu'ils n'aient jamais de raisons de la jeter dehors. Elle ajouta que l'enfant était plutôt délicate et chétive, mais était sûre qu'elle profiterait grandement d'un changement d'air. Pauvre femme ! Elle pensait probablement qu'un changement d'air conviendrait à nombre de ses enfants.

CHAPITRE II

La petite fille accomplit sans encombre son long voyage et madame Norris, qui était allée à sa rencontre à Northampton, put ainsi s'attribuer le mérite d'avoir été la première à l'accueillir et prendre de grands airs, en se félicitant d'être celle qui présentait l'enfant aux membres de la famille et la recommandait à leur bienveillance.

Fanny Price avait à cette époque tout juste dix ans, et bien que, de prime abord, il n'y ait rien eu en elle qui pût séduire, il n'y avait rien non plus qui inspirât de la répugnance aux membres de sa parenté. Elle était de petite taille pour son âge ; son teint était sans éclat, et elle ne possédait aucun trait de beauté frappant ; extrêmement timide et réservée, elle rentrait dans sa coquille si l'on faisait attention à elle ; mais, en dépit de sa gaucherie, elle était sans vulgarité, sa voix était douce, et quand on lui adressait la parole, l'expression de son visage était plaisante à regarder. Sir Thomas et Lady Bertram l'accueillirent avec une grande bienveillance, et Sir Thomas, voyant combien elle avait besoin d'encouragement, s'efforça de se montrer le moins intraitable possible ; mais il lui fallait aller à l'encontre de l'extrême et malencontreuse rigidité de ses manières ; et Lady Bertram, avec moitié moins d'efforts, en prononçant une parole là où il en prononçait dix, avec le seul secours d'un sourire plein de bonne humeur, devint sur-le-champ le personnage qui parut, des deux, le moins redoutable.

Les jeunes gens et jeunes filles étaient tous à la maison, et ils jouèrent fort bien leur rôle quand on leur présenta l'enfant, avec beaucoup de bonne humeur, sans montrer le moindre embarras, du moins en ce qui concernait les fils qui apparurent, avec leurs seize et dix-sept ans et leur grande taille, avec la majesté d'hommes faits aux yeux de leur petite cousine. Les deux fillettes furent moins à leur aise, car elles étaient plus jeunes et redoutaient surtout leur père, qui leur adressa la parole, en cette circonstance, avec une minutie peu judicieuse. Mais elles étaient trop accoutumées à la compagnie et aux louanges pour avoir naturellement la moindre timidité, et comme leur assurance grandissait devant l'absence totale de confiance de leur cousine, elles purent bientôt examiner attentivement son visage et sa robe, et cela avec une indifférence tranquille.

La famille se distinguait par son extrême beauté, les fils avaient belle prestance, les filles étaient d'une beauté marquée, et ils étaient tous grands et bien développés pour leur âge, ce qui accentuait encore la différence qu'avait établie entre les cousins leur éducation et faisait d'eux des êtres aussi différents que possible, tant par leur aspect physique que par leur maintien ; et nul n'eût pu croire que les fillettes étaient en réalité presque du même âge. Il n'y avait en fait que deux ans d'écart entre la plus jeune et Fanny. Julia Bertram n'avait que douze ans, et Maria un an de plus. Pendant ce temps, la jeune visiteuse était aussi malheureuse que possible. Craintive et toute honteuse, regrettant le foyer qu'elle avait quitté, elle n'osait lever les yeux et ne parvenait à parler de façon audible qu'en versant des larmes. Dès Northampton, et tout le temps que dura le voyage, madame Norris n'avait cessé de lui parler de la miraculeuse bonne fortune qui était la sienne, de ce qu'elle devait faire naître en elle comme sentiments d'extrême gratitude, lui recommandant de se conduire donc du mieux qu'elle le pourrait, et elle se sentait par conséquent d'autant plus malheureuse qu'elle croyait abominable de ne pas être heureuse. Il s'ajoutait à cela, et ce n'était pas le moindre des maux, la fatigue d'un long voyage. Vaines furent les paroles condescendantes et bien intentionnées de Sir Thomas tout comme les objurgations empressées de madame Norris lui enjoignant d'être bien sage ; vain aussi le sourire de Lady Bertram l'invitant à s'asseoir auprès d'elle, à côté de son carlin ; et la vue même d'une tarte aux groseilles ne parvint pas à la consoler ; à peine en avait-elle avalé deux bouchées qu'elle éclata en sanglots, et comme le sommeil semblait être le plus susceptible de lui apporter quelque réconfort, on la conduisit dans sa chambre, pour que ses malheurs puissent y prendre fin.

« Ce début n'est guère prometteur », dit madame Norris, quand Fanny eut quitté la pièce. « Après tout ce que je lui ai dit en chemin, j'aurais cru qu'elle se serait mieux conduite ; je lui ai dit combien il pouvait être important pour elle de bien se conduire dès les premiers instants. Pourvu qu'elle ne se montre pas maussade — sa pauvre mère faisait souvent la mine ; mais nous devons avoir de l'indulgence pour cette enfant ; et à mon avis, regretter d'avoir quitté son foyer ne peut plaider contre elle, car malgré toutes ses insuffisances, *c'était* son foyer, et elle ne peut pas encore comprendre que le changement est à son avantage ; mais d'ailleurs il faut de la modération en toutes choses. »

Il fallut toutefois bien plus longtemps, contrairement à ce que madame Norris pouvait croire, pour que Fanny se réconcilie avec tout ce qui était nouveau pour elle à Mansfield ainsi qu'avec l'éloignement de tous ceux qu'elle connaissait. Sa sensibilité était à vif et si peu comprise qu'on ne pouvait s'occuper d'elle comme il l'eût fallu. Personne n'avait l'intention d'être désagréable, mais personne ne se donnait la peine de lui assurer quelque consolation.

Le jour de vacances qu'on accorda le lendemain aux demoiselles Bertram afin de leur permettre de faire connaissance avec leur jeune cousine et de la divertir ne fit guère naître l'harmonie. Elles ne manquèrent pas de regarder de haut leur cousine lorsqu'elles s'aperçurent qu'elle ne possédait que deux ceintures bouffantes et n'avait jamais appris le français, et, quand elles découvrirent que le duo qu'elles avaient eu la bonté de jouer ne l'avait que peu impressionnée, elles se contentèrent de lui faire généreusement don de leurs jouets les moins appréciés, et de la laisser dans son coin, tandis qu'elles partaient s'adonner au divertissement favori du moment, confectionner des fleurs artificielles ou gâcher du papier doré.

Qu'elle fût près ou loin de ses cousines, dans la salle d'études, dans le salon ou dans le petit bois, Fanny se sentait également délaissée, et il y avait partout pour elle, quelque chose ou quelqu'un à redouter. Le silence de Lady

Bertram la décourageait, les manières austères de Sir Thomas l'emplissaient de terreur, et les remontrances de madame Norris la paralysaient. Plus âgées, ses cousines lui firent des réflexions blessantes sur sa taille, et l'emplirent de confusion dès l'instant où elles attirèrent l'attention sur sa timidité. Mademoiselle Lee montra son étonnement à la voir si ignorante, et les femmes de chambre se gaussèrent de ses habits ; et lorsqu'à ces chagrins s'ajouta la pensée de ses frères et sœurs pour qui elle avait toujours été le personnage important, jouant les rôles de compagne de jeux, de précep- trice et de nourrice, son cœur fut plongé dans la plus noire mélancolie.

La splendeur de la maison l'étonnait, mais ne pouvait la consoler. Les pièces étaient bien trop grandes pour qu'elle s'y sentît à son aise lorsqu'elle les parcourait ; tout ce qu'elle touchait, elle s'attendait à le détériorer, et elle se glissait furtivement d'une pièce à l'autre, sans cesse en proie à la terreur ; elle se retirait souvent dans sa chambre pour pleurer ; et la petite fille dont on parlait le soir au salon, lorsqu'elle était allée se coucher, en affirmant que selon toute apparence et ainsi qu'on l'avait souhaité, elle avait conscience de son exception- nelle bonne fortune, cette petite fille mettait un terme aux chagrins de la journée, en s'endormant dans les pleurs. Une semaine s'était écoulée ainsi sans que ses manières tranquilles et passives aient pu faire soupçonner sa douleur, lorsque son cousin Edmond, le plus jeune des deux fils, la découvrit un matin en train de pleurer sur les marches de l'escalier qui menait à la chambre mansardée.

« Ma chère petite cousine », dit-il avec toute la douceur de son excellente nature, « que se passe-t-il donc ? » et s'as- seyant auprès d'elle il s'efforça de lui faire surmonter la honte qu'elle éprouvait à être ainsi surprise et de la persuader de lui parler ouvertement. « Etait-elle malade ? ou quelqu'un s'était-il fâché contre elle ? ou bien s'était-elle querellée avec Maria et Julia ? ou encore y avait-il dans sa leçon une difficulté embarrassante qu'il saurait lui expliquer ? Bref, avait-elle besoin de quelque chose qu'il puisse obtenir ou faire pour elle ? » Pendant un long moment, il ne réussit à lui extorquer autre chose que « non, non, rien, non, merci » ; mais il persévéra et il n'eut pas plutôt abordé encore une fois le sujet de sa famille que des sanglots accrus lui firent comprendre en quoi consistaient ses malheurs. Il tenta de la consoler.

« Vous êtes malheureuse d'avoir quitté votre maman, ma chère petite Fanny », dit-il, « ce qui montre que vous êtes une très bonne petite fille ; mais souvenez-vous que vous êtes avec des parents et amis, qui vous aiment tous et souhaitent vous rendre heureuse. Allons faire un tour dans le parc, et vous me parlerez de vos frères et sœurs. »

Entrant plus avant dans le sujet, il s'aperçut que, si chers que fussent pour elle tous ses frères et sœurs, il y en avait un dont le nom revenait continuellement à sa bouche, plus souvent que les autres. C'était de William dont elle parlait le plus et qu'elle désirait le plus voir. William, l'aîné, âgé d'un an de plus qu'elle, son ami et compagnon de tous les instants ; son défenseur vis-à-vis de sa mère (dont il était le favori), chaque fois qu'elle était dans la peine. « William ne souhaitait pas qu'elle s'en aille ; il lui avait dit qu'elle lui manquerait beaucoup. » « Mais William vous écrira, j'espère. » « Oui, il avait promis qu'il le ferait, mais il *lui* avait demandé d'écrire en premier. » « Et quand écrirez-vous ? » Elle baissa la tête et répondit d'une voix hésitante qu'elle ne savait pas ; elle n'avait pas de papier.

« Si voilà toute la difficulté, je vous fournirai en papier et en tout autre matériel, et vous pourrez écrire votre lettre dès que vous le désirerez. Cela vous ferait-il plaisir d'écrire à William ? »

« Oui, beaucoup. »

« Alors, faites-le maintenant. Venez dans la petite salle à manger ; nous y trouverons tout le nécessaire, et serons sûrs d'avoir la salle pour nous tout seuls. »

« Mais, cousin, partira-t-elle avec le courrier ? »

« Oui, vous pouvez en être sûre ; elle partira avec les autres lettres ; et comme votre oncle l'affranchira, elle ne coûtera rien à William. »

« Mon oncle ! » répéta Fanny, l'air effrayé.

« Oui, quand vous aurez écrit cette lettre, je la porterai à mon père pour qu'il l'affranchisse. »

Fanny trouva que c'était là une démarche bien téméraire, mais n'offrit guère de résistance ; ils se rendirent donc dans la petite salle à manger, où Edmond lui prépara son papier à lettres et tira des traits avec une règle, avec la même bonne

volonté que son frère èn personne eût pu montrer, et sans
doute avec un peu plus de précision. Il demeura avec elle tout
le temps qu'elle écrivit, lui prêtant le secours soit de son
canif, soit de son orthographe, selon qu'elle avait besoin de
l'un ou de l'autre ; il ajouta à ces égards auxquels elle était
fort sensible une bienveillance envers son frère qui la ravit
plus que tout le reste. Il écrivit de sa propre main quelques
mots affectueux à son cousin William, et glissa sous le sceau
une demi-guinée. Les sentiments de Fanny furent tels, en
cette circonstance, qu'il lui fut apparemment impossible de
les exprimer ; mais l'expression qui se peignit sur son visage
et quelques paroles dénuées d'artifice trahirent si bien sa
gratitude et son ravissement qu'elle commença à apparaître
aux yeux de son cousin comme un objet d'intérêt. Il
poursuivit la conversation plus avant, et acquit la conviction,
d'après tout ce qu'elle put dire, qu'elle possédait un cœur
aimant et le vif désir d'agir pour le mieux ; et elle méritait
qu'on lui prêtât encore davantage attention, ainsi qu'il put
s'en apercevoir, à cause de la conscience qu'elle avait de sa
situation et de sa grande timidité. Il ne lui avait jamais
sciemment fait de peine, mais il sentait qu'elle réclamait
maintenant une bienveillance plus affirmée, et s'efforça en
premier lieu dans ce but de faire décroître la peur qu'elle
éprouvait pour tous les membres de la famille, et lui donna
en particulier un grand nombre de bons conseils lorsqu'elle
jouerait avec Maria et Julia, lui recommandant d'être aussi
joyeuse que possible.

À dater de ce jour, Fanny se sentit plus à son aise. Elle se
rendit compte qu'elle avait un ami, et la bonté de son cousin
Edmond lui donna le courage d'affronter tous les autres.
L'endroit lui parut plus familier, les gens moins redoutables ;
et si elle craignait encore certains d'entre eux, elle commença
du moins à connaître leurs habitudes et à comprendre
comment se plier à elles du mieux qu'elle le pouvait. La
rusticité et la gaucherie, qui avaient tout d'abord cruellement
troublé la sérénité générale ainsi que la sienne, finirent par
s'effacer peu à peu, elle ne redoutait quasiment plus de se
présenter devant son oncle, et la voix de sa tante, madame
Norris, ne la faisait plus beaucoup sursauter. Elle devint, à
l'occasion, pour ses cousines, une compagne agréable. Son
jeune âge et sa faiblesse la rendaient indigne à leurs yeux

d'être une compagne de jeux de tous les instants, mais il se trouvait parfois que leurs plaisirs et leurs projets soient de nature à rendre une tierce personne fort utile, surtout quand cette tierce personne était d'un caractère obligeant et facile. Et elles durent reconnaître, lorsque leur tante s'enquit de ses défauts, ou quand leur frère Edmond soutint qu'elle méritait leur bienveillance, que « Fanny avait plutôt bon caractère ».

Edmond était lui-même d'une égale bienveillance, et elle n'eut rien de pire à supporter de la part de Tom que cette espèce de jovialité qu'un jeune homme de dix-sept ans trouve toujours à employer avec une enfant de dix ans. Il débutait dans la vie, était plein d'ardeur, enclin à la prodigalité, en fils aîné qui se sent né pour la dépense et le plaisir. Sa bonté à l'égard de sa petite cousine était conforme à sa situation et à ses droits ; il lui fit quelques jolis cadeaux, tout en se moquant d'elle.

Comme son extérieur se faisait plus aimable et qu'elle reprenait courage, Sir Thomas et madame Norris commencèrent à se sentir plus satisfaits de leur projet charitable ; et ils s'accordèrent bientôt pour déclarer que si elle était loin d'être intelligente, du moins elle était d'un naturel docile, et ne leur donnerait, sans doute semblait-il, pas beaucoup de soucis. Ils n'étaient pas *les seuls* à avoir piètre estime de ses talents. Fanny savait lire, travailler, écrire, mais on ne lui avait rien appris d'autre ; et lorsque ses cousines s'aperçurent qu'elle ignorait de nombreuses choses qu'elles connaissaient depuis longtemps, elles la considérèrent comme prodigieusement stupide, et pendant les deux ou trois premières semaines ne cessèrent au salon de signaler quelque nouvel exemple de sa stupidité : « Chère maman, vous rendez-vous compte que ma cousine ne connaît pas les principaux fleuves de Russie, et qu'elle n'a jamais entendu parler de l'Asie Mineure ; elle ne sait pas non plus la différence qu'il y a entre l'aquarelle et le pastel ! Comme c'est étrange ! Avez-vous jamais rencontré pareille stupidité ? »

« Chère enfant », répliqua leur tante prudemment, « c'est bien regrettable, mais il est bien naturel que tout le monde ne soit pas aussi précoce et rapide que vous pour apprendre ».

« Mais, tante, elle est vraiment si ignorante ! Voyez-vous,

nous lui avons demandé hier soir par où il fallait passer pour aller en Irlande, et elle a répondu qu'il fallait prendre le bateau jusqu'à l'île de Wight. Elle ne pense à rien d'autre qu'à l'île de Wight, et l'appelle l'*Ile*, comme s'il n'existait pas d'autre île au monde. J'aurais eu sûrement honte de moi, si je n'avais pas su à quoi m'en tenir, bien avant d'avoir son âge. A mon souvenir, j'ai toujours su un grand nombre de choses dont elle n'a pas encore la moindre idée. Depuis combien de temps, ma tante, répétons-nous la liste chronologique des rois d'Angleterre, avec la date de leur accession au trône, et la plupart des principaux événements de leur règne ! »

« Oui », renchérit l'autre, « et celle des empereurs romains en remontant jusqu'à Sévère ; sans parler d'une grande quantité de Mythologie Païenne, de Mythologie tout court, et tous les métaux, semi-métaux, les planètes, et les philosophes renommés. »

« Très juste, en vérité, mes chères, mais vous avez la chance de posséder une mémoire merveilleuse, et il est probable que votre pauvre cousine n'en a pas du tout. Les mémoires diffèrent beaucoup les unes des autres, comme beaucoup d'autres choses, et par conséquent il faut que vous vous montriez indulgentes pour votre cousine, et ayez pitié de ses insuffisances. Et rappelez-vous, si précoces et intelligentes que vous soyez, qu'il faut toujours être modeste ; car même si vous savez déjà beaucoup de choses, il vous en reste encore plus à apprendre. »

« Oui, je sais, jusqu'à ce que j'aie dix-sept ans. Mais j'ai encore autre chose de stupide et étrange à vous rapporter sur Fanny. Eh bien, elle dit qu'elle ne veut apprendre ni la musique, ni le dessin. »

« A dire vrai, voilà qui est fort stupide et qui montre à quel point elle est dépourvue de talents naturels et d'esprit d'émulation. Mais, tout bien considéré, je me demande s'il n'en va pas mieux ainsi, car bien que, comme vous le savez (et cela grâce à moi), votre papa et votre maman soient assez bons pour l'élever en même temps que vous, il n'est pas du tout nécessaire qu'elle soit aussi accomplie que vous ; il est au contraire souhaitable qu'il y ait une différence. »

Tels étaient les conseils par lesquels madame Norris contribuait à former l'esprit de ses nièces ; on ne pouvait donc s'étonner si, malgré leurs talents prometteurs et leurs clartés précoces, elles n'aient fait preuve d'aucune de ces qualités moins répandues que sont la connaissance de soi, la générosité et la modestie. L'éducation qu'elles recevaient était en tout point admirable, sauf en ce qui concernait la formation du caractère. Sir Thomas ne se rendait pas compte de ce qui faisait défaut, parce que, tout en montrant une vraie sollicitude de père, il n'était pas prodigue de témoignages d'affection et contenait leur fougue impétueuse par ses manières réservées.

Quant à Lady Bertram, elle n'accordait pas la moindre attention à l'éducation de ses filles. Elle n'avait guère de temps à consacrer à de pareilles préoccupations. C'était une femme qui passait ses journées assise sur un sofa, parée de tous ses atours, travaillant à quelques travaux d'aiguille dépourvus tant de beauté que d'utilité, songeant plus à son carlin qu'à ses enfants, mais pleine d'indulgence pour ces derniers, quand cela ne lui procurait aucune gêne, guidée par Sir Thomas pour toute affaire d'importance, et par sa sœur pour tout ce qui l'était moins. Eût-elle joui de plus de temps de loisir pour se consacrer à ses filles, qu'elle n'aurait pas jugé nécessaire de s'en préoccuper, car celles-ci étaient confiées aux soins d'une gouvernante, avaient les maîtres qu'il fallait et il n'était donc pas possible que quelque chose leur manquât. Lorsqu'elle parlait de Fanny et de sa lenteur à apprendre « il lui était seulement permis de dire que cela était fâcheux, mais certaines personnes *étaient* vraiment stupides, et Fanny devrait faire plus d'efforts ; elle ne savait pas ce qu'on pouvait faire d'autre ; et il lui fallait ajouter qu'elle ne voyait rien de mauvais dans cette pauvre petite créature, sinon cette lenteur à comprendre ; elle la trouvait toujours à sa disposition et prompte à porter des messages et à apporter ce qu'elle lui demandait ».

Malgré les désavantages qu'offraient sa timidité et son ignorance, Fanny s'établit à Mansfield Park, et en apprenant à transférer en sa faveur l'attachement qu'elle éprouvait pour son foyer précédent, elle grandit en ces lieux, parmi ses cousins et cousines, sans être par trop malheureuse. Maria et Julia n'étaient pas foncièrement mauvaises ; et bien que Fanny fût souvent humiliée par la façon dont on la traitait, elle se considérait avec trop d'humilité pour se sentir le droit d'être blessée.

À peu près à l'époque où elle entra dans la famille, Lady Bertram, en raison de quelque indisposition passagère et de sa grande indolence, renonça à la demeure qu'elle occupait en ville chaque printemps, et passa tout son temps à la campagne, laissant Sir Thomas accomplir son devoir au Parlement, sans trop se préoccuper de savoir si son absence pouvait accroître ou diminuer le bien-être de son mari. Ce fut donc à la campagne que les demoiselles Bertram continuèrent d'exercer leur mémoire, de répéter leurs duos et de grandir en taille et en féminité ; et leur père voyait combien leur personne, manières et agréments étaient engageants, ce qui apaisait ses inquiétudes. Son fils aîné était insouciant et prodigue et avait déjà été pour lui cause de bien des soucis ; mais il n'augurait que du bien de ses autres enfants. Il avait l'impression que tant que ses filles garderaient le nom de Bertram, elles prêteraient à ce nom une grâce nouvelle, et il espérait que lorsqu'elles l'abandonneraient, elles le feraient connaître au loin par de respectables alliances ; le caractère d'Edmond, son grand bon sens et son intégrité annonçaient qu'il y avait de grandes chances pour qu'il se montrât utile à son entourage et leur apportât, ainsi qu'à lui-même, le renom et le bonheur. Il était destiné à devenir pasteur.

Si plongé qu'il pût être dans les soucis et les satisfactions que ses enfants lui procuraient, Sir Thomas n'en oubliait pas pour autant de faire tout ce qui était en son pouvoir pour les enfants de madame Price ; il contribua avec largesse à l'éducation de ses fils et dès qu'ils avaient atteint l'âge de s'engager dans une voie déterminée il obtenait pour eux des emplois ; et Fanny, qui n'avait presque plus de liens avec sa famille, témoignait de la satisfaction la plus sincère lorsqu'elle apprenait ces marques de bonté envers eux, ou toute autre nouvelle prometteuse pour leur avenir ou pour leur situation. Une fois, une fois seulement au cours de nombreuses années, elle eut le bonheur d'être avec William. Quant aux autres, elle ne les vit jamais ; personne ne paraissait avoir jamais songé à ce qu'elle se rendît de nouveau parmi eux, ne fût-ce que pour une visite, et personne chez elle ne parut avoir besoin d'elle ; mais on invita William, qui avait décidé peu après son départ de devenir marin, à passer une semaine avec sa sœur dans le comté de Northampton, avant qu'il partît en mer. Il est aisé d'imaginer les témoignages passion-

nés d'affection qui furent les leurs quand ils se retrouvèrent, le plaisir délicieux qu'ils éprouvèrent à être ensemble,
les heures de bonheur radieux et le sérieux de leurs entre-
tiens ; tout comme les projets et la bonne humeur confiante
du jeune garçon qui dura jusqu'au dernier moment, ainsi que
le désespoir de la fillette quand il la quitta. Cette visite eut
lieu fort heureusement pendant les vacances de Noël, ce qui
lui permit de chercher immédiatement du réconfort auprès
de son cousin Edmond ; et il lui dit des choses si charmantes
sur ce que William devrait faire et être désormais, ainsi que
l'exigeait sa profession, qu'elle en fut peu à peu réduite à
reconnaître que la séparation pourrait être de quelque utilité.
L'amitié d'Edmond ne lui fit jamais défaut : lorsqu'il quitta
Eton pour aller à Oxford, non seulement cela n'altéra en rien
son naturel bienveillant, mais encore cela lui offrit de plus
amples occasions de lui donner des preuves de cette bonté.
Sans prétendre en faire plus que les autres, ou craindre d'en
faire trop, il fut toujours le défenseur fidèle de ses intérêts, se
montrant respectueux de ses sentiments, s'efforçant de
mettre en évidence ses qualités et de vaincre le manque de
confiance qui les empêchait d'être plus apparents, et lui
prodiguant conseils, consolations et encouragements.

Elle était maintenue à l'écart par tout le monde sauf lui, et
il ne pouvait donc par son seul soutien la faire passer à l'avant
de la scène, mais les attentions qu'il eut pour elle n'en furent
pas moins de la plus grande importance, car elles contribuè-
rent au perfectionnement de son esprit et à l'accroissement de
ses plaisirs. Il savait qu'elle était intelligente, qu'elle possédait à la fois du bon sens et une vive perspicacité, qu'elle
aimait lire, ce qui pouvait, si l'on guidait convenablement ses
lectures, fournir à soi seul toute une éducation. Mademoiselle Lee lui enseigna le français, et l'écouta lire à haute voix
sa ration quotidienne d'histoire ; mais ce fut lui qui recom-
manda les livres qui charmèrent ses heures de loisir, qui
forma son goût et corrigea son jugement ; en parlant avec elle
de ce qu'elle lisait, il rendit ses lectures profitables, et
rehaussa le plaisir de lire par des éloges judicieux. Et en
retour, elle se prit à l'aimer plus que quiconque, à l'exception
de William, son cœur étant également partagé entre les
deux.

CHAPITRE III

La mort de monsieur Norris, qui eut lieu alors que Fanny avait une quinzaine d'années, fut le premier événement de quelque importance dans la famille et il ne manqua pas de provoquer des bouleversements inattendus. Lorsqu'elle quitta le presbytère, madame Norris s'installa d'abord à Mansfield Park, puis dans une petite maison du village qui appartenait à Sir Thomas, et elle se consola de la perte de son mari en pensant qu'elle parvenait fort bien à se passer de lui, et de la diminution de son revenu en réfléchissant à l'évidente nécessité d'une économie plus sévère.

Le bénéfice était désormais destiné à Edmond, et si son oncle était mort quelques années plus tôt, il eût été dûment accordé à quelque ami pour qu'il puisse en jouir jusqu'au moment où Edmond aurait atteint l'âge de prendre les ordres. Mais les dépenses inconsidérées de Tom, avant cet événement, avaient été si grandes, qu'il fallut disposer autrement de la collation, et contraindre le plus jeune à payer pour les plaisirs de l'aîné. On trouva, à vrai dire, un autre bénéfice de famille dont Edmond pourrait avoir la jouissance ; mais bien que cette circonstance eût quelque peu apaisé les remords de Sir Thomas à propos de cet arrangement, il ne put s'empêcher de sentir que c'était là agir injustement, et il s'efforça sérieusement de faire partager sa conviction à son fils aîné, dans l'espoir que ce serait plus efficace que tout ce qu'il avait pu dire ou faire jusque-là.

« Je rougis pour vous, Tom », dit-il de son air le plus digne. « Je rougis de l'expédient auquel je suis réduit, et j'espère qu'en la circonstance, les sentiments que vous éprouvez en tant que frère sont à prendre en pitié. Vous avez dépouillé Edmond pour dix, vingt, trente ans, peut-être pour la vie, de plus de la moitié du revenu qui aurait dû être le sien. Peut-être sera-t-il en mon pouvoir à l'avenir, ou en votre pouvoir, d'obtenir pour lui un meilleur bénéfice ; mais on ne doit pas oublier que par les droits naturels qui sont les siens, il pouvait prétendre à un bénéfice autrement plus important, et que rien ne peut en fait égaler l'avantage qui lui était assuré et auquel il est contraint de renoncer maintenant, en raison de vos dettes pressantes. »

Tom l'écouta, vaguement penaud et contrit, mais il s'esquiva aussi vite que possible et découvrit bientôt, à la réflexion, et cela grâce à son joyeux égoïsme, premièrement qu'il s'en fallait de beaucoup qu'il eût autant de dettes que certains de ses amis ; deuxièmement, que son père avait fait de la chose une affaire bien assommante ; et troisièmement, que le futur bénéficiaire, quel qu'il pût être, mourrait, selon toute vraisemblance, très prochainement.

À la mort de monsieur Norris, la cure revint de droit à un certain docteur Grant, qui vint par conséquent résider à Mansfield, et comme il s'agissait d'un robuste homme de quarante-cinq ans, il apparut qu'il déjouerait fort probablement les prédictions de monsieur Bertram. Mais « non, c'était un homme de genre apoplectique, au cou trapu, qui à force de se gorger de bonne nourriture, passerait subitement de vie à trépas ».

Sa femme était de quinze ans sa cadette, il n'avait pas d'enfants et ils firent leur entrée dans le voisinage précédés ainsi qu'il est d'usage d'une réputation de bon aloi selon laquelle il s'agissait de personnes aimables et fort respectables.

Le moment était maintenant venu où Sir Thomas s'attendait à ce que sa belle-sœur réclamât de prendre sa part de l'éducation de sa nièce, le changement de situation de madame Norris et les progrès accomplis par Fanny en grandissant semblaient devoir non seulement écarter les objections faites précédemment lorsqu'il s'était agi qu'elles vivent ensemble, mais encore lui accorder la préférence de façon marquée ; et comme sa situation de fortune était moins magnifique qu'auparavant, à cause de quelques pertes récen-

tes dans ses domaines des Antilles, à quoi s'ajoutaient les
dépenses inconsidérées de son fils aîné, il n'était pas sans
commencer à souhaiter d'être soulagé des frais de son
entretien et de l'obligation de pourvoir à ses besoins futurs.
Croyant fermement qu'il devait en être ainsi, il en parla à sa
femme comme d'une chose probable ; et comme il se trouvait
que Fanny était présente lorsqu'on vint à en parler, Lady
Bertram lui fit calmement remarquer : « Ainsi, Fanny, vous
allez nous quitter, et demeurer avec ma sœur. Cela vous
plaira-t-il ? »

Fanny fut bien trop étonnée pour faire autre chose que
répéter les paroles de sa tante, « allez nous quitter ? »

« Oui, ma chère, pourquoi être si étonnée ? Voilà cinq ans
que vous êtes parmi nous, et ma sœur a toujours eu
l'intention de vous prendre avec elle à la mort de monsieur
Norris. Mais que cela ne vous empêche pas pour autant de
venir faufiler mes patrons. »

Cette nouvelle fut d'autant plus pénible à entendre pour
Fanny qu'elle était inattendue. Comme sa tante Norris ne lui
avait jamais témoigné la moindre bonté, elle ne pouvait donc
l'aimer.

« Je regretterai beaucoup de partir », dit-elle d'une voix
mal assurée.

« Oui, sans doute, c'est bien *naturel* ; et j'imagine que
depuis votre arrivée dans cette maison, vous n'avez guère eu
de sujets de contrariété, n'est-ce pas ! »

« J'espère que je ne suis pas ingrate, ma tante », dit Fanny
humblement.

« Nullement, mon enfant ; j'espère bien que non. J'ai
toujours pensé que vous étiez une bonne petite fille. »

« Et je n'habiterai plus jamais ici ? »

« Jamais, chère enfant ; mais vous êtes assurée d'un foyer
confortable ; que vous soyez dans une maison ou dans l'autre
ne saurait faire une grande différence pour vous. »

Ce fut le cœur bien lourd que Fanny sortit de la pièce ;
cette différence ne pouvait lui paraître aussi petite ; et l'idée
qu'elle allait vivre avec sa tante ne lui procurait guère de
plaisir. Dès qu'elle rencontra Edmond, elle lui fit part de sa
détresse.

« Cousin », dit-elle, « il va se passer quelque chose que je
n'aime pas du tout ; et bien que vous ayez souvent réussi à

me persuader de me réconcilier avec des choses qui me déplaisaient au début, vous n'y parviendrez pas maintenant. Je vais aller vivre tout le temps avec ma tante Norris ».

« Vraiment ! »

« Oui, c'est ce que vient de me dire ma tante Bertram. La chose est décidée. Je dois quitter Mansfield Park, et aller à la Maison Blanche, dès qu'elle s'y sera installée, j'imagine. »

« Eh bien, Fanny, si ce projet ne vous déplaisait tant, je pourrais dire qu'il est excellent. »

« Oh, cousin ! »

« A part cette restriction, tout joue en sa faveur. Ma tante agit comme une personne sensée lorsqu'elle souhaite vous avoir. Elle choisit une amie, une compagne, exactement là où il faut. Et je suis heureux que son amour de l'argent ne se soit pas interposé. Vous serez pour elle ce que vous devez être. J'espère que cela ne vous afflige pas trop, Fanny. »

« Si, cela m'afflige. Je ne peux pas aimer cette décision. J'aime cette maison et tout ce qu'il y a dedans. Je n'aurai rien à aimer là-bas. Vous savez comme je me sens mal à l'aise avec elle. »

« Je n'ai rien à dire pour défendre sa conduite envers vous lorsque vous étiez enfant ; mais elle a agi de même avec nous, ou presque de même. Elle n'a jamais su se comporter aimablement avec des enfants. Mais vous avez atteint un âge où il faudra qu'on vous traite mieux ; je pense qu'elle se *conduit* déjà mieux ; et lorsque vous serez sa seule compagne, vous deviendrez, *inévitablement*, pour elle indispensable. »

« Je ne serai jamais indispensable à qui que ce soit. »

« Qu'est-ce qui vous en empêche ? »

« Tout, ma situation, ma stupidité, ma maladresse. »

« Quant à votre stupidité et maladresse, vous ne vous montrez stupide ou maladroite que lorsque vous employez ces termes abusivement. Rien au monde n'empêche que vous deveniez indispensable quand on apprend à vous connaître. Vous avez du bon sens, un caractère aimable, et je suis sûr que vous savez témoigner de la gratitude, que vous ne recevez jamais de bontés que vous ne souhaitiez rendre. Je ne connais rien qui prédispose mieux à devenir une amie et une compagne. »

« Vous êtes trop bon », dit Fanny, que cet éloge faisait

rougir ; « comment pourrai-je vous remercier jamais, ainsi que je le devrais, d'avoir si bonne opinion de moi ? Oh ! cousin, s'il me faut partir, je me souviendrai de votre bonté jusqu'aux derniers instants de ma vie. »

« Ma foi, Fanny, la Maison Blanche n'est pas pour tout dire si éloignée qu'on puisse m'oublier. À vous entendre, on pourrait croire que vous allez partir à deux cents milles d'ici, alors qu'il s'agit seulement de traverser le parc. Mais vous ne cesserez pas de faire partie de la famille, presque comme avant. Les deux familles se retrouveront chaque jour de l'année. La seule différence sera que, vivant avec votre tante comme vous le ferez, vous serez mise en avant, ainsi qu'il se doit. Il y a *ici* trop de gens derrière lesquels vous pouvez vous abriter ; mais avec *elle*, vous serez obligée de parler en votre nom. »

« Oh ! ne parlez pas ainsi. »

« Il le faut, et c'est avec plaisir que je le fais. Madame Norris est bien plus apte que ma mère à se charger de vous dorénavant. Un de ses traits de caractère est que lorsqu'elle témoigne de l'intérêt à quelqu'un, elle accomplit beaucoup en sa faveur, et elle vous obligera à rendre justice à vos talents naturels. »

Fanny poussa un soupir, et dit : « Il m'est impossible de considérer les choses comme vous ; mais c'est vous que je devrais croire plutôt que moi, et je vous sais infiniment gré des efforts que vous faites pour que je me résigne à accepter ce qui est inévitable. Si je pouvais imaginer que ma tante se soucie vraiment de moi, quel sentiment délicieux ce serait pour moi que de savoir que je retiens l'intérêt de quelqu'un ! Je sais bien qu'*ici*, je ne compte pas, et pourtant j'aime tant ces lieux. »

« Ces lieux, Fanny, vous ne les quitterez pas, même si vous quittez la maison. Vous disposerez comme avant, à votre guise, du parc et des jardins. Que *votre* petit cœur si fidèle ne s'alarme pas d'un pareil changement, il n'est que pour la forme. Vous pourrez parcourir les mêmes allées, choisir des livres dans la même bibliothèque, regarder les mêmes gens, monter le même cheval. »

« Cela est vrai. Oui, ce cher vieux poney gris. Ah ! cousin, quand je me rappelle combien je redoutais de monter à cheval, et quelles terreurs j'éprouvais lorsque j'entendais dire que cela me ferait probablement du bien ; (Oh ! comme je tremblais de peur que mon oncle n'ouvrît la bouche, lorsque la conversation portait sur les chevaux), et quand je songe quelle bienveillance vous avez montrée, quels soins vous avez pris pour faire disparaître, par la raison et la persuasion, la peur que je ressentais, et m'avez convaincue que cela me plairait après un certain temps, quand je me rends compte combien vous aviez raison, j'ai envie d'espérer que vous puissiez toujours prophétiser aussi bien. »

« Et je suis tout à fait convaincu qu'être avec madame Norris sera aussi bénéfique pour votre esprit que monter à cheval l'a été pour votre santé, et tout aussi excellent en fin de compte pour votre bonheur à venir. »

Ainsi s'acheva une conversation dépourvue de toute utilité pour Fanny et dont ils auraient aussi bien pu se dispenser, car madame Norris n'avait pas l'intention de prendre Fanny avec elle. Et si elle y songeait dans les circonstances présentes, c'était pour éviter soigneusement que cela se produisît. Afin d'empêcher même qu'on y songeât, elle avait porté son choix sur la plus petite habitation de la paroisse de Mansfield qui pût être considérée comme suffisamment distinguée ; la Maison Blanche était tout juste assez grande pour les accueillir, elle et ses domestiques, et offrir une chambre d'amis, ce sur quoi elle ne manqua pas d'insister particulièrement ; on n'avait jusqu'à présent jamais eu besoin de chambre d'amis au presbytère, mais il n'était pas question maintenant d'oublier cette nécessité impérieuse. Néanmoins toutes ses précautions n'empêchèrent point qu'on ne la soupçonnât ; ou peut-être même l'importance accordée de façon ostentatoire à cette chambre d'amis avait-elle abusé Sir Thomas et lui avait fait supposer qu'elle avait l'intention de l'attribuer à Fanny. Lady Bertram tira bientôt les choses au clair, lorsqu'elle fit nonchalamment remarquer à madame Norris : « Je pense, ma chère sœur, que la présence de mademoiselle Lee ne sera plus nécessaire si Fanny va vivre avec vous ? »

Madame Norris faillit sursauter : « Vivre avec moi, chère Lady Bertram, que voulez-vous dire ? »

« Ne doit-elle pas aller habiter avec vous maintenant ? Je croyais que vous aviez réglé cette affaire avec Sir Thomas ? »

« Moi ! jamais de la vie. Nous n'avons jamais échangé un seul mot à ce sujet, Sir Thomas et moi. Fanny vivre avec moi ! Voilà bien la dernière chose au monde qui me viendrait à l'esprit, ou qui viendrait à l'esprit de qui nous connaît toutes deux. Juste ciel ! Que pourrais-je faire de Fanny ? Moi qui suis une pauvre veuve délaissée, sans appui, et réduite à l'impuissance, que pourrais-je faire, moi dont le courage est brisé, d'une jeune fille de quinze ans ! C'est l'âge qui de tous réclame le plus de soins et d'attentions et qui met à l'épreuve le naturel le plus serein. Assurément Sir Thomas ne saurait y songer sérieusement ! Sir Thomas est bien trop mon ami pour cela. Quelqu'un qui est bien disposé à mon égard ne peut, j'en suis sûre, suggérer une chose pareille. Comment Sir Thomas en est-il arrivé à vous en parler ? »

« Vraiment, je n'en sais rien. Je suppose qu'il a agi comme il l'entendait. »

« Mais qu'a-t-il dit ? Il n'a pu réellement vous dire qu'il *souhaitait* vraiment que Fanny vienne avec moi. Je suis certaine qu'il ne peut avoir le cœur de souhaiter que je fasse une chose pareille. »

« Non, il a seulement dit qu'il pensait que c'était fort probable, et c'était aussi mon avis. Nous pensions tous deux que ce serait un réconfort pour vous. Mais si cela vous déplaît, n'en parlons plus. Elle ne nous cause ici aucune gêne. »

« Chère sœur ! dans mon infortune, comment pourrait-elle m'être de quelque réconfort ? Moi, pauvre veuve affligée ; songez que j'ai perdu le meilleur des époux, que je me suis usé la santé à le veiller et le soigner ; mon énergie est brisée, il n'y a plus de paix pour moi en ce monde ; à peine puis-je me suffire et vivre selon mon rang, en femme bien née, sans entacher le souvenir du cher disparu ; quel piètre réconfort pourrais-je trouver si Fanny était confiée à mes soins ! Même si c'était dans mon propre intérêt, je ne souhaiterais pas que la pauvre jeune fille subisse une pareille injustice. Elle est en bonnes mains, elle fera sûrement son chemin. Mon devoir est d'affronter mes malheurs et mes tourments du mieux que je le peux. »

« Il vous sera donc égal de vivre toute seule, tout à fait à l'écart ? »

« Ma chère Lady Bertram ! La solitude n'est-elle pas la

seule chose qui puisse me convenir ? De temps à autre, je
souhaite pouvoir accueillir un ami dans ma petite maison (il y
aura toujours un lit disponible pour un ami) ; mais à l'avenir,
je passerai la plus grande partie de mes jours dans le plus
complet isolement. La seule chose que je demande, c'est de
réussir à joindre les deux bouts. »

« J'aime à croire, ma sœur, que somme toute vos affaires
ne vont pas si mal. Sir Thomas dit que vous aurez six cents
livres par an. »

« Lady Bertram, je ne me plains pas. Je sais que je ne peux
vivre comme auparavant, mais je dois restreindre mes
dépenses lorsque cela est possible et apprendre à mieux gérer
mon bien. *J'ai été* jusqu'à présent assez libérale dans la
conduite de ma maison, mais je n'aurai aucune honte à me
montrer économe. Ma situation a changé, tout comme mes
revenus. Il était juste d'attendre de monsieur Norris, en tant
que pasteur de la paroisse, une foule de choses qu'on ne
saurait attendre de moi. Nul ne peut connaître la quantité
exacte de nourriture qui a été consommée dans mes cuisines
par des visiteurs occasionnels. Il faudra qu'à la Maison
Blanche je m'occupe mieux de ces affaires. Il faudra que je
m'en tienne à mes revenus, sinon je serai malheureuse — et je
dois avouer que j'aurais le plus grand plaisir à faire encore
mieux, c'est-à-dire, à mettre un peu d'argent de côté à la fin
de l'année. »

« Vous y parviendrez. Vous y parvenez toujours, n'est-ce
pas ? »

« Mon unique dessein, Lady Bertram, est d'être utile à
ceux qui viendront après moi. C'est pour le bien de vos
enfants que j'aimerais être plus riche. Je n'ai personne d'autre
à qui dispenser mon affection, mais ce serait pour moi une
joie de penser qu'il est en mon pouvoir de leur laisser une
petite somme d'argent qui en vaille la peine. »

« Vous êtes très bonne, mais ne prenez pas cette peine. Le
sort de mes enfants est assuré, soyez-en certaine. Sir Thomas
y veillera. »

« Franchement, vous savez que les ressources de Sir
Thomas seront passablement réduites, si les domaines d'Antigua doivent produire d'aussi maigres profits. »

« Oh, cette affaire sera bientôt réglée. Je sais que Sir
Thomas a écrit à ce sujet. »

« Eh bien, Lady Bertram », dit madame Norris, se préparant à partir, « la seule chose que je puisse dire est que mon unique désir est d'être utile à votre famille — et donc si jamais Sir Thomas parlait à nouveau de faire venir Fanny chez moi, vous pourrez lui dire que ma santé et mon affliction font que la chose est impossible. En outre, je n'aurai pas de lit à lui offrir, car je dois garder libre la chambre d'amis ».

Lady Bertram fit part à son mari de cette conversation et cela suffit à le convaincre qu'il avait fait fausse route, en ce qui concernait les projets de madame Norris ; et dorénavant, elle fut parfaitement à l'abri de la moindre allusion de sa part à ce sujet, et assurée qu'il n'attendait rien d'elle. Il ne put manquer d'éprouver quelque étonnement devant ce refus d'agir en faveur d'une nièce qu'elle avait été si impatiente d'adopter ; mais comme elle prit grand soin, dès le début, de lui faire comprendre à lui et à Lady Bertram, qu'elle destinait à sa famille tout ce qu'elle possédait, il se trouva bientôt tout disposé à accepter cette marque de distinction qui lui permettrait d'assurer le sort de Fanny dans des conditions encore meilleures, et qui était aussi pour eux un hommage utile et flatteur.

Fanny apprit bientôt combien avaient été peu nécessaires ses craintes d'un départ ; et la spontanéité, le naturel, avec lesquels son bonheur trouva à s'exprimer dès l'instant où cette nouvelle lui fut révélée, consolèrent tant soit peu Edmond, trompé dans son attente de ce qu'il considérait comme des avantages essentiels pour elle. Madame Norris prit possession de la Maison Blanche, les Grant arrivèrent au presbytère, et une fois ces événements passés, tout continua à Mansfield Park comme auparavant.

Les Grant se montrant tout disposés à entretenir des rapports d'amitié et de bon voisinage avec leur entourage, leurs nouvelles connaissances éprouvèrent somme toute une grande satisfaction. Ils avaient des défauts que madame Norris découvrit bientôt. Le docteur aimait la bonne chère, et tenait à ce qu'on lui offrît chaque soir un bon dîner ; quant à madame Grant, loin de s'efforcer de le satisfaire à moindres frais, elle donnait à sa cuisinière des gages aussi élevés que ceux de Mansfield Park, et ne se montrait guère à l'office. Madame Norris ne trouvait pas de mots assez durs dans ses récriminations, et s'échauffait en parlant de la quantité d'œufs et de beurre que l'on consommait régulièrement dans cette maison. « Personne autant qu'elle n'aimait l'abondance et l'hospitalité ; personne autant qu'elle ne détestait la mesquinerie dans la façon de recevoir — jamais, elle en était certaine, on n'avait manqué de trouver au presbytère aise et confort, il avait toujours, *de son temps,* joui d'une bonne réputation, mais elle n'arrivait pas à comprendre cette façon de mener les choses. Une belle dame était tout à fait déplacée dans un presbytère de campagne. Elle était d'avis que madame Grant eût pu, sans s'abaisser, pénétrer dans sa resserre à provisions. Elle avait eu beau s'enquérir, elle n'avait pas réussi à établir avec certitude que madame Grant ait jamais eu en sa possession plus de cinq mille livres. »

Lady Bertram écouta ce discours en forme de diatribe sans témoigner de beaucoup d'intérêt. Elle ne pouvait partager le ressentiment d'une femme économe, mais comme sa beauté était grande, elle se sentit piquée de ce que madame Grant, dépourvue d'attraits comme elle l'était, soit si bien pourvue dans la vie, et exprima à maintes reprises son étonnement à ce sujet, aussi souvent ou presque que madame Norris, quoique avec moins de prolixité, tandis que de son côté madame Norris poursuivait son discours.

Un an à peine s'était écoulé dans des discussions de cette sorte lorsque survint dans la famille un événement d'une telle importance qu'il devait à juste titre prendre place dans les pensées et les conversations des dames. Sir Thomas jugea qu'il était de son devoir de se rendre lui-même à Antigua, afin de régler au mieux ses affaires, et il se fit accompagner de son fils aîné, dans l'espoir de l'éloigner des mauvaises fréquentations qui étaient les siennes. Leur absence, loin de l'Angleterre, durerait probablement presque une année entière.

La nécessité d'une telle mesure, qui s'imposait d'un point de vue financier, ainsi que l'espoir qu'elle serait profitable à son fils, réconcilia Sir Thomas avec l'effort qu'il exigeait de lui-même en quittant les autres membres de la famille, et en laissant à d'autres le soin de s'occuper de ses filles, à cette époque de leur vie qui était la plus intéressante. Lady Bertram lui semblait incapable de le remplacer auprès d'elles, ou plutôt de tenir le rôle qui eût dû être le sien ; mais il avait confiance dans les soins vigilants de madame Norris ainsi que dans le bon sens d'Edmond, et cela suffit pour lui permettre de partir sans éprouver de craintes à leur sujet.

Lady Bertram ne fut pas du tout contente que son mari la quittât ; mais comme elle se rangeait parmi ces gens qui pensent que rien ne saurait être dangereux, difficile ou fatigant sinon lorsqu'il s'agit d'eux-mêmes, elle n'éprouva aucune inquiétude pour sa sécurité, ni sollicitude pour son bien-être.

En l'occurrence, c'était les demoiselles Bertram qui étaient à plaindre, non pour leur chagrin, mais pour leur absence de chagrin. Leur père n'était pas un objet d'amour pour elles, il n'avait jamais paru être ami de leurs plaisirs, et son absence leur fut malheureusement fort agréable. Elles se trouvèrent ainsi libérées de toute contrainte ; et sans songer à satisfaire des désirs que Sir Thomas eût sans doute interdits, elles se sentirent aussitôt libres d'agir comme elles l'entendaient, et de s'accorder toutes les satisfactions qui leur seraient accessibles. Le soulagement qu'éprouva Fanny, ainsi que la conscience qu'elle avait d'éprouver un tel sentiment égalèrent ceux de ses cousines, mais sa nature plus tendre lui suggérait que ce n'était pas là montrer de la gratitude, et elle souffrit vraiment de ne pouvoir souffrir. « Sir Thomas, qui avait tant fait pour elle et ses frères, et qui était parti sans espoir de retour ! Qu'elle le voie partir sans verser une larme ! C'était là une marque honteuse d'insensibilité. » Il lui avait dit en outre, le matin même de son départ, qu'il espérait qu'elle pourrait revoir William l'hiver suivant, et l'avait chargée de lui écrire pour l'inviter à Mansfield dès que l'on apprendrait l'arrivée en Angleterre de l'escadre à laquelle il appartenait. « Quelle prévenance et quelle bonté il avait montré ! » et s'il avait seulement adressé un sourire en l'appelant « ma chère Fanny », elle aurait oublié les airs désapprobateurs ou les paroles distantes qu'il avait eus pour elle auparavant. Mais les paroles qu'il ajouta à la fin de son discours furent de nature à la blesser profondément : « Si William vient à Mansfield, j'espère que vous parviendrez à le convaincre que les nombreuses années qui se sont écoulées depuis votre séparation n'ont pas été en pure perte ; mais je crains que la sœur de seize ans ne lui apparaisse bien trop semblable à certains égards à la sœur qu'il connaissait quand elle en avait dix. » Quand son oncle fut parti, cette réflexion lui fit verser des larmes amères ; et ses cousins et cousines, la voyant les yeux rouges, jugèrent que c'était une hypocrite.

CHAPITRE IV

Tom Bertram avait récemment passé si peu de temps chez lui que son absence ne pouvait guère être considérée autrement que comme purement formelle ; et bientôt Lady Bertram s'étonna de découvrir combien même ils se passaient avantageusement du père de famille, combien Edmond savait le remplacer parfaitement pour découper les viandes et parler à l'intendant, pour écrire à l'avoué, régler tout ce qui touchait à la domesticité, et lui épargner également toute fatigue et tout effort éventuels, et ce jusque dans les plus infimes détails, sauf lorsqu'il s'agissait pour elle d'inscrire les adresses sur les lettres qu'elle écrivait.

On reçut les premières nouvelles de l'arrivée à bon port à Antigua après un voyage favorable ; mais madame Norris avait toutefois eu le temps de se repaître des craintes les plus effroyables, qu'elle essayait de faire partager à Edmond chaque fois qu'elle parvenait à le voir en tête à tête ; et comme elle comptait bien être la première personne à être éventuellement informée d'une catastrophe fatale, elle avait déjà convenu de la manière dont elle l'annoncerait aux autres membres de la famille, lorsqu'ils reçurent de Sir Thomas la nouvelle qu'ils étaient tous deux sains et saufs, ce qui la contraignit à mettre un certain temps de côté son émotion ainsi que les affectueuses homélies qu'elle avait préparées pour eux.

L'hiver arriva et s'écoula sans que l'on eût à souffrir de leur absence ; les récits de leur séjour continuèrent à être excellents ; et madame Norris, qui organisait des divertissements pour ses nièces, leur venait en aide pour le choix de leurs toilettes et faisait étalage de leurs talents tout en cherchant pour elles de futurs maris, eut tant à faire outre ses propres soucis domestiques, sans parler de certaine ingérence dans ceux de sa sœur et de la surveillance qu'elle exerçait sur les dépenses de madame Grant, qu'elle n'eut guère l'occasion de s'occuper des absents, même sous la forme de craintes à leur sujet.

La réputation des demoiselles Bertram parmi les belles du voisinage était maintenant pleinement établie ; et comme elles joignaient à l'éclat de leur beauté et de leurs talents des manières naturellement aisées que leur éducation avait converties en une courtoisie et une obligeance générales, elles étaient l'objet de la faveur ainsi que de l'admiration du voisinage. Leur vanité était en si bon ordre, qu'elles paraissaient en être totalement dépourvues, et ne prenaient pas de grands airs ; mais en même temps, les louanges qui accompagnaient une telle conduite étaient emmagasinées puis rapportées par madame Norris et contribuaient ainsi à renforcer la bonne opinion qu'elles avaient d'elles-mêmes.

Lady Bertram n'apparaissait pas en public avec ses filles. Son indolence était trop grande pour qu'elle tolérât même le plaisir que ressent une mère qui est témoin des succès de ses filles et prend part à leurs divertissements, car c'eût été au détriment de sa tranquillité personnelle, et la responsabilité en revint à sa sœur, qui ne désirait rien moins qu'une position dans le monde qui fût aussi honorable et représentative, et se réjouissait pleinement des moyens qui lui étaient offerts de se mêler à la société sans se trouver dans la nécessité de louer des chevaux.

Fanny ne prit aucune part aux festivités de la saison ; mais elle était heureuse de se montrer utile comme compagne de sa tante quand le reste de la famille était appelé au-dehors ; et comme mademoiselle Lee avait quitté Mansfield, elle prit naturellement auprès de Lady Bertram une place considérable, le soir d'un bal ou d'une fête. Elle conversait avec elle, l'écoutait, lui faisait la lecture ; et la paix de telles soirées passées dans un semblable tête-à-tête, à l'abri de la moindre parole désobligeante, lui donnait un sentiment de totale sécurité, indiciblement attrayant pour un esprit qui n'avait que rarement cessé d'être dans l'embarras et la peine. Quant aux amusements de ses cousins et cousines, elle aimait à en écouter le récit, surtout celui des bals et savoir avec qui Edmond avait dansé ; mais elle considérait sa situation avec trop d'humilité pour imaginer pouvoir jamais y être admise, et écoutait donc sans que l'effleurât l'idée qu'elle pût y participer. Ce fut somme toute un hiver agréable pour elle ; car bien qu'il n'eût fait venir aucun William en Angleterre, elle continuait, sans jamais y faillir, à chérir l'espoir de son arrivée.

Le printemps qui suivit la priva de son précieux ami, le vieux poney gris, et pendant un certain temps cette perte menaça d'éprouver non seulement son cœur, mais sa santé, car bien qu'il eût été reconnu nécessaire qu'elle fasse des promenades à cheval, on ne prit aucune mesure pour qu'elle montât de nouveau, « parce que », ainsi que le faisaient remarquer ses tantes, « elle pouvait très bien monter un des chevaux de ses cousins et cousines toutes les fois qu'ils n'en auraient pas besoin » ; et comme les demoiselles Bertram avaient régulièrement besoin de leurs chevaux chaque fois qu'il faisait beau, et n'envisageaient nullement de pousser la complaisance jusqu'au sacrifice de plaisirs réels, ce moment-là n'arriva bien sûr jamais. Elles faisaient de joyeuses promenades à cheval par les belles matinées des mois d'avril et de mai, tandis que Fanny demeurait assise toute la journée à la maison avec l'une de ses tantes, ou, à l'instigation de son autre tante, marchait jusqu'à la limite de ses forces ; Lady Bertram, qui considérait tout exercice comme inutile et désagréable pour elle, pensait qu'il en était de même pour tout le monde, alors que madame Norris, qui marchait toute la journée, pensait que tout le monde aurait dû faire comme elle. Edmond était alors absent, sinon il eût remédié plus tôt à cet état de choses. Quand il comprit, à son retour, dans quelle situation se trouvait Fanny et s'aperçut des regrettables effets qui en résultaient, il lui apparut qu'il n'y avait qu'une chose à faire, « il faut que Fanny ait un cheval », déclara-t-il résolument, s'opposant par là à toutes les objections que pouvaient proposer l'indolence de sa mère ou la parcimonie de sa tante et qui tentaient de prouver qu'il s'agissait d'une bagatelle sans importance. Madame Norris ne put s'empêcher de faire remarquer que l'on pourrait trouver parmi les nombreux chevaux qui appartenaient à

Mansfield quelque vieille et robuste monture qui conviendrait parfaitement, ou qu'il serait possible d'en emprunter une à l'intendant, ou que peut-être, de temps à autre, le Docteur Grant pourrait leur prêter le poney dont il se servait. Que Fanny ait un authentique cheval, comme une lady, lui appartenant en propre, dans le genre de celui de ses cousines, paraissait totalement inutile et même inconvenant à madame Norris. Sir Thomas n'avait assurément jamais eu de semblable intention ; et il était de son devoir de dire que faire un tel achat en son absence, qui ajouterait aux grandes dépenses de son écurie un en moment où une grande partie de son revenu était mal assurée, lui paraissait tout à fait déraisonnable. L'unique réponse que fit Edmond fut : « Il faut que Fanny ait un cheval ». Madame Norris n'envisageait pas les choses de la même manière. Lady Bertram était d'accord avec son fils pour penser que Sir Thomas aurait considéré la chose comme nécessaire ; elle souhaitait seulement qu'il n'y eut point de précipitation, et espérait qu'il attendrait le retour de son père, pour que celui-ci réglât l'affaire en personne. Il devait être de retour en septembre, quel mal y aurait-il donc à attendre jusque-là ?

Si Edmond était plus mécontent de sa tante que de sa mère parce qu'elle témoignait de moins de considération pour sa nièce, il ne pouvait du moins s'empêcher d'accorder une plus grande attention à ses propos, et il finit par se résoudre à agir sans pour autant courir le risque que son père puisse penser qu'il en avait trop fait, et de manière à procurer en même temps à Fanny les moyens immédiats de prendre de l'exercice, car il ne pouvait supporter qu'on l'en privât. Trois chevaux lui appartenaient, mais aucun ne convenait pour une femme. Deux d'entre eux étaient des hunters, le troisième était utilisé pour la route : il décida d'échanger ce dernier pour un cheval que sa cousine pût monter ; il savait où en trouver un, et, une fois sa décision prise, l'affaire ne tarda pas à être réglée. La nouvelle jument s'avéra être un vrai trésor ; il ne fallait pas grand-chose pour qu'elle répondît parfaitement à ce qu'on attendait d'elle, et Fanny en eut bientôt presque l'entière jouissance. Elle n'eût pas cru possible auparavant qu'une autre monture que le vieux poney gris pût lui convenir ; mais le bonheur que lui apporta la jument d'Edmond surpassa de loin tout le plaisir qu'elle avait pu ressentir auparavant ; ce plaisir fut accru par les incessantes réflexions sur la bonté qui était à l'origine de son bonheur présent, et était si fort qu'elle ne trouvait pas de mots pour l'exprimer. Elle se prit à considérer son cousin comme un modèle de bonté et de noblesse, qui possédait des mérites que personne, sinon elle, ne pourrait jamais estimer à leur juste valeur, et qui avait droit de sa part à une gratitude que nul sentiment n'était assez puissant pour payer de retour. Lorsqu'elle songeait à lui, un mélange de respect, de gratitude, de confiance et de tendresse emplissait son cœur.

Comme le cheval continuait à appartenir à Edmond, nominalement et de fait, madame Norris put tolérer que Fanny en ait la jouissance ; et si Lady Bertram songea jamais à nouveau à l'objection qu'elle avait faite, son fils trouva peut-être grâce à ses yeux et parut sans doute excusable de ne pas avoir attendu le retour de Sir Thomas en septembre, car lorsque septembre arriva, Sir Thomas était toujours par-delà les mers et on ne pouvait guère compter que ses affaires seraient réglées dans les mois à venir. Des circonstances fâcheuses avaient surgi au moment même où il commençait à tourner ses pensées vers l'Angleterre, et l'extrême instabilité, qui menaçait toute chose, le décida à renvoyer son fils en Angleterre et à attendre tout seul les dernières transactions. Tom arriva sans encombre, et d'après le récit qu'il fit, la santé de son père était excellente ; mais en ce qui concernait madame Norris, ce fut en pure perte. Que Sir Thomas se fût séparé de son fils lui semblait révéler l'inquiétude d'un père agissant sous l'influence d'un présage funeste, et elle ne put s'empêcher d'éprouver d'horribles pressentiments ; et lorsque survinrent les longues soirées d'automne, ces idées la poursuivirent de façon si terrible dans la triste solitude de sa petite demeure, qu'elle se trouva obligée de se réfugier chaque jour dans la salle à manger de Mansfield Park. Le retour des invitations de l'hiver, cependant, ne fut pas sans produire son effet ; et à mesure que se déroulaient ces festivités, son esprit fut si agréablement occupé à présider aux bonnes fortunes de l'aînée de ses nièces, que cela suffit pour apaiser ses nerfs. « Si le sort voulait que le pauvre Sir Thomas ne revînt jamais, quelle consolation toute particulière ce serait en effet de voir leur chère Maria mariée », voilà ce qui lui venait souvent à l'esprit, et c'était toujours quand elles se trouvaient en la compagnie d'hommes fortunés, et ce fut le cas lorsque leur fut présenté un jeune homme qui venait d'hériter de l'un des plus beaux et vastes domaines du pays.

Dès le premier instant, monsieur Rushworth fut frappé par la beauté de mademoiselle Bertram, et comme il était disposé à se marier, il se crut bientôt amoureux. C'était un jeune homme corpulent qui n'avait guère pour lui que son bon sens ; mais comme sa silhouette et son aspect extérieur n'offraient rien de déplaisant, la jeune lady fut fort satisfaite de sa conquête. Maria Bertram était alors dans sa vingt et unième année, et elle commençait à penser qu'il était de son devoir de se marier ; et comme un mariage avec monsieur Rushworth lui donnerait la jouissance de biens plus considérables que ceux que son père pouvait lui offrir et lui assurerait également une maison en ville, ce qui était alors considéré comme de toute première nécessité, il devint évident, selon la même règle d'obligation morale, que son devoir était, si elle le pouvait, d'épouser monsieur Rushworth. Madame Norris mit tout en œuvre pour faciliter une telle alliance, utilisant toutes les suggestions et inventions susceptibles d'en rehausser l'attrait pour chacun des protagonistes ; et, entre autres procédés, en cherchant à se lier d'amitié avec la mère du gentleman, qui vivait alors avec lui, et à qui Lady Bertram dut rendre visite un beau matin après avoir parcouru dix milles sur une mauvaise route. Bientôt l'entente régna entre les deux femmes. Madame Rushworth désirait beaucoup elle-même que son fils se mariât, et déclara que de toutes les jeunes ladies qu'elle avait jamais vues, mademoiselle Bertram lui semblait, par ses aimables qualités et talents, la plus propre à le rendre heureux. Madame Norris accepta le compliment et admira cette finesse dans la pénétration des caractères qui savait si bien reconnaître le mérite. Maria était à la vérité la joie et l'orgueil de tous, c'était un ange, un être parfait et sans défauts ; et bien sûr, entourée comme elle l'était de tant d'admirateurs elle se montrerait exigeante dans le choix qu'elle ferait ; mais cependant, dans la mesure où d'aussi récents liens d'amitié lui permettaient d'en décider, monsieur Rushworth lui apparaissait précisément celui de tous qui était le plus susceptible de la mériter et de se l'attacher.

Après avoir dansé l'un avec l'autre à un nombre convenable de bals, les jeunes gens justifièrent ces opinions, et on conclut des fiançailles, en faisant dûment référence à l'absence de Sir Thomas, et à la grande satisfaction des familles respectives et de la plus grande partie des gens du voisinage, qui ressentaient depuis de nombreuses semaines l'à-propos d'un tel mariage entre monsieur Rushworth et mademoiselle Bertram.

On fut quelques mois avant de recevoir le consentement de Sir Thomas ; mais entre-temps, comme personne ne doutait un seul instant qu'il ne se réjouît de tout cœur de cette alliance, le commerce entre les deux familles se poursuivit sans contrainte, et il n'y eut d'autre tentative pour essayer de garder le secret que celle de madame Norris répétant partout que c'était pour l'heure un sujet dont il ne fallait point parler.

Edmond était le seul de la famille qui trouvât à redire à cette alliance ; mais tout ce que sa tante put dire ne réussit pas à le convaincre que monsieur Rushworth était un compagnon souhaitable. Il admettait que sa sœur fût meilleur juge que lui de son propre bonheur, mais il était fâché que son idée du bonheur reposât sur l'importance des revenus ; il ne pouvait non plus se retenir de se dire en lui-même en présence de monsieur Rushworth : « Si cet homme n'avait pas douze mille livres par an, ce serait un homme fort stupide. »

Sir Thomas fut toutefois fort heureux d'une alliance qui promettait incontestablement d'être aussi avantageuse, et dont il ne connaissait que les bienfaits et les agréments. La parenté était précisément de celles qu'on pût souhaiter ; dans le même comté, avec les mêmes intérêts ; et il fit parvenir dès que possible son consentement le plus chaleureux. Il y mit une seule condition, c'était que le mariage n'eût pas lieu avant son retour, qu'il envisageait de nouveau et attendait avec impatience. Dans une lettre écrite en avril, il affirmait avoir bon espoir de régler toutes ses affaires à son entière satisfaction et être à même de quitter Antigua avant la fin de l'été.

Tel était l'état des choses au mois de juillet, mois pendant

lequel Fanny atteignit sa dix-huitième année, lorsque la
société du village s'accrut en la personne de monsieur et
mademoiselle Crawford, respectivement frère et sœur de
madame Grant, et enfants d'un second lit de sa mère. Le fils
possédait un important domaine dans le Norfolk, et la sœur
vingt mille livres. Leur sœur avait toujours eu beaucoup
d'affection pour eux pendant leur enfance ; mais comme son
mariage avait été bientôt suivi du décès de leur parent
commun qui les laissa à la charge d'un frère de leur père que
madame Grant ne connaissait pas, elle ne les avait guère
revus depuis. Ils avaient trouvé dans la maison de leur oncle
un foyer accueillant. L'amiral et madame Crawford, s'ils
n'étaient d'accord sur aucun autre point, se rejoignaient dans
l'affection qu'ils portaient à ces enfants, ou du moins chacun
avait son favori à qui il prodiguait les plus grandes marques
de tendresse. L'amiral aimait passionnément le garçon,
madame Crawford adorait la fille, et ce fut la mort de cette
lady qui obligea sa protégée à chercher un autre foyer après
avoir tenté l'expérience de quelques mois supplémentaires
dans la maison de son oncle. La conduite de l'amiral
Crawford était corrompue, et au lieu de retenir sa nièce il
préféra installer sa maîtresse sous son toit, et c'est à cela que
madame Grant dut la proposition que lui fit sa sœur de venir
résider avec elle, décision qui fut tout aussi bien accueillie
d'un côté qu'elle pouvait être opportune de l'autre ; car
madame Grant avait maintenant épuisé toutes les ressources
habituelles des ladies qui n'ont pas d'enfants et qui demeu-
rent à la campagne ; elle avait encombré son salon favori de
jolis meubles et fait collection de plantes précieuses et de
volailles de première qualité, et avait grand besoin d'introduire chez elle un peu de diversité. En conséquence, l'arrivée
d'une sœur qu'elle avait toujours aimée et qu'elle espérait
maintenant garder auprès d'elle aussi longtemps qu'elle
resterait célibataire, lui fut excessivement agréable ; et son
unique crainte était que Mansfield ne donnât pas satisfaction
à une jeune lady qui avait été accoutumée à vivre à Londres la
majeure partie de son temps.

Les appréhensions qui habitaient mademoiselle Crawford
étaient presque identiques, si ce n'est qu'elles provenaient
surtout des doutes qu'elle éprouvait sur le train de vie que
menait sa sœur et sur la qualité de la société qu'elle

fréquentait ; et ce ne fut pas avant d'avoir tenté en vain de
persuader son frère de s'établir avec elle dans la demeure qu'il
possédait à la campagne, qu'elle résolut de s'aventurer parmi
les autres membres de la famille. Henry Crawford éprouvait
par malheur une grande aversion pour tout ce qui pouvait
ressembler de près ou de loin à un lieu d'habitation perma-
nent, ou une société restreinte ; il ne pouvait satisfaire sa
sœur sur un point aussi important, mais il lui servit de
cavalier servant avec une extrême obligeance, jusque dans le
comté de Northampton, et s'engagea avec empressement à
venir la chercher à nouveau dans un délai d'une demi-heure si
elle se lassait d'être là.

La rencontre fut des deux côtés des plus satisfaisantes.
Mademoiselle Crawford trouva une sœur qui n'était ni
tatillonne ni rustique, un beau-frère qui avait l'air d'un
gentleman, et une maison spacieuse et bien aménagée ; quant
à madame Grant, elle accueillit ceux qu'elle souhaitait aimer
plus que jamais, sous la forme d'un jeune homme et d'une
jeune femme aux dehors engageants. Mary Crawford était
remarquablement jolie ; Henry, quoique dépourvu de
beauté, avait grand air et fière allure ; leurs manières étaient
enjouées et aimables, si bien que madame Grant leur attribua
toutes les autres qualités. Elle fut ravie de leur présence à
tous deux, avec une prédilection toute particulière pour
Mary ; car, comme elle n'avait jamais pu se glorifier de sa
propre beauté, elle était enchantée au plus haut point de
pouvoir être fière de la beauté de sa sœur. Ellen n'avait pas
attendu leur arrivée pour chercher un parti qui pût lui
convenir ; elle avait arrêté son choix sur Tom Bertram ; le fils
aîné du baronnet n'était pas ce qu'il y avait de mieux pour
une jeune fille qui était alors à la tête de vingt mille livres,
sans parler de toute l'élégance, de tous les talents que
madame Grant devinait en elle ; et Mary n'était pas restée
plus de trois heures chez elle qu'elle lui faisait déjà part de ses
projets avec l'impétuosité et l'absence de réserve qui la
caractérisaient.

Mademoiselle Crawford fut fort aise de découvrir aussi
près d'elle une famille aussi considérable, il ne lui déplut pas
non plus que sa sœur se fût enquis de si bonne heure d'un
parti et qu'elle eût arrêté ainsi son choix. Son but était le
mariage, à condition que le parti choisi en valût la peine, et

comme elle avait aperçu monsieur Bertram en ville, elle savait
qu'il n'y avait rien à reprocher à son apparence physique ni à
la position qu'il occupait dans le monde. Tout en traitant cela
comme une plaisanterie, elle n'oubliait pas cependant d'y
réfléchir sérieusement. On fit bientôt connaître ce projet à
Henry.

« Et maintenant », ajouta madame Grant, « j'ai songé à
quelque chose qui rendrait cet arrangement parfait. Mon
plus cher désir serait de vous voir vous établir dans cette
région d'Angleterre, et par conséquent, Henry, vous épou-
serez la plus jeune des demoiselles Bertram, une belle et
aimable jeune fille, accomplie, et d'un bon naturel, qui vous
rendra très heureux. »

Henry s'inclina et la remercia.

« Ma chère sœur », dit Mary, « si vous pouvez le convaincre d'agir de la sorte, je serai doublement ravie de me voir
apparentée à quelqu'un d'aussi intelligent, et je regretterai
seulement que vous ne soyez pas la mère d'une demi-
douzaine de filles à caser. Si vous réussissez à persuader
Henry de se marier, c'est que vous avez l'habileté d'une
Française. Tous les talents anglais s'y sont déjà employés.
Trois de mes amies intimes sont tour à tour mortes d'amour
pour lui ; on ne saurait imaginer le mal qu'elles se sont
donné, elles et leurs mères, ainsi que ma tante et moi, pour
l'inciter avec force raisonnements, cajoleries et ruses à se
marier ! C'est le plus horrible bourreau des cœurs qui se
puisse imaginer. Si vos demoiselles Bertram ne souhaitent
pas voir leurs cœurs brisés, qu'elles évitent Henry. »

« Mon cher frère, je ne puis croire une telle chose. »

« Il est vrai, vous êtes sûrement trop bonne pour cela.
Vous montrez plus de bienveillance que Mary. Vous prenez
en considération l'irrésolution due à la jeunesse et au manque
d'expérience. Je suis d'un naturel prudent, et peu enclin
à risquer mon bonheur par une trop grande précipitation. Personne mieux que moi n'a en plus haute estime
l'état matrimonial. Je considère que le poète a parfaitement
décrit le glorieux présent qu'est une épouse dans ces
vers pertinents : « Le meilleur et le *dernier* des dons du
Ciel. »

« Voyez, madame Grant, comme il s'attarde sur un mot,
regardez bien son sourire. Je vous assure qu'il est tout à fait

détestable — les leçons de l'amiral l'ont complètement gâté. »

« Je ne prête guère attention », dit madame Grant, « à ce que disent les jeunes gens du mariage. S'ils professent de l'aversion à son égard, je me borne à penser qu'ils n'ont pas encore rencontré la personne qu'il leur fallait. »

Le docteur Grant félicita en riant mademoiselle Crawford de ne point partager elle-même cette aversion.

« Eh oui, et je n'en ai pas du tout honte. J'aimerais que tout le monde se marie, pourvu que ce soit fait convenablement. Je n'aime pas voir que l'on se marie avec quelqu'un d'indigne de soi ; mais tout le monde devrait se marier dès qu'un beau parti se présente. »

CHAPITRE V

Dès le premier instant les jeunes gens se trouvèrent fort satisfaits l'un de l'autre. Il y avait de part et d'autre beaucoup d'attraits, et leurs relations promirent bientôt de devenir aussi étroites que le permettaient les convenances. La beauté de mademoiselle Crawford ne la desservit pas auprès des demoiselles Bertram. Elles étaient trop belles elles-mêmes pour haïr une autre femme pour sa beauté, et elles tombèrent, presque comme leur frère, sous le charme de son œil noir et vif, de son teint clair de brune, et de la joliesse de toute sa personne. Eût-elle été grande, blonde et majestueuse, cela aurait peut-être été une épreuve pour elles ; mais, les choses étant ainsi, nulle comparaison n'était possible, et si elle était sans conteste fort jolie et fort gracieuse, elles étaient, elles, les plus belles jeunes femmes des alentours.

Son frère n'était pas un bel homme ; non, quand elles le virent pour la première fois, il leur parut franchement laid, tout noir et laid ; mais il avait pourtant l'allure d'un gentleman, et des manières aimables. La deuxième rencontre prouva qu'il n'était pas si laid que cela ; il était laid certes, mais son visage était si expressif, ses dents si belles, il était si bien fait de sa personne, qu'on oubliait bientôt sa laideur ; et après une troisième entrevue, lors d'un dîner en sa compagnie au presbytère, plus personne ne songea à employer un mot pareil pour parler de lui. C'était, en vérité, le jeune homme le plus aimable que les sœurs eussent jamais connu, et elles étaient toutes deux ravies de le connaître. Les fiançailles de mademoiselle Bertram firent de lui, en toute équité, la propriété de Julia, ce dont celle-ci avait pleinement conscience, et il n'avait pas passé une semaine à Mansfield qu'elle était tout à fait prête à ce qu'il tombât amoureux d'elle.

Les idées de Maria sur ce sujet étaient plus vagues et plus confuses. Elle ne voulait ni voir ni comprendre. « Il ne pouvait y avoir de mal à ce qu'elle eût du goût pour un homme aimable ; tout le monde savait quelle était sa position ; que monsieur Crawford prenne garde à lui. » Monsieur Crawford n'avait nullement l'intention de se mettre dans une situation dangereuse ; les demoiselles Bertram valaient la peine qu'on s'efforçât de leur plaire, et elles étaient disposées à ce qu'on leur plût ; et au début son seul objet fut de se faire apprécier d'elles. Il ne désirait pas les voir mourir d'amour pour lui ; mais en dépit du caractère raisonnable qui était le sien et qui aurait dû l'inciter à mieux juger et sentir, il s'accorda sur ce point la plus grande liberté.

« Je raffole de vos demoiselles Bertram, ma sœur », dit-il, alors qu'il venait de les raccompagner à leur voiture après le dîner déjà cité, « elles sont fort aimables et élégantes ».

« Oui, cela est vrai, et je suis ravie de vous l'entendre dire. Mais c'est Julia que vous préférez. »

« Oh ! oui, c'est Julia que je préfère. »

« Mais est-ce vraiment le cas ? car mademoiselle Maria Bertram est de l'avis de tous la plus belle. »

« Je suppose qu'il en est ainsi. Elle l'emporte pour chacun des traits de son visage, et je préfère l'expression qui l'anime, mais c'est Julia que j'aime le mieux. Mademoiselle Bertram est sans doute la plus belle, et m'a paru fort aimable, mais je n'en continuerai pas moins à préférer Julia, puisque vous me l'ordonnez. »

« Je ne dirai plus rien, Henry, mais je sais que vous *finirez* par la préférer. »

« Ne vous ai-je pas dit que c'est elle que j'ai préférée *dès le début* ? »

« Et de plus, mademoiselle Bertram est fiancée. Rappelez-vous cela, mon cher frère. Son choix est fait. »

« Oui, et je l'en aime d'autant plus. Une jeune femme est plus aimable lorsqu'elle est fiancée que lorsqu'elle est libre. Elle a tout lieu de se féliciter. Ses soucis sont terminés, et elle sent qu'elle peut déployer tous ses talents de séduction sans

éveiller de soupçons. On ne risque rien quand une lady est
fiancée ; il ne peut rien arriver de mal. »

« Eh bien, monsieur Rushworth est un brave jeune
homme, et c'est un beau parti pour elle. »

« Mais mademoiselle Maria Bertram s'en soucie comme
d'une guigne ; *voilà* ce que vous pensez de votre amie intime.
Quant à moi, je ne souscris pas à une telle opinion.
Mademoiselle Bertram est, j'en suis sûr, très attachée à
monsieur Rushworth. J'ai trop haute opinion de mademoiselle Bertram pour imaginer qu'elle puisse jamais donner sa
main sans donner son cœur. »

« Mary, comment allons-nous nous y prendre avec
lui ? »

« À mon avis, il faudra lui laisser le soin d'en décider ;
parler ne fait aucun bien. Il finira par se laisser attraper. »

« Mais je ne veux pas qu'il *se fasse attraper*, je ne veux pas
qu'on le dupe ; je veux que tout se passe de façon équitable et
loyale. »

« Oh, vraiment ; qu'il tente sa chance et se fasse duper. Ce
fera tout aussi bien l'affaire. Tout le monde devient dupe un
jour ou l'autre. »

« Pas toujours dans le mariage, ma chère Mary. »

« Surtout dans le mariage. Malgré tout le respect que je
porte à ceux qui, dans la campagne qui m'entoure, sont par
hasard mariés, ma chère madame Grant, il n'y a pas une seule
personne des deux sexes sur cent qui ne soit dupe lorsqu'elle
se marie. Où que je jette les yeux, je vois qu'il en *est* ainsi ; et
mon sentiment est qu'il *doit* en être ainsi, quand je considère
que le mariage est, de toutes les transactions, celle au cours
de laquelle on attend le plus des autres, et où l'on est
soi-même le moins honnête. »

« Ah ! vous avez été à mauvaise école en matière de
mariage, lorsque vous étiez à Hill Street. »

« Ma pauvre tante n'a certes guère eu de raisons d'apprécier l'état de femme mariée ; mais, si j'en juge d'après mes
propres observations, c'est une transaction qui exige d'adroi-
tes manœuvres. J'en connais tant qui se sont mariés avec une
pleine confiance, qui comptaient retirer de cette union
quelque avantage particulier ou acquérir quelque talent ou
qualité en la personne choisie, et dont les espérances ont été
déçues ; ils ont donc été obligés de s'accommoder précisé-

ment du contraire de ce à quoi ils s'attendaient ! De quoi s'agit-il, sinon d'un marché de dupes ? »

« Ma chère enfant, il faut un peu d'imagination dans ce cas. Vous me pardonnerez si je ne vous crois pas tout à fait. Soyez sûre que vous ne voyez que la moitié des choses. Vous voyez le mauvais côté, mais pas ce qu'il y a de consolant. Il y a toujours, partout, de menues contrariétés, de petites déceptions, et nous sommes tous enclins à attendre beaucoup de la vie ; mais alors, si un projet de bonheur échoue, la nature humaine se tourne vers un autre ; si les premiers calculs sont faux, les seconds seront meilleurs ; nous trouvons le réconfort quelque part et ces observateurs malveillants qui attachent, ma chère Mary, beaucoup d'importance à ce qui n'en a pas, sont plus dupes et plus souvent bafoués que les protagonistes eux-mêmes. »

« Voilà qui est bien dit, ma sœur ! J'admire votre *esprit de corps* (1). Quand je serai mariée, j'ai l'intention d'être tout aussi ferme moi-même ; et je souhaite que mes amis le soient tout autant. Cela m'épargnerait maintes peines de cœur. »

« Vous êtes aussi dure que votre frère, mais nous vous guérirons tous deux. Mansfield vous guérira tous deux, sans qu'il y ait de dupes. Restez parmi nous et nous vous guérirons. »

Les Crawford n'avaient aucune envie de guérir, mais étaient fort désireux de rester. Mary trouvait que pour l'heure la cure était une demeure fort agréable à habiter, et Henry était également disposé à prolonger sa visite. Il n'avait eu l'intention que de passer quelques jours avec elles, mais le séjour à Mansfield s'annonçait plein de promesses, et rien ne le réclamait ailleurs. Madame Grant fut ravie de les retenir tous les deux, et le docteur Grant extrêmement satisfait de leur présence ; une jeune et jolie personne comme mademoiselle Crawford, qui était passée maîtresse en l'art de la conversation, ne pouvait qu'être une compagnie agréable pour un homme casanier et indolent ; et comme monsieur Crawford était son invité, le docteur Grant se sentait autorisé de boire chaque jour du vin de Bordeaux.

L'admiration que les demoiselles Bertram portaient à monsieur Crawford dépassait de loin, dans son exaltation,

(1) En français dans le texte.

tout ce que mademoiselle Crawford était susceptible, par ses
habitudes, d'éprouver. Elle reconnut, toutefois, que les
jeunes Bertram étaient de beaux jeunes gens, qu'il était rare,
même à Londres, de voir réunis ainsi deux jeunes gens
d'aussi belle mine, et que leurs manières étaient fort bonnes,
surtout celles de l'aîné. *Il* avait passé beaucoup de temps à
Londres, et ses façons étaient plus courtoises, plus enjouées
que celles de son frère, ce pourquoi on ne pouvait que
lui accorder la préférence ; et il était l'aîné, ce qui était en
vérité aussi un autre motif puissant qui le fît préférer. Ses
faveurs étaient allées dès les premiers instants à l'aîné,
ainsi qu'elle l'avait pressenti. Elle savait qu'il devait en
être ainsi.

On trouvait Tom Bertram fort aimable ; il faisait partie de
ces jeunes gens que l'on aime généralement, et son amabilité
était souvent trouvée plus agréable que bien de plus nobles
qualités, car ses manières étaient aisées, son humeur excellente, ses relations nombreuses, et il avait toujours beaucoup
de choses à dire ; et comme il devait entrer en possession de
Mansfield Park et être élevé au rang de baronnet, cela ne
nuisait en rien à la bonne opinion qu'on avait de lui.
Mademoiselle Crawford ne fut pas longue à considérer qu'ils
pourraient, lui et son rang, faire l'affaire. Elle regarda autour
d'elle et, après mûre réflexion, jugea que tout jouait en sa
faveur : un parc, un vrai parc qui s'étendait à cinq milles à la
ronde, une demeure vaste et moderne, si bien située et
abritée qu'elle méritait de figurer dans la collection de
gravures représentant les demeures campagnardes des gentlemen du royaume, et à qui ne manquait que d'être meublée de
neuf, des sœurs aimables, une mère placide, et lui-même un
homme d'un caractère facile, et le parc possédait cet avantage, grâce à une promesse faite à son père, de ne point être
assujetti pour l'heure à l'obligation de devenir réserve de
chasse, et de plus il prendrait par la suite le titre de Sir
Thomas. Cela pourrait très bien convenir ; elle pensait
pouvoir accepter sa demande en mariage ; et elle commença
dès lors à manifester de l'intérêt pour le cheval qu'il faisait
courir aux courses de B…

Ces courses l'obligèrent à s'absenter peu de temps après
qu'ils eurent fait connaissance ; et comme sa famille semblait
devoir ne pas attendre son retour avant de nombreuses

semaines, si elle en jugeait d'après ce qui lui était coutumier, son absence serait utile car elle l'inciterait à donner des marques de sa passion sans plus attendre. Il s'efforça longuement, avec l'empressement de celui qui a du goût pour les courses, de la persuader d'y assister avec lui, et fit des projets pour que tout le monde vînt, mais ce fut en vain, on se contenta d'en parler.

Et Fanny, que devenait-*elle*, que pensait-*elle* pendant tout ce temps-là ? et quelle était *son* opinion sur les nouveaux venus ? Fanny, moins que quiconque parmi les jeunes ladies de dix-huit ans, ne pouvait être appelée à donner son avis. Discrètement, sans attirer l'attention sur elle, elle rendit à la beauté de mademoiselle Crawford un hommage plein d'admiration ; mais comme elle persistait à trouver monsieur Crawford très ordinaire, bien que ses deux cousines aient démontré le contraire, elle ne prononçait jamais *son nom*. Elle attira la curiosité sur elle, et voici ce qu'il s'ensuivit : « Je commence à vous comprendre tous, maintenant, à l'exception de mademoiselle Price », dit mademoiselle Crawford en se promenant avec Tom et Edmond Bertram. « Dites-moi si elle a fait ou non ses débuts dans le monde ? Cela m'intrigue ; elle a dîné au presbytère avec vous, ce qui semblait signifier qu'elle avait *fait ses débuts dans le monde* ; et cependant elle parle si peu qu'il m'est difficile de croire que *cela soit le cas*. »

Edmond, à qui ce discours s'adressait surtout, répondit : « Je crois comprendre ce que vous voulez dire, mais je n'entreprendrai pas de répondre à cette question. Ma cousine est une grande personne. Elle a l'âge et le bon sens d'une femme faite, mais les entrées et les non-entrées dans le monde me dépassent. »

« Et pourtant, rien n'est généralement moins difficile à établir. La distinction est si nette. Les manières comme l'apparence sont, en général, si radicalement différentes. Jusqu'à présent, j'eusse volontiers cru impossible que l'on pût confondre une jeune fille qui avait fait ses débuts dans le monde avec une autre qui ne les avait pas encore faits. Cette dernière porte toujours le même genre de toilette, par exemple un bonnet ajusté, elle a un air réservé et ne dit mot. Vous pouvez sourire, mais il en est ainsi, je vous l'assure — et tout cela est fort convenable, sauf quand on dépasse la

mesure. Les jeunes filles devraient être réservées et modestes.
La seule objection que l'on puisse soulever, c'est que le
changement qui se produit dans les manières lorsqu'on
présente ces jeunes filles à la société est fréquemment trop
soudain. Elles passent quelquefois si rapidement de la réserve
à son opposé, l'effronterie ! *Voilà* par où pèche le système
qui prévaut de nos jours. On n'aime guère voir une jeune fille
de dix-huit ou dix-neuf ans qui a brusquement tant de choses
en tête, alors même qu'on l'a vue peut-être l'année auparavant à peine capable de proférer une seule parole. Monsieur
Bertram, j'ose affirmer que *vous* avez parfois été témoin de
pareilles métamorphoses. »

« Je crois bien que cela a été le cas ; mais voilà qui n'est
guère équitable ; je vois où vous voulez en venir. Vous vous
gaussez de moi et de mademoiselle Anderson. »

« Il n'en est rien. Mademoiselle Anderson ! Je ne sais ni à
quoi ni à qui vous faites allusion. Je suis tout à fait dans
l'ignorance. Mais je me *gausserai* de vous avec un extrême
plaisir, si vous me dites seulement de quoi il s'agit. »

« Ah ! vous vous tirez fort bien d'affaire, mais je ne me
laisse pas aussi facilement abuser. C'est bien mademoiselle
Anderson que vous visiez, quand vous avez décrit la
métamorphose de cette jeune lady. Votre portrait est trop
explicite pour que l'on puisse s'y tromper. Les choses se sont
passées exactement comme vous l'avez dit. Les Anderson de
Baker Street. Nous avons parlé d'eux l'autre jour. Edmond,
vous m'avez entendu prononcer le nom de Charles Anderson. Les circonstances ont été exactement telles que cette
jeune lady les a décrites. Quand Charles Anderson m'a
présenté pour la première fois à sa famille, il y a deux ans
environ, sa sœur, n'avait pas encore *fait son entrée dans le
monde*, et je ne parvins pas à lui tirer un mot. Je restai assis
une heure un matin à attendre Anderson, seul avec elle et une
ou deux petites filles — la gouvernante étant malade ou
s'étant enfuie — avec seulement de temps à autre sa mère qui
entrait et sortait, des lettres d'affaires à la main ; et je parvins
tout juste à lui faire dire un mot ou la contraindre à me
regarder — rien en tout cas qui ressemblât à une réponse
polie — elle pinça la bouche et se détourna de moi avec un tel
air ! Je ne la revis pas pendant une année. Elle *fit alors son
entrée dans le monde*. Je la rencontrai chez madame Hol-

ford, et ne la reconnut point. Elle s'avança vers moi, prétendit me connaître, me dévisagea et ne cessa de bavarder et de rire jusqu'à ce que je ne sache plus de quel côté me tourner. J'avais l'impression d'être en cet instant la risée de tous les gens qui se trouvaient dans la pièce et mademoiselle Crawford a dû, cela est clair, entendre raconter cette histoire. »

« Et c'est une très jolie histoire, et bien trop véridique pour faire honneur à mademoiselle Anderson. C'est une erreur fort répandue. Les mères ne savent assurément pas encore tout à fait comment mener à bien l'éducation de leurs filles. Je ne sais pas en quoi réside l'erreur. Je ne prétends pas redresser les torts, mais je me contente de voir qu'ils existent souvent. »

« Ceux qui montrent au monde ce que *devraient être* les manières des personnes du sexe féminin », dit monsieur Bertram, fort galamment, « contribuent beaucoup à redresser les torts ».

« L'erreur est pourtant frappante », dit Edmond qui était moins galant, « ces jeunes filles sont mal élevées. On leur inculque de faux principes dès le départ. Elles agissent toujours poussées par la vanité ; et il n'y a pas plus de vraie retenue dans leur conduite *avant* leur apparition en public qu'il n'y en a après ».

« Je ne le pense pas vraiment », dit mademoiselle Crawford d'une voix hésitante. « Oui, je ne saurais être d'accord avec vous là-dessus. C'est alors que se trouve le moment de la plus grande réserve. Il est bien pire de voir ainsi que *je l'ai vu faire*, des jeunes filles qui n'avaient *pas encore débuté*, se donner de grands airs et prendre des libertés comme si c'était déjà chose faite. *Voici* qui est pire que tout : et tout à fait choquant ! »

« Oui, *voilà* qui est vraiment malcommode », dit monsieur Bertram. « Cela vous induit en erreur ; on ne sait que faire ; le bonnet ajusté et la mine réservée que vous dépeignez si bien (et rien n'a été plus justement décrit), vous disent ce qu'on attend de vous ; mais l'année dernière, parce qu'ils faisaient défaut, je me suis attiré bien des désagréments. Au mois de septembre dernier, je suis descendu passer une semaine à Ramsgate avec un ami, juste après mon retour des Antilles, mon ami Sneyd, vous m'avez entendu parler de

Sneyd, Edmond ; son père, sa mère, et ses sœurs étaient là, et
je ne les connaissais pas. Une fois arrivés à leur demeure,
Albion Place, nous les trouvâmes sortis ; nous partîmes à
leur recherche et les découvrîmes sur la jetée. Madame
Sneyd, les deux demoiselles Sneyd, et d'autres personnes de
leurs connaissances. Je les saluai ainsi qu'il se doit, et comme
madame Sneyd était entourée d'hommes, je me consacrai à
l'une de ses filles, marchai à ses côtés tout le long du chemin
du retour, avec toute l'amabilité possible ; la jeune lady
parfaitement à l'aise dans ses manières et disposée aussi bien à
parler qu'à écouter. Je ne soupçonnais nullement que j'agis-
sais mal. Elles se ressemblaient ; toutes les deux étaient bien
habillées, avec des voiles et des ombrelles comme les autres
jeunes filles ; mais je découvris par la suite que j'avais accordé
toute mon attention à la plus jeune, qui n'avait pas encore
débuté, et que j'avais outrageusement blessé l'aînée. Mademoiselle Augusta n'aurait pas dû être remarquée pendant les
six mois suivants, et mademoiselle Sneyd ne m'a, je crois,
jamais pardonné. »

« C'est assurément une expérience désagréable. Pauvre
mademoiselle Sneyd ! Bien que je n'aie pas de sœur,
j'éprouve de la compassion pour elle. Se voir manquer
d'égards avant l'heure doit être fort contrariant. Mais tout a
été de la faute de la mère. Mademoiselle Augusta aurait dû
être avec sa gouvernante. Mais il ne sert jamais à rien d'agir à
moitié. Qu'en est-il pour tout dire de mademoiselle Price ?
Va-t-elle au bal ? Est-elle invitée partout pour dîner, et pas
seulement chez ma sœur ? »

« Non », répondit Edmond, « je ne crois pas qu'elle soit
jamais allée à un bal. Ma mère sort rarement en société, et ne
dîne nulle part ailleurs que chez madame Grant, et Fanny
reste à la maison avec *elle* ».

« Oh ! alors, la question est résolue. Mademoiselle Price
n'a pas encore fait ses débuts dans le monde. »

CHAPITRE VI

Monsieur Bertram se mit en route pour B..., et mademoiselle Crawford, certaine de regretter sa présence dans les réunions entre familles qui avaient maintenant lieu presque tous les jours, se prépara à trouver un vide immense dans la société de Mansfield ; et lorsqu'ils se retrouvèrent tous pour déjeuner, peu de temps après son départ, elle s'assit de nouveau à sa place favorite, presque au bout de la table, s'attendant à ce que l'absence du maître de maison la plonge dans une extrême mélancolie. Le repas allait, à n'en pas douter, être fort monotone. Edmond n'aurait, en comparaison avec son frère rien à dire. On ferait circuler la soupe sans entrain, boirait le vin sans le moindre sourire, sans le moindre badinage aimable, et on découperait la venaison sans proposer une seule anecdote plaisante à propos des cuissots de chevreuil d'un repas antérieur, ou une seule histoire amusante concernant « un tel de mes amis ». Il lui faudrait trouver à se divertir en regardant ce qui se passait au haut bout de la table, en observant monsieur Rushworth, qui faisait alors son apparition à Mansfield pour la première fois depuis l'arrivée des Crawfords. Il avait rendu visite à un ami dans un comté voisin, et comme cet ami venait de faire redessiner son parc par un paysagiste, monsieur Rushworth s'en était retourné la tête pleine de son sujet et impatient d'embellir son parc de la même façon, et bien qu'il ne parlât guère à propos, il ne pouvait parler de rien d'autre. On avait déjà traité du sujet au salon ; on le reprit dans la petite salle à manger. Monsieur Rushworth aspirait surtout à retenir

l'attention de mademoiselle Crawford et à recueillir son avis ;
et bien que le comportement de celle-ci témoignât plus
du sentiment qu'elle avait de sa supériorité, que du souci de
l'obliger, la mention de Sotherton Court ainsi que les idées
qui s'y rattachaient lui procurèrent des sentiments de satisfaction tels qu'ils la retinrent de se montrer par trop
discourtoise.

« J'aimerais que vous puissiez voir Compton », dit-il.
« Quelle perfection ! Je n'ai jamais vu d'endroit à tel point
métamorphosé. J'ai dit à Smith que je ne reconnaissais plus
les lieux. La perspective d'arrivée est *maintenant* l'une des
plus belles qui se puisse voir dans tout le pays. On découvre
la maison de la façon la plus surprenante. Je vous assure que,
de retour hier à Sotherton, j'ai eu tout à fait l'impression de
me trouver devant une vieille et lugubre prison ».

« Oh ! quelle honte ! » s'écria madame Norris. « Une
prison, vraiment ! Sotherton Court est la demeure la plus
ancienne et la plus noble qui soit au monde. »

« Elle a indubitablement, madame, besoin d'embellissements. Je n'ai jamais de ma vie vu de demeure qui ait tant
besoin d'embellissements ; et elle est dans un tel état d'abandon que je ne sais pas ce qu'on pourra en tirer. »

« Il n'est pas étonnant que monsieur Rushworth ait de
pareilles idées maintenant », dit madame Grant à madame
Norris, avec un sourire ; « mais, croyez-le bien, Sotherton
aura au moment voulu *tous* les embellissements que son cœur
puisse souhaiter ».

« Il faudra que je m'en occupe », dit monsieur Rushworth,
« mais je ne sais comment. J'espère que de bons amis m'y
aideront ».

« En de telles circonstances, votre meilleur ami », dit
mademoiselle Bertram avec calme, « serait monsieur Repton,
j'imagine ».

« C'est ce que j'étais en train de penser. Comme il a fait de
si belles choses pour Smith, je crois que je ferais bien de le
faire venir sur-le-champ. Ses conditions sont de cinq guinées
par jour. »

« Eh bien, et même si elles étaient de *dix* », s'écria madame
Norris, « je suis sûre que *vous* ne regarderiez pas à la
dépense. La dépense ne saurait être un obstacle. À votre
place, je n'y penserais pas. Je veillerais à ce que tout soit dans

le meilleur goût, et aussi joli que possible. Un endroit comme Sotherton Court mérite d'avoir tout ce que l'argent et le goût peuvent accomplir. Vous avez l'espace qu'il faut, et un parc qui récompensera vos efforts. Quant à moi, si j'avais à embellir rien moins que la cinquantième partie de Sotherton, je serais toujours en train de planter et d'embellir, car c'est naturellement un de mes très grands plaisirs. Ce serait fort ridicule de ma part de tenter quoi que ce soit là où je me trouve maintenant, avec ma petite moitié d'arpent. Ce serait du plus haut comique. Mais si j'avais plus de place, ce serait pour moi le plus merveilleux des bonheurs que de planter et d'embellir. Nous avons fait beaucoup de choses de cet ordre au presbytère ; nous en avons fait quelque chose de tout à fait différent, qui ne ressemble guère à ce qu'il était lorsque nous nous y sommes installés. Vous, les jeunes, ne vous rappelez peut-être pas grand-chose de tout cela. Mais si le cher Sir Thomas était là, il pourrait vous dire quels embellissements nous y avons apportés ; et n'eût été la piètre santé de monsieur Norris, nous eussions accompli beaucoup plus encore. Rares étaient les moments où le pauvre homme pouvait sortir et jouir des choses, *voilà* ce qui m'a découragée de faire plusieurs des choses dont nous avions souvent parlé, Sir Thomas et moi. S'il n'y avait pas eu *cette raison,* nous aurions prolongé le mur du jardin et planté le bosquet pour masquer la vue du cimetière, ainsi que l'a fait le docteur Grant. Nous étions en fait toujours en train de faire quelque chose. C'est au printemps, l'année où est mort monsieur Norris, que nous avons mis en terre, contre le mur de l'écurie, l'abricotier qui a maintenant une taille si superbe, et qui est si proche de la perfection, monsieur », dit-elle s'adressant alors au docteur Grant.

« L'arbre est florissant, sans nul doute, madame », répliqua le docteur Grant. « La terre est bonne ; et je ne passe jamais à côté de lui sans regretter que les fruits vaillent si peu la peine qu'on les cueille. »

« Monsieur, c'est un abricotier d'une espèce tardive, nous l'avons acheté comme tel, et il nous en a coûté, c'est-à-dire, c'est un don de Sir Thomas, mais j'ai vu la note, et je sais qu'il a coûté sept shillings, et que le prix demandé était celui d'un abricotier tardif. »

« On vous en a fait accroire, madame », répliqua le docteur

Grant ; « ces pommes de terre n'ont pas plus la saveur d'un abricot tardif que n'en ont les fruits de cet arbre ; c'est au mieux un fruit insipide ; mais un bon abricot est mangeable, ce que ne sont aucun des abricots de mon jardin ».

« En vérité », dit madame Grant, en faisant semblant de parler à voix basse à madame Norris, de l'autre côté de la table, « le docteur Grant ne connaît guère le goût naturel d'un abricot ; il a rarement la satisfaction d'en avoir un, car c'est un fruit si précieux, si on s'applique à le soigner, et le nôtre est d'une espèce si extraordinairement grande et belle, que rien qu'avec les premières tartes et les confitures, ma cuisinière trouve le moyen de les utiliser tous ».

Madame Norris, qui avait commencé à rougir, fut apaisée, et, pendant un moment, d'autres sujets remplacèrent les embellissements de Sotherton. Le docteur Grant et madame Norris étaient rarement bons amis ; ils avaient fait connaissance à propos de dégradations, et leurs habitudes étaient totalement différentes.

Après une brève interruption, monsieur Rushworth reprit : « La demeure de Smith et son parc font l'admiration de tout le pays ; avant que Repton ne l'eût prise en main, c'était moins que rien. Je crois que je vais faire venir Repton ». « Monsieur Rushworth », dit Lady Bertram, « à votre place, je ferais planter un joli bosquet. Il est agréable de pénétrer dans un bosquet quand il fait chaud ».

Monsieur Rushworth, qui brûlait du désir d'assurer la femme du baronnet de son approbation, essaya de tourner quelque compliment ; mais, comme il était partagé entre le désir de se soumettre à son goût et celui de montrer qu'il avait toujours songé lui-même à mener à bien un projet de ce genre, et comme d'autre part son seul objet était de se montrer attentif au bien-être des dames en général tout en donnant à entendre qu'il ne souhaitait plaire qu'à l'une d'entre elles, il se trouva plongé dans l'embarras ; et ce fut de grand cœur qu'Edmond mit fin à son discours en lui proposant du vin. Monsieur Rushworth, pourtant peu bavard à l'ordinaire, avait cependant bien d'autres choses à dire encore sur ce sujet qui lui tenait à cœur. « Smith n'a guère plus, somme toute, qu'une centaine d'arpents dans ses jardins, ce qui est fort peu, et on comprend d'autant moins que de tels embellissements aient pu se faire. Or à Sotherton, nous en avons au moins sept cents, sans compter les prairies inondables ; et donc, si l'on a pu accomplir de pareilles choses à Compton, à mon avis, il ne faut pas désespérer. On a fait abattre deux ou trois vieux arbres qui poussaient trop près de la maison, la perspective en est étonnamment agrandie, et cela m'incite à penser que Repton, ou quelqu'un en son genre, abattrait la grande allée d'arbres de Sotherton ; l'allée qui conduit de la façade ouest au sommet de la colline », et en disant ces mots, il se tourna tout particulièrement vers mademoiselle Bertram. Mais mademoiselle Bertram jugea bon de faire cette réponse : « La grande allée, je ne m'en souviens pas. Je connais à la vérité fort peu Sotherton. »

Fanny, qui était assise à côté d'Edmond, juste en face de mademoiselle Crawford, et qui avait écouté avec beaucoup d'attention, le regarda alors et dit à voix basse : « Abattre une grande allée ! Quel dommage ! Cela ne vous fait-il pas songer à Cowper ? » « Oh vous, arbres coupés des allées, je pleure une fois encore votre sort immérité. »

Il répondit avec un sourire : « J'ai bien peur que cette allée ne subisse un triste sort, Fanny ».

« J'aimerais voir Sotherton avant qu'on ait abattu les arbres de cette allée, voir l'endroit tel qu'il est maintenant, dans l'état où il était autrefois ; mais je ne crois pas que cela soit possible. »

« N'y êtes-vous jamais allée ? Non, bien·sûr ; et par malheur, la distance est telle qu'on ne peut s'y rendre à cheval. J'aimerais pouvoir arranger une visite. »

« Oh, cela importe peu. Si je le vois jamais, vous me direz quelles modifications ont été apportées. »

« Je crois me souvenir », dit mademoiselle Crawford, « que Sotherton est une ancienne demeure, d'une certaine magnificence. Quel en est le style architectural ? »

« La maison a été construite à l'époque d'Elizabeth, elle est vaste, construite en briques et de forme régulière, massive mais respectable, avec un grand nombre de belles salles aux vastes proportions. Elle est mal située. Elle se dresse dans la partie la moins élevée du parc et est à cet égard peu propice aux embellissements. Mais les bois sont beaux et il y a un cours d'eau dont on pourrait, je pense, tirer le meilleur parti.

Monsieur Rushworth a raison, je crois, lorsqu'il se propose de lui donner un style neuf, et nul doute qu'il n'y réussisse parfaitement. »

Mademoiselle Crawford écouta avec docilité, se disant en elle-même : « Ses manières sont distinguées. Il se tire d'affaire le mieux du monde ».

« Je ne souhaite pas influencer monsieur Rushworth », poursuivit-il, « mais si j'avais une demeure à mettre au goût du jour, je ne m'en remettrais pas à un paysagiste. Je préférerais un degré de beauté inférieur, de mon propre choix et auquel j'accéderais progressivement. Je tolérerais plus aisément mes propres bévues que les siennes. »

« *Vous* sauriez quelles dispositions prendre, évidemment, mais *moi* cela ne me conviendrait pas. Je ne suis pas bon juge en la matière, n'ai dans ce domaine aucune ingéniosité, si ce n'est lorsque tout est devant moi. Et si j'avais à la campagne une maison en ma possession, je serais fort reconnaissant à n'importe quel monsieur Repton qui voulût bien entreprendre de me donner en échange de mon argent autant de beauté que possible ; et je n'y jetterais pas un seul coup d'œil avant que tout fût terminé. »

« Quant à *moi*, ce me serait un grand plaisir que d'en voir les étapes successives », dit Fanny.

« Oui, mais ces choses-là vous sont familières. Elles n'ont pas fait partie de mon éducation ; et la seule médication qui m'ait été jamais administrée l'a été par quelqu'un pour qui le monde n'a guère de complaisance, qui m'a fait considérer les travaux d'embellissements *en cours*, comme le plus fâcheux des contretemps. Voici trois ans, mon oncle respecté, l'amiral, acheta une petite maison à Twickenham pour que nous y résidions tous pendant l'été ; et nous nous y rendîmes, ma tante et moi, transportées de joie ; mais, bien qu'elle se soit révélée extrêmement jolie, on jugea bientôt nécessaire de l'embellir ; et ce ne fut pendant trois mois que saleté et désordre ; il n'y eut plus un seul chemin sablé pour y marcher, un seul banc propre à l'usage. J'aime qu'à la campagne tout soit agencé aussi parfaitement que possible, les bosquets comme les jardins de fleurs, et qu'il y ait d'innombrables sièges rustiques ; mais tout doit être fait sans que j'aie à m'en soucier. Henry est en cela différent de moi, car il adore agir. »

Edmond fut fâché d'entendre mademoiselle Crawford, qu'il était si disposé à admirer, parler aussi librement de son oncle. Cela ne s'accordait pas avec son sens des convenances, et il fut réduit au silence, jusqu'à ce que, par de nouveaux sourires pleins d'enjouement, on l'eût invité à laisser pour l'instant ce sujet de côté.

« Monsieur Edmond », dit-elle, « j'ai enfin eu des nouvelles de ma harpe. On m'a assuré qu'elle était en sécurité à Northampton ; et voici sans doute dix jours qu'elle est là-bas, en dépit des affirmations contradictoires et solennelles que nous avons reçues à ce sujet ». Edmond exprima sa surprise et sa joie. « A dire vrai, nos questions étaient trop directes ; nous envoyâmes un domestique, nous nous y rendîmes nous-mêmes : ce qui ne fait pas l'affaire à soixante-dix milles de Londres ; mais ce matin les nouvelles ont été bonnes. Elle a été aperçue par un fermier qui en a parlé au meunier, et le meunier en a parlé au boucher, et le beau-fils du boucher a laissé un message à la boucherie. »

« Je suis heureux que vous en ayez eu des nouvelles, par quelque moyen que ce soit ; et j'espère qu'elle ne subira pas d'autres retards. »

« Je dois la recevoir demain ; mais, à votre avis, comment va-t-on la transporter, ni dans un chariot, ni dans une charrette ; oh non, nous n'avons pu louer de véhicule de ce genre dans le village. J'aurais pu tout aussi bien exiger des porteurs et une charrette à bras. »

« Il vous sera probablement difficile maintenant, en plein milieu d'une fenaison tardive, de trouver à louer un cheval et une charrette. »

« J'ai été étonnée quand j'ai découvert dans quelle entreprise je m'étais lancée ! Il me paraissait impossible que l'on manquât à la campagne de chevaux et de charrettes, aussi ai-je demandé à ma femme de chambre d'en retenir sur-le-champ ; et comme je ne peux regarder par la fenêtre de mon cabinet de toilette sans apercevoir une cour de ferme, ni me promener dans le petit bois sans passer encore devant une autre, je croyais qu'il suffisait de demander pour avoir, et regrettais de ne pouvoir faire profiter tout le monde de mon offre. Imaginez ma surprise, lorsque je découvris que ce que j'avais demandé était la chose la plus déraisonnable, la plus

insensée qui fût au monde, que j'avais offensé tous les
fermiers, tous les journaliers, et jusqu'au foin de la paroisse.
Quant à l'intendant du docteur Grant, il me parut qu'il valait
mieux ne pas avoir affaire à *lui* ; et mon beau-frère lui-même,
qui est en général la bonté même, me fit vilaine figure, quand
il se rendit compte de ce à quoi je m'étais appliquée. »

« On ne pouvait s'attendre à ce que vous ayez réfléchi à ce
sujet auparavant, mais *réfléchissez-y* et vous verrez à n'en pas
douter combien il est important de rentrer le foin. Louer une
charrette à n'importe quel moment pourrait bien ne pas
être chose aussi aisée que vous le supposez ; nos fermiers
n'ont pas cette habitude ; mais, pendant la moisson, il ne
leur est certainement pas possible de se priver d'un seul
cheval. »

« Je comprendrai tous vos usages en temps voulu ; mais
arrivant ici avec cette authentique maxime londonienne selon
laquelle on peut tout acheter avec de l'argent, j'ai été un peu
déconcertée au début par la ferme indépendance de vos
coutumes campagnardes. Toutefois, je dois faire venir ma
harpe demain. Henry, qui est si accommodant, m'a proposé
d'aller la chercher lui-même avec sa calèche. N'aurons-nous
pas ainsi un moyen de transport des plus honorables ? »

Edmond parla de la harpe comme de son instrument
favori, et dit qu'il espérait qu'on lui permettrait bientôt de
l'entendre. Fanny, qui n'avait jamais entendu jouer de la
harpe, exprima le même désir.

« Je serai enchantée de jouer pour vous deux », dit
mademoiselle Crawford ; « du moins aussi longtemps que
vous le souhaiterez ; sans doute plus longtemps, car la
musique est mon plus grand plaisir, et là où il y a par nature
égalité de goût, c'est le musicien qui sera toujours le mieux
pourvu, car il est récompensé de plus d'une façon. Donc,
monsieur Bertram, si vous écrivez à votre frère, je vous
demande en grâce de lui dire que ma harpe *est enfin arrivée*,
je lui ai fait si souvent part de mon affliction. Et vous pouvez
lui dire, s'il vous plaît, que je préparerai mes airs les plus
plaintifs pour son retour, en conformité avec ses sentiments,
car je suis sûre que son cheval perdra ».

« Si j'écris, je lui dirai tout ce que vous voudrez ; mais pour
l'heure, rien ne m'incite à écrire. »

« Non, bien sûr, et dût-il demeurer éloigné une année

entière, que vous ne correspondriez pas, ni l'un ni l'autre, si vous pouviez l'éviter. Nulle circonstance ne saurait jamais vous y inciter. Comme les frères sont d'étranges créatures ! Vous écrivez seulement si la plus impérieuse nécessité vous y contraint ; et lorsque vous êtes obligé de prendre la plume pour dire que tel cheval est malade, ou tel parent mort, c'est avec le moins de mots possibles. Un style uniforme vous est commun. Je le connais parfaitement. Henry, qui est à tout autre égard tout ce qu'un frère devrait être, qui m'aide, me consulte, me confie ses secrets, et peut bavarder avec moi une heure entière, n'a jamais tourné la page lorsqu'il a écrit une lettre ; et, très souvent, il n'y a guère que : " Chère Mary, je viens d'arriver. Bath semble plein, et tout est comme d'habitude. Cordialement vôtre. " Voilà le vrai style masculin ; la lettre exemplaire que vous écrit un frère. »

« Quand ils sont très loin de leur famille », dit Fanny, qui rougissait en pensant à William, « ils savent écrire de longues lettres ».

« Mademoiselle Price a un frère qui est en mer », dit Edmond, « dont l'excellence comme correspondant l'incite à penser que vous êtes trop sévère à notre égard ».

« En mer, n'est-ce pas ? au service de Sa Majesté, bien sûr. »

Fanny eût préféré qu'Edmond racontât l'histoire, mais son silence opiniâtre la contraignit à expliquer quelle était la situation de son frère ; sa voix s'anima lorsqu'elle parla de sa profession, des postes éloignés auxquels il avait été envoyé, mais elle ne put parler du nombre d'années pendant lesquelles il avait été absent sans que les larmes lui montassent aux yeux. Mademoiselle Crawford, fort civilement, souhaita pour lui un avancement rapide.

« Sauriez-vous quelque chose au sujet du capitaine de mon cousin », dit Edmond. « Le capitaine Marshall ? Vous avez, il me semble, de nombreuses connaissances dans la marine ? »

« Des connaissances assez nombreuses parmi les amiraux ; mais », d'un air grave, « nous ne connaissons guère les subalternes. Les capitaines de vaisseau sont peut-être de braves gens, mais ils ne font pas partie de *notre* société ; je pourrais vous conter bien des choses sur divers amiraux ; sur eux, sur leurs pavillons, sur la progression de leur solde, leurs querelles et leurs rivalités. Mais en général, je pense qu'on ne les traite pas à leur juste valeur, qu'ils sont victimes d'une injustice. Certes, mon séjour chez mon oncle m'a fait faire la connaissance d'un cercle d'amiraux. Tant *Contre* que *Vice* ; cela m'a suffi. Voyons, ne croyez pas que je veuille faire un jeu de mots, je vous en supplie ».

De nouveau Edmond prit une mine sévère et se contenta de répondre : « C'est une noble profession. »

« Oui, cela est vrai dans deux cas ; si elle fait votre fortune, et si vous pouvez dépenser celle-ci comme vous l'entendez. Mais, en deux mots, ce n'est pas la profession que je préfère. Elle ne *m'est* jamais apparue comme revêtant des formes aimables. »

Edmond revint à la harpe, et se réjouit de pouvoir bientôt l'entendre jouer.

Les autres en étaient encore à discuter des embellissements à apporter au parc et aux jardins ; et madame Grant ne put s'empêcher de s'adresser à son frère, même s'il fallait pour cela détourner son attention de mademoiselle Julia Bertram. « Mon cher Henry, n'avez-*vous* rien à dire ? Vous avez été vous-même paysagiste, et d'après ce que j'ai entendu dire d'Everingham, votre demeure peut rivaliser avec toute autre demeure anglaise. Ses beautés naturelles sont assurément fort grandes. A mon avis, Everingham, dans l'état où il se *trouvait autrefois*, était la perfection même ; l'inclinaison du terrain en est si admirable ! Quelle belle futaie ! Que ne donnerais-je pour le revoir ! »

« Rien ne pourrait me procurer plus de plaisir que d'entendre votre opinion », fut sa réponse. « Mais je redoute quelque déception. Le domaine ne vous paraîtrait pas à la hauteur de vos idées d'aujourd'hui. Il est de proportions si infimes ; et quant aux embellissements, je n'ai pas eu grand-chose à faire ; j'aurais voulu y être occupé plus longtemps. »

« Vous aimez ce genre de choses ? » dit Julia.

« Excessivement : mais tant avec les avantages naturels du terrain qui signalaient à un œil peu exercé qu'il restait fort peu de choses à faire, qu'avec les décisions que je pris en conséquence, je n'avais pas atteint ma majorité depuis trois mois qu'Everingham devenait ce qu'il est aujourd'hui. Je conçus mes projets à Westminster, les modifiant très légèrement à Cambridge sans doute, et lorsque j'eus atteint ma vingt et unième année, je mis mon plan à exécution. Je suis enclin à envier monsieur Rushworth, ca il peut encore espérer tant de félicité. La mienne, je n'en ai fait qu'une bouchée. »

« Ceux qui savent voir d'un seul coup d'œil décident et agissent toujours rapidement », dit Julia. « Ce n'est pas *vous* qui vous trouveriez sans occupation. Au lieu d'envier monsieur Rushworth, vous devriez lui prêter main-forte, en lui proposant vos idées. »

Madame Grant soutint chaleureusement ces derniers propos, car elle était persuadée qu'aucun jugement ne pouvait en la matière rivaliser avec ceux de son frère ; et comme mademoiselle Crawford s'empara aussi de cette idée, après avoir appuyé la proposition et déclaré qu'à son avis, il était infiniment préférable d'en délibérer avec des amis et des conseillers désintéressés, plutôt que d'abandonner sur-le-champ l'affaire aux mains d'un homme de l'art, monsieur Rushworth se déclara prêt à solliciter son concours ; et monsieur Crawford, après avoir dûment rabaissé les talents qui étaient les siens, affirma qu'il était à son entière disposition, s'il pouvait se montrer utile d'une manière ou d'une autre. Alors monsieur Rushworth proposa que monsieur Crawford lui fasse l'honneur de se rendre chez lui et d'y passer la nuit ; à ce moment-là, madame Norris, qui devinait, semblait-il, que ses nièces n'approuvaient guère un projet qui leur enlèverait monsieur Crawford, s'interposa en suggérant un amendement. « On ne peut mettre en doute l'empressement de monsieur Crawford ; mais pourquoi serait-il le seul à s'y rendre ? Ne pourrions-nous pas nous joindre à lui en petit comité ? Nous sommes nombreux ici à nous intéresser à vos projets d'embellissements, mon cher monsieur Rushworth, et à désirer entendre l'avis de monsieur Crawford sur les lieux mêmes, et peut-être serions-*nous* de quelque utilité, si maigre soit-elle ; quant à moi je souhaite depuis longtemps présenter à nouveau mes respects à votre bonne mère ; rien, sinon l'absence de chevaux m'appartenant en propre, ne pouvait me rendre si négligente pour remplir mes devoirs ; mais je pourrais alors aller m'asseoir quelques heures aux côtés de madame Rushworth pendant que le restant de notre petite troupe se promènerait et résoudrait les problèmes, et puis nous pourrions tous revenir ici pour un dîner tardif, ou dîner à Sotherton, selon ce qui conviendrait le mieux à votre mère, et rentrer agréablement chez nous en voiture à la douce lumière du clair de lune. Monsieur Crawford nous prendrait sans doute, moi et mes deux nièces dans sa calèche, Edmond peut y aller à cheval, ma sœur, et Fanny restera à la maison avec vous. »

Lady Bertram ne fit aucune objection, et tous ceux qui étaient concernés par cette expédition s'empressèrent de donner promptement leur assentiment, à l'exception d'Edmond qui écouta le tout sans dire mot.

CHAPITRE VII

« Eh bien, Fanny, comment trouvez-vous mademoiselle Crawford *maintenant* ? » dit Edmond le lendemain, après avoir lui-même réfléchi un certain temps à cette question. « Comment l'avez-vous trouvée hier ? »

« Très bien, vraiment. J'aime à l'entendre parler. Elle me divertit ; et elle est si remarquablement jolie, que j'ai grand plaisir à la regarder. »

« L'expression de son visage est tellement séduisante. Ses jeux de physionomie sont admirables. Mais n'y a-t-il pas eu, Fanny, dans sa conversation, quelque chose qui vous a frappée ? »

« Oh ! oui, elle n'aurait pas dû parler ainsi de son oncle. J'en ai été tout étonnée. Un oncle chez qui elle a vécu tant d'années, et qui, quels que puissent être ses défauts, aime tellement son frère, le traitant, dit-on tout à fait comme son fils. Je pouvais à peine le croire ! »

« Je pensais que vous en seriez frappée. Elle a mal agi, et de façon malséante. »

« Et fort ingrate, à mon avis. »

« Ingrate est un mot bien fort. Je ne pense pas que son oncle ait quelque droit que ce soit à sa *gratitude ;* sa femme certainement ; et c'est l'ardeur de son respect pour la mémoire de sa tante qui lui a fait faire fausse route. Elle se trouve dans une situation embarrassante. L'ardeur de ses sentiments et la vivacité de son naturel ne lui permettent pas de rendre facilement justice à son affection pour madame Crawford, sans porter ombrage à l'amiral. Je ne prétends

nullement savoir lequel des deux est le plus à blâmer dans
leurs différends, bien que la conduite de l'amiral, telle qu'elle
est maintenant, puisse porter à croire que c'est lui qui a été à
l'origine de la plupart d'entre eux ; mais que mademoiselle
Crawford acquitte sa tante complètement est chose naturelle
et aimable. Je ne censure pas ses *opinions* ; mais il *est*
assurément inconvenant qu'elle les rende publiques. »

« Ne pensez-vous pas », dit Fanny après avoir pris le
temps de réfléchir un instant, « que cette marque d'inconve-
nance n'est que le reflet de celle de madame Crawford,
puisque c'est à elle seule qu'a incombé l'éducation de sa
nièce ? Elle ne lui a certainement pas donné la notion de ce
que l'on devait, en toute justice, à l'amiral ».

« Voici une remarque équitable. Oui, nous devons supposer que les défauts de la nièce ont été aussi ceux de la tante ; et
donc être plus conscients des manquements dont elle a eu à
souffrir. Mais je crois que la maison qui l'accueille maintenant devrait lui faire du bien. Les manières de madame Grant
sont exactement ce qu'elles devraient être. Elle témoigne
quand elle parle de son frère d'une affection agréable à
entendre. »

« Oui, sauf lorsqu'il s'agit des courtes lettres qu'il lui écrit.
Elle a manqué me faire rire ; mais je ne saurais faire grand cas
de l'amour ou du bon naturel d'un frère qui ne veut pas faire
l'effort d'écrire à ses sœurs quoi que ce soit qui en vaille la
peine, lorsqu'ils sont séparés. Je suis sûre que jamais, en
aucune circonstance, William n'aurait agi ainsi envers *moi*.
Et de quel droit supposait-elle que *vous* n'écririez pas de
longues lettres si vous étiez absent ? »

« Du droit qu'a un esprit vif, Fanny, de s'emparer de tout
ce qui peut contribuer à son amusement, ainsi qu'à celui des
autres ; droit parfaitement légitime, quand il n'est pas teinté
de mauvaise humeur ou de rudesse ; et il n'y en a pas la
moindre trace dans l'expression ou les manières de mademoiselle Crawford, il n'y a rien en elles d'acerbe, de vulgaire ou
de grossier. Elle est parfaitement féminine, à l'exception des
exemples dont nous avons parlé. *Dans ces cas-là*, on ne
saurait l'excuser. Je suis heureux que vous ayez vu les choses
comme moi. »

Il n'était pas étonnant, puisqu'il avait formé son esprit et
gagné son affection, qu'elle pensât comme lui ; pourtant, il

commençait à y avoir, à ce moment-là et sur ce sujet, quelque
danger de dissemblance, car il était disposé à l'admiration
envers mademoiselle Crawford, ce qui pouvait le conduire là
où Fanny ne pouvait le suivre. Les attraits de mademoiselle
Crawford ne diminuèrent pas. La harpe arriva, qui accrut
plutôt sa beauté, son esprit et sa bonne humeur, car elle
jouait avec une extrême obligeance, avec une expression et un
goût particulièrement séduisants, et avait quelque chose
d'intelligent à dire à la fin de chaque mélodie. Edmond était
chaque jour au presbytère et s'abandonnait au charme de son
instrument favori ; chaque matinée assurait une invitation
pour le lendemain, car la jeune lady ne pouvait être que
désireuse d'avoir un auditeur, et bientôt les choses suivirent
leur cours naturel.

Une jeune femme, vive et jolie, une harpe aussi élégante
qu'elle ; toutes deux près d'une fenêtre descendant jusqu'au
sol et donnant sur une petite pelouse entourée d'arbrisseaux
au riche feuillage d'été, étaient plus que suffisants pour
s'emparer du cœur d'un homme. La saison, les lieux,
l'atmosphère étaient tous favorables à l'éclosion de tendres
sentiments. Madame Grant et son tambour à broder ne
furent pas sans leur utilité ; tout était en parfaite harmonie ;
et comme, une fois que l'amour est en route, chaque chose se
pare des plus belles couleurs, même le plateau à sandwiches
et le docteur Grant, qui en faisait les honneurs, valaient la
peine qu'on les regardât. A la fin d'une semaine d'un tel
commerce, sans qu'il eût prémédité la chose ou compris ce
qui se passait, Edmond commença d'être fort amoureux ; on
peut ajouter, et c'est tout à l'honneur de la jeune lady, que
sans être le fils aîné ou l'homme du monde, sans avoir à
déployer les arts de la flatterie ou l'enjouement des menus
propos, il commença de lui être agréable. Elle se rendit
compte qu'il en était ainsi, sans l'avoir pressenti et sans
parvenir à comprendre comment cela s'était produit ; car, s'il
était d'un commerce agréable, ce n'était pas en suivant la loi
commune, il ne disait nulles balivernes, ne faisait pas de
compliments, ses opinions étaient inflexibles, ses attentions
simples et sereines. Il y avait peut-être dans sa sincérité, sa
fermeté d'esprit et sa rectitude un pouvoir de séduction que
mademoiselle Crawford était à même de ressentir, même
si elle ne se sentait de force à en délibérer dans son for inté-

rieur. Toutefois, elle n'y réfléchissait pas souvent ; il lui plaisait alors ; elle aimait à ce qu'il soit près d'elle ; cela suffisait.

Fanny ne pouvait montrer d'étonnement à ce qu'Edmond se trouvât chaque matin au presbytère ; elle y serait allée aussi fort volontiers sans y être invitée, si elle avait pu passer inaperçue, pour y entendre jouer de la harpe ; elle ne pouvait non plus s'étonner de ce que, une fois la promenade du soir achevée, au moment où les deux familles se sépareraient à nouveau, il pensât de son devoir d'accompagner chez elles madame Grant et sa sœur, tandis que monsieur Crawford se consacrait aux ladies de Mansfield Park ; mais elle pensait qu'elle avait perdu au change, et si, par hasard, Edmond n'était pas là pour lui verser le mélange d'eau et de vin dans son verre, elle préférait s'en passer. Elle s'étonnait de ce qu'il pût passer tant d'heures auprès de mademoiselle Crawford sans voir ce travers qu'il avait déjà remarqué, et dont *elle* se souvenait presque toujours chaque fois qu'elle était en sa compagnie, car quelque chose le lui remettait toujours en mémoire ; mais il en était ainsi. Edmond aimait lui parler de mademoiselle Crawford, mais il semblait penser qu'avoir depuis épargné l'amiral était chose suffisante ; et elle avait scrupule à attirer son attention sur ses propres observations, de peur que cela pût apparaître comme de la méchanceté. La première souffrance réelle que lui causa mademoiselle Crawford fut la conséquence d'une envie d'apprendre à monter à cheval que cette dernière éprouva peu de temps après s'être installée à Mansfield, suivant en cela l'exemple de ses jeunes ladies, désir qui, lorsque Edmond eût fait plus ample connaissance avec elle, l'amena à l'encourager dans ce désir, et à lui proposer pour ses premiers essais sa propre jument, animal paisible, comme monture la mieux adaptée que pût offrir l'une ou l'autre écurie à un débutant. Il n'avait, cependant, par cette offre, nullement le dessein d'offenser sa cousine ni de lui infliger de peine : pas une seule journée d'exercice ne devait être pour autant perdue pour *elle* ; il suffirait de faire venir la jument au presbytère une demi-heure avant le début de la promenade ; et Fanny, lorsqu'elle entendit pour la première fois cette proposition, loin de se sentir négligée, fut presque accablée de reconnaissance à la pensée qu'il lui en demandât l'autorisation.

Mademoiselle Crawford se tira fort bien de son premier essai, sans que cela portât ombrage à Fanny. Edmond, qui avait conduit la jument et présidé à tout, revint avec elle parfaitement à l'heure, avant que ni Fanny ni le vieux et sage cocher qui l'accompagnait toujours quand elle montait à cheval sans ses cousines, ne fussent prêts à se mettre en route. La tentative du second jour fut moins innocente. Le plaisir que prit mademoiselle Crawford à monter fut tel qu'elle ne sut s'arrêter. Agile et intrépide, de robuste constitution quoique plutôt petite, elle semblait faite pour être cavalière ; et au pur et authentique plaisir de l'exercice s'ajoutait sans doute celui qui naissait des conseils et de la présence d'Edmond, et encore plus de la conviction qu'elle surpassait son sexe en général par ses progrès rapides, ce qui ne l'incitait guère à mettre pied à terre. Fanny, qui était prête, attendit, madame Norris commença à lui reprocher de n'être point partie, et pourtant aucun cheval n'était en vue, aucun Edmond n'apparaissait. Afin d'échapper à sa tante et de partir à sa recherche, elle se mit en route.

Bien qu'il n'y ait eu entre elles qu'une distance d'environ un demi-mille, les maisons n'étaient pas à portée de vue l'une de l'autre ; mais, si elle avançait à cinquante mètres de la grande porte d'entrée, son regard plongeait sur le parc et dominait le presbytère ainsi que toutes ses possessions, qui s'élevaient en pente douce jusque de l'autre côté de la route ; et elle vit tout de suite dans la prairie du docteur Grant le groupe que formaient d'une part Edmond et mademoiselle Crawford, tous deux à cheval, chevauchant côte à côte, et de l'autre le docteur et madame Grant, monsieur Crawford et deux ou trois valets d'écurie, debout tout autour. Ils poursuivaient le même but, étaient heureux, lui semblait-il, et pleins d'entrain, à n'en pas douter, si l'on en jugeait par les bruits joyeux qui parvenaient même jusqu'à elle. Ce n'était pas de gaieté de cœur qu'elle écoutait ces bruits ; elle se demandait si Edmond n'était pas en train de l'oublier et son cœur était oppressé. Elle ne parvenait pas à détacher ses yeux de la prairie, et ne pouvait s'empêcher d'observer tout ce qui s'y passait. Tout d'abord, mademoiselle Crawford et son compagnon firent au pas le tour de la prairie, qui n'était pas des plus petites ; puis, ainsi qu'*elle* le proposa apparemment, ils partirent au petit galop ; et Fanny, qui était d'un naturel

peureux, fut surprise de voir comme elle se tenait bien sur sa
monture. Après quelques minutes, ils firent une pause,
Edmond, tout près d'elle, lui parla, lui donnant sans aucun
doute des conseils sur la façon dont tenir la bride et prit sa
main dans la sienne ; voilà ce qu'elle vit, et ce que son œil ne
pouvait atteindre, son imagination le lui suggérait. Il ne
fallait pas qu'elle s'en étonnât ; quoi de plus naturel si
Edmond se montrait utile et donnait le témoignage de son
bon naturel ? Il l'aurait fait pour n'importe qui. Elle ne
pouvait s'empêcher de penser que monsieur Crawford eût pu
tout aussi bien lui en épargner le souci ; et qu'il eût été
particulièrement convenable et bienséant pour un frère de
s'en occuper lui-même ; mais sans doute, monsieur Crawford, en dépit de son bon naturel tant vanté et de toute son
adresse dans l'art de conduire, ne savait-il rien de cette
affaire, et n'exerçait-il pas sa bienveillance avec autant de zèle
qu'Edmond. Elle se prit à penser que faire accomplir une
double tâche à la pauvre jument était la traiter bien rude-
ment ; si on l'oubliait, elle, ce n'était pas une raison pour
qu'on oubliât la pauvre jument.

Ses sentiments envers eux s'apaisèrent bientôt quelque
peu, lorsqu'elle vit dans la prairie le groupe se disperser et
mademoiselle Crawford, toujours à cheval, mais accompagnée d'Edmond qui était à pied, franchir une grille, pénétrer
sur le sentier, donc dans le parc, et se diriger vers l'endroit où
elle se trouvait. Elle se mit alors à craindre qu'on la trouvât
aussi impolie qu'impatiente ; et elle alla à leur rencontre afin
d'éviter de pareils soupçons.

« Ma chère mademoiselle Price », dit mademoiselle Crawford, dès qu'elle fut à portée de voix. « Je viens vous
présenter mes excuses pour vous avoir fait attendre. Mais je
n'ai rien à dire pour ma défense — je savais qu'il était tard, et
que je me conduisais extrêmement mal ; et donc, s'il vous
plaît, vous devez me pardonner. On doit toujours pardonner
à l'égoïsme, à mon avis, parce qu'il n'y a aucun espoir de
guérison. »

La réponse de Fanny fut des plus courtoises, et Edmond
ajouta qu'il était convaincu qu'elle ne pouvait être si pressée.
« Car il reste plus de temps qu'il n'en faut à ma cousine pour
faire une promenade à cheval deux fois plus longue que celle
qu'elle a jamais pu faire », dit-il, « et vous avez contribué à

son bien-être, en l'empêchant de se mettre en route une demi-heure plus tôt ; les nuages arrivent maintenant, et elle ne souffrira pas autant de la chaleur qu'elle ne l'aurait fait alors. C'est à *vous* que je souhaite de ne pas être épuisée par tant d'exercice. J'aurais souhaité vous voir ménager vos forces pour ce retour à pied à la maison. »

« Rien ne me fatigue sinon de descendre de cheval, je vous assure », dit-elle, en sautant à terre avec son aide. « Je suis très résistante. Rien ne me fatigue jamais, si ce n'est de faire ce qui ne me plaît pas. Mademoiselle Price je vous cède la place de très mauvaise grâce ; mais j'espère vivement que vous ferez une promenade agréable et que je n'entendrai dire que du bien de ce cher, de ce charmant, de ce bel animal. »

Le vieux cocher, qui attendait par là avec son cheval, les rejoignit, Fanny fut soulevée et mise sur son cheval, et ils se mirent en route pour traverser une autre partie du parc ; le chagrin de Fanny ne fut pas adouci, lorsqu'en se retournant elle vit les autres descendre ensemble à pied la colline en direction du village ; et son cavalier servant ne lui fit guère de bien non plus en discourant sur la grande habileté de mademoiselle Crawford comme cavalière, qu'il avait observée avec un intérêt au moins égal au sien.

« Quel plaisir de voir une lady qui monte à cheval de si bon cœur ! J'ai jamais vu quelqu'un se tenir aussi bien à cheval. Elle n'avait pas l'air d'avoir la moindre peur. Très différente de vous, mademoiselle, quand vous avez commencé pour la première fois, il y aura six ans à Pâques prochain. Dieu me bénisse ! Comme vous trembliez quand Sir Thomas vous a mise dessus la première fois ! »

On chanta aussi les louanges de mademoiselle Crawford au salon. Le mérite qu'elle avait à avoir été douée par la nature d'endurance et de courage fut pleinement apprécié par les demoiselles Bertram ; la joie qu'elle éprouvait à monter à cheval était pareille à la leur, et elles avaient grand plaisir à lui prodiguer leurs éloges.

« J'étais sûre qu'elle monterait bien », dit Julia ; « elle est bâtie comme il faut pour ça ; elle est aussi bien faite de sa personne que son frère. »

« Oui », ajouta Maria, « et elle a autant d'entrain, et le même caractère énergique. Je ne peux m'empêcher de penser que l'art de l'équitation a beaucoup à voir avec les qualités de l'esprit ».

Le soir, lorsqu'ils se quittèrent, Edmond demanda à Fanny si elle avait l'intention de monter à cheval le lendemain.

« Non, je ne crois pas, en tout cas, pas si vous avez besoin de la jument », fut sa réponse.

« Ce n'est pas du tout pour moi que je la veux », dit-il ; « mais si à l'avenir, il vous arrive d'être disposée à rester à la maison, je crois que mademoiselle Crawford serait heureuse de pouvoir la garder plus longtemps, bref, pour une matinée entière. Elle a grande envie d'aller jusqu'au pré communal de Mansfield, madame Grant lui a parlé de ses belles perspectives, et je ne doute pas qu'elle puisse faire cette promenade. Mais n'importe quelle matinée fera l'affaire. Elle serait tout à fait désolée de contrecarrer vos projets. Ce serait très injuste qu'il en fût ainsi. *Elle* monte à cheval uniquement pour le plaisir, *vous* le faites pour votre santé ».

« Je ne monterai certainement pas demain », dit Fanny ; « je suis sortie très souvent récemment, et préférerais rester à la maison. Je crois être maintenant assez robuste pour bien marcher ».

Edmond eut l'air content, ce qui ne pouvait que satisfaire Fanny, et la promenade au pré communal de Mansfield eut lieu le lendemain matin ; le groupe comprenait tous les jeunes gens et jeunes filles, sauf elle, et ils furent tous enchantés de la promenade dont ils renouvelèrent les plaisirs dans les discussions du soir. Un projet réussi en entraîne généralement un autre ; s'étant rendus au pré communal, ils n'avaient qu'une envie, c'était d'aller ailleurs le lendemain. Il y avait d'autres vues à admirer, et bien qu'il fît chaud, il y avait des sentiers ombragés partout où ils désiraient aller. Il y a toujours un sentier ombragé pour un groupe de jeunes promeneurs. Quatre belles matinées successives furent employées pareillement, à parcourir la campagne pour la montrer à monsieur et mademoiselle Crawford et leur faire les honneurs de ses plus jolis sites. Tout réussissait ; ce n'était que joie et bonne humeur, la chaleur les incommodait à peine et fournissait matière à une conversation agréable, et cela jusqu'au quatrième jour, où le bonheur de l'une des promeneuses fut excessivement assombri. Il s'agissait de mademoiselle Bertram. Il y eut une invitation au presbytère pour Edmond et Julia, et *elle* en était exclue. Madame Grant en était l'auteur et l'instigatrice pour le compte de monsieur Rushworth qui était plus ou moins attendu à Mansfield ce jour-là ; et l'invitation avait été faite sans aucune malice ; mais elle ressentit cruellement le tort qu'on faisait à son honneur et qui mit durement à l'épreuve ses bonnes manières lorsqu'il lui fallut dissimuler son dépit et sa colère, jusqu'au moment où ils eurent atteint la maison. Comme monsieur Rushworth *ne vint pas*, la blessure s'accrut encore, car elle n'eut même pas le réconfort de montrer le pouvoir qu'elle avait sur lui ; tout ce qu'elle put faire, ce fut de se montrer maussade envers sa mère, sa tante, sa cousine, et de jeter le plus grand froid possible sur leur dîner et dessert.

Entre dix et onze heures, Edmond et Julia pénétrèrent dans le salon, tout animés et rafraîchis par l'air du soir ; rayonnants et réjouis, ils étaient l'image inverse des trois ladies qu'ils y trouvèrent assises, car Maria levait à peine les yeux de son livre et lady Bertram était à moitié endormie ; et même madame Norris, décontenancée par la mauvaise humeur de sa nièce, et qui n'avait pas reçu de réponse immédiate à une ou deux questions au sujet du dîner, semblait presque décidée à ne plus dire mot. Pendant quelques minutes, le frère et la sœur furent trop impatients de célébrer les charmes de la nuit et de faire des observations sur les étoiles, pour penser à autre chose qu'à eux-mêmes ; mais quand survint le premier silence, Edmond jeta un coup d'œil autour de lui et dit : « Mais où est Fanny ? est-elle montée dans sa chambre ? »

« Non, je ne crois pas », répliqua madame Norris ; « elle était il y a un instant ».

Sa voix douce, venant de l'autre bout de la pièce qui était très longue, leur apprit qu'elle se trouvait sur le sofa. Madame Norris entama ses réprimandes.

« Quelle sotte habitude voilà, Fanny, que de paresser toute la soirée sur un sofa. Ne pouvez-vous pas venir vous asseoir ici, et vous employer ainsi que *nous* le faisons ? Si vous n'avez pas d'ouvrage, je peux vous en proposer un, dans la corbeille pour les pauvres. Il y a aussi le nouveau calicot qui a été acheté la semaine dernière, et qui n'a pas encore été touché. À vrai dire, j'ai manqué me briser les reins à le tailler. Vous devriez apprendre à penser aux autres ; et croyez-m'en, c'est une habitude abominable pour une jeune personne que de passer son temps à se vautrer sur un sofa. »

Avant que la moitié de ce discours n'eût été prononcée, Fanny était retournée s'asseoir à la table, et avait repris son ouvrage ; et Julia, que les plaisirs de cette soirée avaient mise de fort bonne humeur, s'exclama, lui rendant par là justice : « Je dois dire, madame, que Fanny n'est pas plus souvent sur le sofa que quiconque de la famille. »

« Fanny », dit Edmond, après l'avoir observée attentivement ; « je suis sûr que vous avez mal à la tête ? »

Elle ne put le nier, mais dit qu'il n'était pas très fort.

« J'ai peine à le croire », répondit-il. « Je vous connais trop bien. Depuis combien de temps avez-vous mal ? »

« Depuis peu, avant le dîner. Ce n'est rien d'autre que la chaleur. »

« Êtes-vous sortie par cette chaleur ? »

« Sortie ! Bien sûr qu'elle est sortie », dit madame Norris ; « vous auriez voulu qu'elle restât enfermée à l'intérieur par une aussi belle journée que celle d'aujourd'hui ? N'étions-nous pas *tous* dehors ? Même votre mère y est restée plus d'une demi-heure ».

« Oui, cela est vrai, Edmond », ajouta la femme du baronnet, qu'avaient complètement réveillée les âpres réprimandes adressées par madame Norris à Fanny. « Je suis restée dehors plus d'une heure. Je suis restée trois quarts d'heure dans le jardin de fleurs pendant que Fanny coupait des roses, et cela a été, je vous l'assure, fort agréable, mais il faisait très chaud. Il y avait suffisamment d'ombre sous la tonnelle, mais je reconnais que je redoutais vraiment de retourner à la maison. »

« Fanny a coupé des roses, n'est-ce pas ? »

« Oui, et j'ai peur que ce soit les dernières de l'année. La pauvre ! *Elle* a trouvé qu'il faisait vraiment très chaud, mais elles étaient si épanouies, qu'elles ne pouvaient attendre. »

« Certes, il fallait absolument les cueillir », répliqua madame Norris d'une voix légèrement radoucie ; « mais je me demande ma sœur, si ce n'est pas *à ce moment-là* qu'elle aura pris ce mal de tête. Rien n'est plus propice à donner mal à la tête que de rester debout et de se baisser quand le soleil

est chaud. Mais il n'en restera rien demain certainement.
Peut-être pourriez-vous lui proposer votre vinaigre de
toilette ; j'oublie toujours de remplir mon flacon ».

« Elle a le sien », dit Lady Bertram. « Elle l'a depuis le
moment même où elle est revenue pour la seconde fois de la
maison. »

« Comment ! » s'écria Edmond ; « a-t-elle non seulement
coupé des fleurs mais marché ? A-t-elle aussi traversé le parc
en pleine chaleur jusqu'à votre maison, et cela par deux fois,
madame ? Il n'est pas étonnant qu'elle ait mal à la tête ».

Madame Norris, qui était en train de bavarder avec Julia,
n'entendit pas ces paroles.

« J'avais peur que ce fût trop pour elle », dit Lady
Bertram ; « mais quand les roses furent cueillies, votre tante
exprima le désir qu'on les lui offrît, et vous savez bien
qu'alors il faut les rapporter à la maison. »

« Mais n'y avait-il pas de roses à suffisance qu'il fallût
l'obliger à faire deux fois le trajet ? »

« Oui ; mais il fallait les mettre à sécher dans la chambre
d'amis ; et, par malheur, Fanny a oublié de fermer à clef la
porte de la chambre et d'apporter la clef, si bien qu'elle a été
obligée d'y retourner. »

Edmond se leva et marcha de long en large dans la pièce, en
disant : « Et n'y avait-il personne d'autre que Fanny qui pût
être employé à une besogne de ce genre ? Sur l'honneur,
madame, vous avez bien mal mené les choses. »

« Je ne vois vraiment pas comment on aurait pu mieux
faire », s'écria madame Norris, qui ne pouvait plus rester
sourde ; « ou alors il aurait fallu que j'y aille moi-même ;
mais je ne peux être en deux endroits différents à la fois ; à cet
instant précis, j'étais en train de parler avec monsieur Green,
à propos de la fille de laiterie de votre mère, à *sa* demande, et
j'avais promis à John Groom, d'écrire à madame Jefferies au
sujet de son fils, et le pauvre garçon m'attendait depuis une
demi-heure. Personne, je crois, ne peut à juste titre me
reprocher de me ménager en quelque circonstance que ce
soit, mais je ne peux vraiment tout faire à la fois. Et pour en
revenir à Fanny qui s'est rendue à ma maison à ma demande,
il n'y a guère plus d'un quart de mille, je ne crois pas avoir été
déraisonnable en lui demandant de les parcourir. Combien
de fois n'ai-je pas parcouru cette distance, trois fois par jour,

de bon matin et tard le soir, mais oui, et par toutes sortes de temps également, sans m'en plaindre. »

« J'aurais bien voulu que Fanny ait la moitié de votre endurance, madame. »

« Si Fanny s'efforçait de prendre de l'exercice plus assidûment, elle ne serait pas si tôt fourbue. Elle n'a pas fait de cheval depuis bien longtemps, et je suis persuadée que quand elle ne monte pas à cheval, elle devrait marcher. Si elle avait fait du cheval auparavant, je ne lui aurais pas demandé pareil service. Mais j'ai pensé qu'après s'être baissée parmi les roses, cela serait plutôt bon pour elle. Car il n'y a rien d'aussi rafraîchissant après une grande fatigue que de faire une promenade ; et, en dépit du soleil qui était fort, il ne faisait pas si chaud que cela. Entre nous, Edmond », avec un signe de tête lourd de sous-entendus en direction de sa mère, « c'est à couper des roses et à flâner dans le jardin de fleurs qu'elle aura pris ce mal de tête ».

« J'ai bien peur qu'il en soit ainsi », dit Lady Bertram plus franchement, après avoir surpris ces paroles. « J'ai bien peur qu'elle ait pris là ce mal de tête, car il faisait chaud à en mourir. Je n'aurais pu moi-même supporter une plus grande chaleur. Tout ce que j'étais capable de faire était de rester assise, d'appeler Pug et d'essayer de l'empêcher d'aller dans les plates-bandes. »

Edmond ne répondit à aucune des deux ladies ; mais, s'approchant doucement d'une autre table où demeurait encore le plateau du souper, il apporta à Fanny un verre de madère, et l'obligea à en boire la plus grande partie. Elle aurait bien voulu pouvoir lui refuser ; mais les larmes, que faisait naître toute une gamme de sentiments variés, lui permettaient plus facilement d'avaler que de parler.

Si courroucé qu'il fût contre sa mère et sa tante, Edmond était pourtant encore plus courroucé contre lui-même. Sa négligence était bien pire que tout ce qu'elles avaient bien pu faire. Rien de tout cela ne serait arrivé, si, comme il se devait, on lui avait montré de la considération ; mais on l'avait laissée quatre jours de suite sans qu'elle pût choisir la compagnie ou l'exercice qu'elle préférait, et sans qu'elle pût trouver d'excuse pour éviter de faire ce que la déraison de ses tantes pouvait exiger d'elle. Il avait honte de penser que pendant quatre jours successifs elle n'avait pas eu la possibilité de monter à cheval, et se jura solennellement, bien qu'il fût peu désireux de mettre un frein aux plaisirs de mademoiselle Crawford, que cela ne se reproduirait plus jamais.

Ce fut le cœur lourd, comme lors de son arrivée, pendant la première soirée à Mansfield Park, que Fanny alla se coucher. Son état moral avait sans aucun doute eu sa part dans son indisposition ; car depuis quelques jours déjà, elle se sentait abandonnée, et luttait contre le mécontentement et l'envie. Tandis qu'elle s'appuyait contre le sofa, vers lequel elle s'était réfugiée afin de ne pas être aperçue, la souffrance morale avait été plus forte que le mal de tête ; et le brusque changement, qu'avait provoqué la bienveillance d'Edmond, lui permettait à peine de se soutenir.

CHAPITRE VIII

Le lendemain même, Fanny recommença ses promenades à cheval, et comme la matinée était agréablement fraîche, moins chaude que ne l'avaient été les journées précédentes, Edmond espérait que l'injustice subie dans sa santé comme dans ses plaisirs serait bientôt réparée. Monsieur Rushworth arriva alors qu'elle était partie ; il escortait sa mère, venue pour être courtoise, et pour montrer surtout sa courtoisie par des exhortations à mettre le projet de visite à Sotherton à exécution, projet que l'on avait commencé à mettre sur pied une quinzaine de jours auparavant, et qui était depuis en sommeil, car elle avait été absente entre-temps. Madame Norris et ses nièces furent toutes enchantées qu'on le ressuscitât, on prit date, tomba d'accord pour un jour, à la condition que monsieur Crawford n'ait pas d'autre engagement : les jeunes ladies veillèrent à ce que cette condition soit expressément mentionnée, et bien que madame Norris se soit volontiers portée garante de sa présence, elles n'acceptèrent, ni de prendre cette liberté, ni de courir un pareil risque ; et, sur un mot de mademoiselle Bertram, monsieur Rushworth finit par découvrir qu'il convenait pour lui de rendre sur-le-champ visite à monsieur Crawford, au presbytère, pour s'enquérir si mercredi serait ou non à sa convenance.

Madame Grant et mademoiselle Crawford rentrèrent avant son retour. Comme elles étaient restées dehors longtemps et avaient suivi un chemin différent, elles ne l'avaient pas rencontré. On avait bon espoir, cependant, qu'il trouverait monsieur Crawford chez lui. On mentionna évidem-

ment le projet de visite à Sotherton. On ne pouvait guère en
vérité parler d'autre chose, car madame Norris était en verve
sur ce sujet, et madame Rushworth, femme bien intentionnée, fort civile et verbeuse, qui pensait que tout ce qui était
éloigné de ses préoccupations, et de celles de son fils n'avait
aucune importance, n'avait point encore cessé de presser
Lady Bertram par ses exhortations de se joindre aux visiteurs. Lady Bertram continuait à décliner l'offre ; mais ce
refus exprimé aussi placidement incitait madame Rushworth
à penser qu'elle désirait pourtant venir, jusqu'au moment où
madame Norris, parlant d'abondance et d'une voix plus
forte, la convainquit qu'il n'en était rien.

« La fatigue serait trop grande pour ma sœur, bien trop
grande, je vous l'assure, ma chère madame Rushworth. Dix
milles pour y arriver, et dix pour le retour, savez-vous. Il
faut que vous excusiez ma sœur, en cette occasion, et
acceptiez que nos deux chères jeunes filles et moi-même
venions sans elle. Sotherton est le seul endroit qui pourrait
lui donner *l'envie* d'aller aussi loin, mais cela ne se peut. Elle
aura une compagne en la personne de Fanny Price, et tout ira
ainsi pour le mieux ; et quant à Edmond, puisqu'il n'est pas
là pour plaider sa cause, je peux vous garantir qu'il éprouvera
un extrême plaisir à se joindre à vous. Il peut s'y rendre à
cheval. »

Madame Rushworth, obligée de se rendre et d'accepter
que Lady Bertram ne sortît point de chez elle, dut se
contenter de le regretter. « L'absence de la femme du
baronnet serait un inconvénient bien regrettable ; elle aurait
été extrêmement heureuse de voir aussi la jeune dame,
mademoiselle Price qui n'était jamais venue encore à Sotherton ; il était dommage qu'elle ne vît point les lieux. »

« Vous êtes trop bonne, vous êtes toute bonté, chère
madame », s'écria madame Norris ; « mais pour ce qui est de
Fanny, elle aura en abondance des occasions favorables de
voir Sotherton. Ce n'est pas le temps qui lui manquera ; il est
hors de question qu'elle y aille maintenant. Lady Bertram ne
saurait se passer d'elle. »

« Oh non, Fanny m'est indispensable. »

Puis, madame Rushworth, convaincue qu'elle était que
tout le monde devait avoir envie de voir Sotherton, poursuivit en englobant mademoiselle Crawford dans l'invitation ;

et bien que madame Grant, qui ne s'était pas souciée de rendre visite à madame Rushworth lorsqu'elle était arrivée dans le voisinage, eût courtoisement décliné l'offre pour son propre compte, elle était heureuse de procurer à sa sœur ce plaisir ; Mary, dûment chapitrée, se laissa persuader et ne fut pas longue à accepter de recevoir sa part de cette civilité. Monsieur Rushworth revint du presbytère couronné de succès ; et Edmond fit son apparition juste à temps pour apprendre ce qui avait été décidé pour le mercredi, accompagner madame Rushworth à sa voiture et, à mi-chemin dans le parc, les deux autres ladies.

À son retour dans la petite salle à manger, il découvrit madame Norris qui essayait de prendre une décision pour savoir s'il était souhaitable ou non que mademoiselle Price fût du groupe des visiteurs, ou si la calèche de son frère ne serait pas pleine sans elle. Cette idée fit rire les demoiselles Bertram, qui l'assurèrent que la calèche tiendrait parfaitement quatre personnes, sans compter le siège du cocher, sur lequel *une* personne pourrait s'asseoir.

« Mais pourquoi faut-il », dit Edmond, « utiliser *seulement* la voiture de monsieur Crawford ? Pourquoi ne pas faire usage du cabriolet de ma mère ? Je ne suis pas parvenu à comprendre, l'autre jour, quand ce projet a été mentionné pour la première fois, pourquoi une visite de la famille ne devrait pas se faire dans la voiture de la famille. »

« Quoi ! » s'écria Julia, « s'entasser à trois dans une chaise de poste, par un temps pareil, quand nous pouvons prendre place dans une calèche ! Non, mon cher Edmond, cela n'ira pas du tout. »

« En outre », dit Maria, « je sais que monsieur Crawford compte nous emmener. Après ce qui s'est passé au début, il devrait considérer que c'est chose due ».

« De plus, mon cher Edmond », ajouta madame Norris, « sortir *deux* voitures là où une seule suffit, serait bien du désagrément pour rien ; et, entre nous, notre cocher n'aime pas beaucoup les routes qui joignent Mansfield à Sotherton ; il se plaint toujours des chemins étroits qui éraflent sa voiture, et vous n'aimeriez guère, n'est-ce pas, que ce cher Sir Thomas en trouvât à son retour tout le vernis enlevé ».

« Ce ne serait pas là une raison bien élégante, qui justifierait l'utilisation de la voiture de monsieur Crawford », dit Maria ; « mais, en vérité, Wilcox est un vieil homme stupide qui ne sait pas conduire. J'en fais mon affaire, les routes étroites ne nous incommoderont aucunement mercredi ».

« J'imagine », dit Edmond, « que s'asseoir à côté du cocher dans une calèche n'a rien d'une épreuve désagréable ».

« Rien de désagréable ! » s'écria Julia ; « oh ! mon dieu, la maxime la plus répandue dit que c'est le siège préféré. La vue qu'on y a de la campagne y est incomparable. Nul doute que mademoiselle Crawford ne choisisse pour elle-même le siège du cocher ».

« Il n'y a alors pas d'objection à ce que Fanny vienne avec nous ; il y a sans aucun doute de la place pour elle. »

« Fanny ! » répéta madame Norris, « il n'est pas question qu'elle vienne avec nous. Elle reste avec sa tante. C'est ce que j'ai dit à madame Rushworth. Elle n'est pas attendue. »

« J'imagine, madame », dit-il, s'adressant à sa mère, « que vous ne pouvez avoir de raison de souhaiter que Fanny *ne soit pas* des nôtres, sinon dans la mesure où cela est en rapport avec votre confort. Si vous pouviez vous passer d'elle, vous ne voudriez pas qu'elle restât à la maison ? »

« Bien sûr que non, mais *je ne peux pas* me passer d'elle. »

« Cela sera possible si, comme j'ai l'intention de le faire, je reste avec vous à la maison. Fanny a le plus grand désir de voir Sotherton. Je sais que c'est son plus cher désir. Elle n'a pas souvent de telles satisfactions, et je suis sûr, madame, que vous seriez heureuse de lui accorder ce plaisir à l'instant ? »

« Oh ! oui, très heureuse, si votre tante n'y voit pas d'objection. »

Madame Norris avait une objection toute prête, la seule qui subsistât, ils avaient assuré madame Rushworth de façon certaine que Fanny ne pourrait venir ; de quoi auraient-ils donc l'air, si elle venait avec eux ; cela lui semblait être une difficulté tout à fait insurmontable. Comment allait-on prendre ce changement de décision ! Quel manque de courtoisie, quel irrespect envers madame Rushworth, elle dont les manières étaient un modèle de bonne éducation et de prévenance, non, elle ne se sentait pas capable d'agir ainsi.

Madame Norris n'éprouvait aucune affection pour Fanny, aucun désir de lui procurer des satisfactions à quelque moment que ce fût, mais son opposition à Edmond *à ce moment-là* provenait plus de sa partialité à l'égard de son propre projet, parce que *c'était* le sien, que de toute autre chose. Elle avait le sentiment de tout avoir arrangé pour le mieux, et ce changement ne pouvait qu'être néfaste. Quand Edmond, par conséquent, lui fit cette réponse, quand elle put lui prêter l'oreille, qu'elle n'avait nul besoin de se désoler pour madame Rushworth, parce qu'en traversant la grande salle avec elle, il avait profité de l'occasion pour lui parler de mademoiselle Price comme de quelqu'un qui serait probablement du groupe, et avait sur-le-champ reçu d'elle pour sa cousine une invitation clairement explicite, madame Norris fut trop dépitée pour se soumettre de très bonne grâce, et se borna à dire : « Très bien, très bien, comme vous voudrez, arrangez les choses à votre gré, je vous assure que je ne m'en soucie guère ».

« Que ce soit vous et non Fanny qui restiez à la maison », dit Maria, « paraît bien étrange ».

« Elle devrait vous en être fort reconnaissante », ajouta Julia, quittant sur ces mots la pièce hâtivement, car elle avait conscience qu'elle eût dû proposer de rester elle-même à la maison.

« Fanny saura montrer la reconnaissance qu'il faudra en la circonstance », fut l'unique réponse d'Edmond, et il laissa tomber le sujet.

La gratitude de Fanny lorsqu'elle apprit ce projet, fut en fait bien plus grande que son plaisir. Elle ressentit la bienveillance d'Edmond à son égard avec plus de sensibilité encore qu'il n'en avait conscience, lui qui ne se doutait nullement du tendre attachement qu'elle éprouvait pour lui ; mais qu'il renonçât pour elle à ses plaisirs, lui fit de la peine, et, sans lui, elle ne serait nullement heureuse de voir Sotherton.

La rencontre, qui eut lieu ensuite entre les familles de Mansfield, fut l'occasion de remanier encore le plan, qui fut accepté avec l'assentiment général. Madame Grant proposa ses services comme compagne de Lady Bertram pour la journée, au lieu et place de son fils, et le docteur Grant devait les rejoindre pour le dîner. Lady Bertram fut ravie de cet arrangement, et les jeunes ladies retrouvèrent leur bonne humeur. Même Edmond se félicita d'un compromis qui lui restituait sa place dans le groupe ; madame Norris, elle-même, trouva le plan excellent, elle avait été sur le point de le proposer, l'avait eu sur le bout de la langue, lorsque madame Grant en avait parlé.

Mercredi était une belle journée, et peu après le petit déjeuner la calèche arriva, monsieur Crawford conduisait ses sœurs, et comme tout le monde était prêt, il n'y eut rien d'autre à faire pour madame Grant que de mettre pied à terre et pour les autres de prendre place. La place entre toutes désirée, le siège envié, le poste d'honneur, n'était pas occupé. À qui le sort allait-il l'attribuer ? Pendant que chacune des demoiselles Bertram se proposait de trouver la meilleure manière de l'obtenir, tout en manifestant en apparence la plus extrême obligeance envers les autres, l'affaire fut réglée par madame Grant, avec cette phrase prononcée en descendant de voiture, « comme vous êtes cinq, il sera préférable que l'une d'entre vous s'asseye avec Henry, et, comme, pas plus tard que tout à l'heure, vous disiez que vous souhaitiez pouvoir conduire, Julia, je pense que ce sera pour vous une bonne occasion de prendre une leçon ».

Heureuse Julia ! Malheureuse Maria ! En un instant la première fut sur le siège du cocher, la seconde s'installa à l'intérieur, sombre et humiliée ; et la voiture s'ébranla, tandis que les deux ladies qui restaient leur souhaitaient bon voyage et que Pug, dans les bras de sa maîtresse, aboyait.

La route qu'ils suivaient traversait une campagne avenante ; et Fanny, qui n'avait guère dans ses promenades à cheval parcouru beaucoup de pays, fut bientôt dans des lieux qu'elle ne connaissait point, et ce fut un ravissement pour elle que d'observer tout ce qui était nouveau et d'admirer tout ce qui était joli. Les autres ne l'invitaient guère à se joindre à la conversation, mais elle ne le souhaitait point. Ses propres pensées et réflexions étaient à l'accoutumée ses meilleurs compagnons ; et elle trouva à se divertir en observant l'aspect de la campagne, la direction des routes, la variété des sols, l'état de la moisson, les chaumières, le bétail, les enfants, plaisir qu'aurait seul pu accroître la présence d'Edmond et la possibilité de lui faire part de ce qu'elle ressentait. C'était là le seul point de ressemblance entre elle et la lady qui était assise à ses côtés ; le seul point qu'elles avaient en commun, mademoiselle Crawford et elle, était qu'elles tenaient toutes deux Edmond en haute estime : Mademoiselle Crawford ne possédait pas cette délicatesse de goût, d'esprit et de sentiments qui caractérisait Fanny ; elle voyait la nature, la nature inanimée, sans guère l'apercevoir ; toute son attention se portait sur les hommes et les femmes, et ses talents s'exerçaient sur ce qui était léger et plein de vie. Elles s'accordaient toutefois pour jeter un coup d'œil en arrière lorsque la voiture avait parcouru une colline élevée ; elles étaient alors à l'unisson, et le même « le voici » jaillissait plus d'une fois de leurs lèvres au même instant.

Pendant les sept premiers milles, mademoiselle Bertram n'eut guère de réelles satisfactions ; son regard s'arrêtait toujours sur le spectacle de monsieur Crawford et de sa sœur assis côte à côte, en train de mener avec ardeur une joyeuse conversation ; se contenter d'apercevoir le profil du premier lorsqu'il se tournait vers Julia avec un sourire, ou de saisir le rire de sa sœur, était pour elle une source perpétuelle d'irritation que parvenait à peine à apaiser son sentiment des convenances. Quand Julia regardait en arrière, c'était avec sur le visage une expression de ravissement, et chaque fois qu'elle s'adressait à lui, c'était avec le plus grand enjouement ; « d'où elle était, le paysage qui s'offrait à elle était charmant, elle regrettait que tout le monde ne pût le voir etc. », mais l'offre de changer de place qu'elle adressa à la seule mademoiselle Crawford, lorsqu'ils eurent atteint le sommet d'une grande colline, n'était pas des plus engageantes, « quelle belle échappée sur la campagne. Je regrette que vous ne soyez pas à ma place, sans doute ne la prendriez-vous pas, si je vous en priais instamment », et mademoiselle Bertram n'eut guère le temps de répondre, qu'ils filaient de nouveau à vive allure.

Quand ils furent arrivés non loin de Sotherton et qu'ils subirent l'influence des associations que faisait naître ce lieu, mademoiselle Bertram commença à se sentir plus à son aise, car elle avait alors, pour ainsi dire, deux cordes à son arc. Ses sentiments étaient Rushworthiens et Crawfordiens, et dans le voisinage de Sotherton, les premiers l'emportaient de loin. Elle ne pouvait dire à mademoiselle Crawford « ces bois appartiennent à Sotherton », ne pouvait faire remarquer négligemment « qu'il lui semblait que, maintenant, monsieur Rushworth possédait tout, des deux côtés de la route », sans que son cœur s'exaltât, et son ravissement ne cessait de s'accroître à mesure qu'ils approchaient de la propriété seigneuriale de franc-fief, du berceau historique de la famille, avec tous ses droits et titres de Cour de justice.

« Maintenant, mademoiselle Crawford, la route ne sera plus malaisée, nos difficultés sont terminées. Le reste du chemin est tel qu'il devrait être. Monsieur Rushworth l'a fait refaire depuis que le domaine lui est échu. Ici commence le village. Ces chaumières sont vraiment une honte. On compte la flèche de l'église parmi les choses les plus remarquables qui soient. Je suis heureuse que l'église ne soit pas aussi près de la Grande Maison qu'elle l'était souvent dans les villages d'autrefois. Les cloches doivent être un fâcheux désagrément. Là se trouve le presbytère ; c'est une maison bien entretenue, et à ce qu'on m'a dit, le pasteur et sa femme sont des gens fort convenables. Voici les maisons des indigents, bâties par quelque membre de la famille. A droite se trouve la maison de l'intendant, homme fort respectable. Maintenant nous arrivons aux grilles du pavillon d'entrée ; mais il nous reste encore presque un mille à travers le parc. A cette extrémité, ainsi que vous le voyez, ce n'est pas laid ; il y a de belles coupes de bois, mais la maison est horriblement mal située. La pente qui y mène descend sur un demi-mille, et c'est dommage, car, si la perspective d'arrivée était meilleure, ce ne serait pas un site désagréable à regarder. »

Mademoiselle Crawford ne tarda pas à exprimer son admiration ; elle devinait assez bien quels étaient les sentiments de mademoiselle Bertram, et mit son point d'honneur à tout mettre en œuvre pour que son bonheur soit extrême. Madame Norris exprimait avec volubilité son ravissement ; et même Fanny avait dans son admiration son mot à dire, que l'on pouvait écouter obligeamment. Elle embrassait avidement du regard tout ce qui était à sa portée ; et après avoir éprouvé quelque difficulté à apercevoir la maison et remarqué « qu'elle ne pouvait regarder ce genre de maison qu'avec respect », elle ajouta : « Alors, où est la grande allée plantée d'arbres ? La façade est, à ce que je vois, tournée vers l'est. Par conséquent, la grande allée doit être à l'arrière de la maison. Monsieur Rushworth a parlé de façade ouest. »

« Oui, elle est exactement derrière la maison ; elle commence un peu en retrait et s'élève sur un demi-mille jusqu'à l'extrémité du parc. Vous pouvez l'entrevoir d'ici, ainsi que certains des arbres les plus éloignés. Elle est entièrement composée de chênes. »

Mademoiselle Bertram pouvait maintenant parler avec autorité, de façon catégorique, de ce dont elle n'avait rien su auparavant, quand monsieur Rushworth lui avait demandé son avis, et la vanité et l'orgueil conjugués lui avaient fait reprendre courage, lorsque la voiture s'arrêta devant le vaste escalier de pierre qui conduisait à l'entrée principale.

CHAPITRE IX

Debout à la porte pour accueillir sa belle dame, monsieur Rushworth reçut la troupe des visiteurs avec toutes les marques de courtoisie qui leur étaient dues. L'accueil que leur prodigua sa mère au salon ne fut pas moindre, et mademoiselle Bertram reçut de chacun d'eux toutes les attentions qu'elle pouvait souhaiter. Une fois terminé le remue-ménage de l'arrivée, il fallut manger, on ouvrit tout grand les portes pour qu'ils puissent pénétrer, après avoir traversé une ou deux salles intermédiaires, dans l'une des petites salles à manger assignées à cet usage, où une collation abondante et élégante était préparée pour eux. On dit beaucoup de choses, on mangea beaucoup, et tout se passa le mieux du monde. On songea alors au but particulier de la journée. Comment, et de quelle manière monsieur Crawford aimerait-il parcourir le parc ? Monsieur Rushworth parla de son cabriolet. Monsieur Crawford suggéra qu'il serait bien plus opportun d'avoir une voiture capable de transporter plus de deux voyageurs. « Se priver de l'avantage du regard et du jugement des autres serait peut-être pire même que perdre ce plaisir qui s'offrait. »

Madame Rushworth proposa qu'on prît aussi la chaise ; mais cette proposition ne fut guère considérée comme une amélioration ; il n'y eut aucun sourire, aucune parole de la part des jeunes ladies. Elle suggéra ensuite qu'on fît visiter la maison à ceux qui ne l'avaient pas encore vue, ce qui fut bien mieux accueilli, car mademoiselle Bertram se réjouissait qu'on fît étalage de ses vastes proportions, et tous étaient heureux d'avoir quelque chose à faire.

Toute la troupe se leva donc, et, avec madame Rushworth comme guide, parcourut maintes salles, toutes à haut plafond, un grand nombre d'entre elles fort vastes, avec une grande abondance de meubles dans le goût d'il y a cinquante ans, avec des parquets brillants, de l'acajou massif, de riches damas, du marbre, des dorures et des moulures, et qui avaient chacune une beauté particulière. Des tableaux, il y en avait une multitude, peu d'entre eux étaient bons, mais la plus grande partie était des portraits de famille indifférents à tous, sauf à madame Rushworth, car elle s'était donnée beaucoup de peine pour apprendre de la femme de l'intendant tout ce qui pouvait en être appris, et était maintenant presque aussi qualifiée qu'elle pour faire visiter la maison. En la présente circonstance, elle s'adressait principalement à mademoiselle Crawford et à Fanny, mais il n'y avait pas de comparaison possible dans leurs façons respectives d'écouter complaisamment, car mademoiselle Crawford, qui avait vu des vingtaines de demeures illustres sans éprouver de l'intérêt pour aucune d'entre elles, faisait seulement mine d'écouter poliment, tandis que Fanny, pour qui tout était presque aussi nouveau qu'intéressant, écoutait avec une gravité sincère tout ce que madame Rushworth rapportait sur la famille dans les temps anciens, et qui avait trait à son essor et sa splendeur, aux visites royales et aux loyaux services, ravie de trouver des liens avec des faits historiques déjà connus, ou d'échauffer son imagination en évoquant des scènes du passé.

Quand on se trouvait dans l'une ou l'autre de ces pièces, on n'avait guère de vastes perspectives, l'emplacement de la maison ne le permettait pas, et pendant que Fanny et quelques autres demeuraient auprès de madame Rushworth à l'écouter, Henry Crawford prenait un air sévère et hochait la tête en regardant les fenêtres. Toutes les pièces de la façade ouest donnaient sur une pelouse, puis sur la grande allée qui commençait juste derrière les hautes grilles et palis de fer.

Après avoir encore visité un grand nombre de pièces qui n'avaient d'autre utilité, pouvait-on supposer, que d'apporter leur contribution à l'impôt sur les portes et fenêtres, et procurer de l'ouvrage aux femmes de chambre, « Maintenant », dit madame Rushworth, « nous arrivons à la chapelle, dans laquelle il nous faudrait, selon les règles, pénétrer par en haut, pour avoir sur elle une vue plongeante ; mais comme nous sommes entre nous, je vous fais passer par ce chemin, si vous voulez bien me pardonner ».

Ils entrèrent. L'imagination de Fanny l'avait préparée à quelque chose d'autrement grandiose qu'une simple salle, vaste et oblongue, aménagée à des fins de dévotions, sans rien de plus frappant et de plus solennel qu'une profusion d'acajou, et des coussins de velours cramoisi qui apparaissaient au-dessus, sur le rebord de la galerie réservée à la famille. « Je suis déçue », dit-elle à voix basse à Edmond. « Ce n'est pas ainsi que je conçois une chapelle. Il n'y a rien ici d'imposant, de mélancolique, de magnifique. Aucune nef latérale, aucune voûte, aucune inscription, aucune bannière. Aucune bannière, cousin, « pour se gonfler le soir sous les souffles célestes ». Aucun signe que « dort là-dessous un monarque écossais ». »

« Vous oubliez, Fanny, que contrairement aux chapelles des châteaux et des monastères, tout cela est de construction fort récente, et pour un usage restreint. Elle était réservée à la seule jouissance de la famille. Les membres de la famille ont été enterrés, je suppose, dans l'église de la paroisse. C'est *là* que vous devez chercher bannières et armoiries. »

« Quelle sotte j'ai été de ne point songer à tout cela, mais je suis pourtant déçue. »

Madame Rushworth entama son récit. « Telle que vous la voyez, cette chapelle a été aménagée à l'époque de Jacques Deux. Si je ne me trompe, avant cette période, les bancs étaient entièrement lambrissés ; et j'ai quelque raison de croire que les garnitures intérieures ainsi que les coussins de la chaire et des bancs de la famille étaient de drap pourpre seulement ; mais ce n'est pas tout à fait certain. C'est une belle chapelle qui a été jadis utilisée matin et soir, et constamment. De mémoire d'homme, les prières y ont toujours été dites par le chapelain privé de la famille. Mais le défunt monsieur Rushworth a abandonné cet usage. »

« Chaque génération apporte des changements », dit mademoiselle Crawford à Edmond avec un sourire.

Madame Rushworth s'en était allée répéter sa leçon à monsieur Crawford ; et le petit groupe composé d'Edmond, Fanny et mademoiselle Crawford demeura.

« Il est regrettable », s'écria Fanny, « que cette coutume

ait été interrompue. C'était un élément précieux des temps
anciens. Il y a dans une chapelle et chez un chapelain quelque
chose qui est tellement en harmonie avec une maison illustre,
avec les idées que l'on peut se faire sur ce que devrait être une
pareille demeure ! Quel spectacle magnifique qu'une famille
entière rassemblée pour la prière aussi régulièrement ! »

« Vraiment magnifique ! » dit mademoiselle Crawford, en
riant. « Cela doit faire le plus grand bien aux chefs de la
famille d'obliger toutes les pauvres femmes de chambre et
tous les valets de pied à interrompre ouvrages et plaisirs pour
dire leurs prières deux fois par jour, pendant qu'eux-mêmes
inventent des excuses pour ne point assister à l'office. »

« *Voilà* qui ne ressemble guère à l'idée que se fait Fanny
d'une famille assemblée pour la prière », dit Edmond. « Si le
maître et la maîtresse de maison ne sont *eux-mêmes* présents,
cette pratique est par la force des choses plus néfaste que
bonne. »

« De toute façon, il est plus prudent de laisser les gens
s'occuper comme bon leur semble, en des cas pareils. Tout le
monde aime agir à sa guise, aime choisir l'heure et la façon
d'accomplir ses dévotions. L'obligation de présence, la
raideur compassée, la contrainte, tout le temps passé : voilà
qui est, somme toute, redoutable et que personne n'aime ; et
si les bonnes gens qui avaient coutume de s'agenouiller dans
cette tribune et d'y rester à bayer aux corneilles avaient pu
voir venir le temps où hommes et femmes pourraient rester
dix minutes de plus au lit lorsqu'ils s'éveillaient avec un mal
de tête, sans craindre d'encourir la réprobation pour avoir
manqué l'office, ils auraient bondi de joie et d'envie. Vous
est-il impossible d'imaginer avec quelle mauvaise grâce les
belles de la maison de Rushworth gagnèrent jadis, maintes et
maintes fois, cette chapelle ? Les jeunes épouses Eleanor et
Bridgets, dans la raideur compassée d'une apparente piété,
mais la tête pleine de bien autre chose — surtout si le pauvre
chapelain ne valait pas la peine qu'on le regardât — et, en ces
temps-là, j'imagine que les pasteurs étaient très inférieurs à
ceux que nous avons aujourd'hui. »

Pendant quelques instants elle n'obtint pas de réponse.
Fanny rougit, regarda Edmond, mais la colère la rendit
muette ; et, quant à lui, *il* eut besoin de rassembler tant soit

peu ses esprits avant de pouvoir dire : « La vivacité de votre esprit est telle que vous ne sauriez être sérieuse même quand il s'agit de sujets sérieux. Vous nous avez dressé un tableau amusant, que la nature humaine ne saurait nier. Nous éprouvons certainement tous *parfois* de la difficulté à fixer notre attention ainsi que nous le voudrions ; mais si vous supposez que cela arrive fréquemment, c'est-à-dire, que c'est une faiblesse qui à force de négligence est devenue une habitude, que pouvait-on attendre des dévotions privées de ces gens-là ? Croyez-vous que ces esprits qui tolèrent de telles rêveries dans une chapelle et s'y complaisent, seraient plus rassis dans un cabinet ? »

« Oui, très probablement. Ils auraient du moins deux atouts en leur faveur. Leur attention trouverait moins de choses à l'extérieur pour la distraire, et elle ne serait pas aussi longtemps mise à l'épreuve. »

« L'esprit qui ne lutte pas contre lui-même en *une* occasion particulière trouverait, je crois, matière à se divertir dans toute *autre* circonstance ; et l'influence des lieux comme de l'exemple peut souvent inciter à de meilleurs sentiments. La longue durée de l'office fait cependant, je le reconnais, trop grande violence à l'esprit. On voudrait qu'il en soit autrement, mais je n'ai pas quitté Oxford depuis si longtemps que cela m'ait fait oublier ce que sont les prières à la chapelle du collège. »

Pendant que se déroulait cette scène, les autres visiteurs s'étant éparpillés autour de la chapelle, Julia attira par ces mots l'attention de monsieur Crawford sur sa sœur : « Regardez monsieur Rushworth et Maria, debout l'un à côté de l'autre, exactement comme si la cérémonie allait s'accomplir. Ne dirait-on pas qu'ils en sont les acteurs ? »

Monsieur Crawford acquiesça d'un sourire, et s'avançant vers Maria, dit, d'une voix qu'elle fut la seule à entendre : « Il ne me plaît pas de voir mademoiselle Bertram si près de l'autel ».

La jeune lady tressaillit et s'écarta instinctivement d'un ou deux pas, mais retrouvant en un instant ses esprits, elle affecta de rire, et lui demanda, en haussant à peine la voix, « si c'était lui qui la conduirait à l'autel ».

« Je serais fort embarrassé de le faire, j'en ai peur », fut sa réponse, accompagnée d'un regard significatif.

Julia, qui les rejoignit à cet instant, poursuivit la plaisanterie.

« Ma parole, il est réellement dommage que la cérémonie n'ait pas lieu sur-le-champ, si nous avions seulement la licence qui convient, car nous voilà tous réunis ici, rien au monde ne saurait être plus aimable, nous ne pourrions être plus à notre aise. » Elle poursuivit son bavardage et ses rires avec si peu de circonspection que ses paroles parvinrent aux oreilles de monsieur Rushworth et de sa mère, et exposèrent sa sœur aux galanteries que lui chuchotait son soupirant, pendant que madame Rushworth, arborant un sourire plein de dignité, ainsi qu'il se devait, déclarait que c'était pour elle l'événement le plus heureux qui pût avoir lieu.

« Ah, si seulement Edmond était ordonné ! » s'écria Julia, qui courut à l'endroit où se tenaient mademoiselle Crawford et Fanny. « Mon cher Edmond, si vous étiez seulement dans les ordres maintenant, vous pourriez présider à la cérémonie sur-le-champ. Comme il est malheureux que vous ne soyez pas ordonné, monsieur Rushworth et Maria sont tout à fait prêts. »

L'expression de mademoiselle Crawford, tandis que Julia parlait, aurait amusé un observateur désintéressé. Elle était, semblait-il, stupéfaite, comme sous le coup de cette idée nouvelle qu'on lui apprenait. Fanny eut pitié d'elle. « Comme elle va être affligée des paroles qu'elle vient de prononcer », lui traversa l'esprit.

« Ordonné ! » dit mademoiselle Crawford ; « comment, vous allez devenir pasteur ? »

« Oui, je serai ordonné peu après le retour de mon père, sans doute à Noël. »

Mademoiselle Crawford, reprenant courage et retrouvant ses couleurs, se borna à répondre : « Si j'avais su cela auparavant, j'aurais parlé du clergé avec plus de respect », et elle changea de sujet.

La chapelle retomba ensuite bientôt dans le silence et la paix qui y régnaient, à de rares interruptions près, toute l'année. Mademoiselle Bertram, mécontente de sa sœur, ouvrit la marche, et on eût dit qu'ils avaient tous le sentiment d'être demeurés là trop longtemps.

La visite du rez-de-chaussée était maintenant terminée, et madame Rushworth, que ne lassait nullement cette cause, se

serait acheminée vers l'escalier principal pour les entraîner à
l'étage faire la visite complète, si son fils ne s'était interposé
en suggérant qu'il n'y aurait peut-être pas suffisamment de
temps pour cela. « Car si », dit-il, formulant une de ces
propositions qui tombent sous le sens et que n'évite pas
toujours maint esprit plus lucide, « nous passons *trop* de
temps à visiter la maison, il ne nous en restera pas assez pour
ce que nous devons faire à l'extérieur. Il est plus de deux
heures, et nous devons dîner à cinq heures. »

Madame Rushworth se résigna, et la question de savoir
avec qui, et comment, la visite du parc se ferait, allait être
probablement agitée, et madame Norris commençait à
s'entremettre sur la façon dont il fallait appairer voitures et
chevaux pour faire le plus de choses possibles, lorsque les
jeunes gens, tombant sur une porte ouverte de façon tentante
sur l'extérieur, et qui donnait sur une volée d'escaliers
conduisant sans transition à du gazon, des arbrisseaux, et à
tous les délices du jardin d'agrément, comme mûs par la
même impulsion, par le même désir d'air et de liberté,
sortirent tous d'un commun accord.

« Et si nous allions dans cette direction, pour l'instant »,
dit madame Rushworth qui saisit l'occasion et les suivit
courtoisement. « C'est l'endroit où se trouvent nos fort
nombreuses plantes ainsi que ces faisans si curieux. »

« Reste à savoir », dit monsieur Crawford, jetant un
regard autour de lui, « si nous allons pouvoir trouver
quelque chose qui nous occupe, avant d'aller plus loin ?
Je vois des murs fort engageants. Monsieur Rushworth,
convoquerons-nous un conseil pour délibérer sur cette
pelouse ? »

« James », dit madame Rushworth à son fils, « je crois que
la partie sauvage du parc sera nouvelle pour tous nos
visiteurs. Les demoiselles Bertram ne l'ont jamais vue ».

Il n'y eut aucune objection, mais pendant un certain
temps, personne ne sembla montrer la moindre disposition à
avancer dans l'une ou l'autre direction, ou à quelque distance
que ce fût. Ils furent tout d'abord attirés, soit par la grande
variété de plantes, soit par les faisans, et s'égayèrent tous
dans des directions différentes, avec allégresse. Monsieur
Crawford fut le premier à s'éloigner afin d'examiner les
possibilités que présentait cette extrémité de la maison. La

pelouse, limitée de chaque côté par un haut mur, comprenait, au-delà du premier parterre, un boulingrin, et par-delà le boulingrin, une longue allée en terrasse, soutenue par des palis de fer, et qui donnait sur les cimes des arbres, dans la partie sauvage du parc qui y attenait directement. C'était l'endroit parfait pour s'exercer à la critique. Monsieur Crawford fut bientôt suivi de mademoiselle Bertram et de monsieur Rushworth, et quand, après un bref moment, les autres se furent mis à former des groupes, Edmond, mademoiselle Crawford et Fanny, qui semblaient s'être tout naturellement réunis, les trouvèrent tous trois en consultation sur la terrasse ; ils les laissèrent ensuite, après s'être associés à leurs regrets et à leurs préoccupations, afin de poursuivre leur chemin. Les trois personnes qui restaient, madame Rushworth, madame Norris et Julia étaient encore loin derrière ; car Julia, dont l'heureuse étoile avait cessé de briller, fut obligée de demeurer aux côtés de madame Rushworth, et de réfréner l'impatience de ses pas afin de s'accommoder de l'allure lente de cette lady, pendant que sa tante, qui avait fait la rencontre de la femme de l'intendant, sortie pour nourrir les faisans, s'attardait derrière à faire un bout de causette avec elle. La pauvre Julia, la seule des neuf à n'être que passablement satisfaite de son sort, faisait maintenant pénitence, et ainsi qu'on peut aisément l'imaginer, ne ressemblait plus que de fort loin à la Julia de la calèche, assise sur le siège du cocher. Il lui avait été impossible de s'échapper, car la politesse qu'on lui avait inculquée et qu'on l'avait invitée à mettre en pratique, l'empêchait de se soustraire à ses devoirs ; et, en même temps, elle était malheureuse, car le sang-froid d'une nature élevée, la juste considération des autres, la connaissance de son propre cœur, le principe de justice (qui n'avaient pas formé une partie essentielle de son éducation) lui faisaient défaut.

« Il fait ici une chaleur intolérable », dit mademoiselle Crawford quand ils eurent fait vingt pas sur la terrasse, alors qu'ils se rapprochaient une seconde fois de la porte du milieu qui donnait sur la partie sauvage du parc. « Quelqu'un parmi nous s'oppose-t-il à ce que nous soyons agréablement à notre aise ? Voici un joli petit bois, il suffit d'y pénétrer. Quel bonheur ce serait si la porte n'était pas fermée à clef ! mais ce n'est bien sûr pas le cas, car dans ces endroits illustres, les jardiniers sont les seules personnes qui puissent aller où elles le désirent. »

La porte n'étant toutefois pas fermée à clef, ils tombèrent tous d'accord pour la franchir allégrement, et laisser derrière eux la grande clarté éblouissante du jour. Un immense escalier les conduisit dans la partie sauvage du parc, plantée d'arbres sur deux arpents environ, et qui, bien que composée surtout de mélèzes et de lauriers ainsi que de hêtres élagués, et d'un tracé trop régulier, n'était, à côté du boulingrin et de la terrasse, qu'ombrage, pénombre et beauté naturelle. Ils en ressentirent tous la fraîcheur reposante, et pendant un certain temps se contentèrent de se promener et d'admirer. Enfin, après qu'ils se furent arrêtés un instant, mademoiselle Crawford lança : « Ainsi, vous allez devenir pasteur, monsieur Bertram. C'est plutôt une surprise pour moi ».

« Pourquoi cela devrait-il vous surprendre ? Vous devez bien supposer que je suis destiné à quelque profession, et pourriez vous apercevoir que je ne suis ni homme de loi, ni soldat, ni marin. »

« Très juste ; mais, bref, cela ne m'était pas venu à l'esprit. Et comme vous le savez, il y a généralement un oncle ou un grand-père pour laisser sa fortune au fils cadet. »

« Voici une coutume fort louable », dit Edmond, « mais pas tout à fait universelle. Je suis l'une de ces exceptions, et *étant* l'une d'elles, il me faut subvenir à mes besoins ».

« Mais pourquoi faut-il que vous soyez pasteur ? Je pensais que *tel* était le sort du plus jeune, quand ils étaient nombreux à choisir avant lui. »

« Pensez-vous donc qu'on ne choisisse jamais l'église ? »

« *Jamais* est un mot bien noir. Mais, dans le *jamais* de la conversation qui veut dire *pas très souvent*, oui, je crois qu'il en est ainsi. Car que peut-on accomplir au sein de l'église ? Les hommes aiment se distinguer, et dans tous les métiers sauf l'église, on peut acquérir cette distinction. Un pasteur n'est rien. »

« Le *rien* de la conversation a ses degrés, je crois, tout comme le *jamais*. Un pasteur ne peut atteindre un rang élevé ni dans l'État, ni dans la mode. Son devoir n'est pas de mener les foules, ni de donner le ton à la mode. Mais je ne saurais qualifier de rien une profession dans laquelle on a la responsabilité de tout ce qui est de première importance pour l'humanité, considérée comme formée d'individus ou comme collectivité, que ce soit dans les affaires temporelles ou éternelles, dans laquelle on est le défenseur de la religion et de la moralité publique, et par conséquent celui des mœurs qui dépendent d'elles. Personne ne saurait qualifier de rien les *fonctions ecclésiastiques*. Si l'homme qui occupe cette charge n'est rien, c'est qu'il néglige son devoir, qu'il ne lui accorde pas l'importance qu'elle mérite, qu'il s'écarte du droit chemin en prétendant être ce qu'il n'est pas. »

« *Vous* attribuez au pasteur plus d'importance que l'on a coutume de lui voir accorder, ou que je puisse comprendre. On ne voit pas beaucoup d'exemples de cette influence et de cette importance dans la société, et comment pourrait-on les acquérir, si on ne les rencontre que rarement ? Comment deux sermons par semaine, en supposant qu'ils vaillent la peine qu'on les écoute, que le prédicateur ait le bon sens de préférer ceux de Blair aux siens, pourraient-ils agir ainsi que vous le dites ? gouverner la conduite et façonner les manières d'un vaste auditoire de fidèles pendant le reste de la semaine ? On n'a guère l'occasion de rencontrer un pasteur en dehors de sa chaire. »

« *Vous* parlez de Londres, *je* parle de la nation tout entière. »

« La métropole est, j'imagine, un assez bon échantillon de tout le reste. »

« Pas, j'aime à le croire, des proportions respectives du vice et de la vertu à travers le royaume. Ce n'est pas dans les grandes villes que nous devons chercher ce qu'il y a de meilleur dans nos mœurs. Ce n'est pas là que les gens respectables de toutes confessions peuvent faire le plus de bien ; et ce n'est certainement pas là que l'on peut ressentir le plus l'influence du clergé. Un bon prédicateur est suivi et admiré ; mais ce n'est pas seulement par de bons prêches qu'un bon pasteur sera utile dans sa paroisse et dans le voisinage, quand cette paroisse et ce voisinage ont une taille qui permette de le connaître comme simple particulier, et d'observer sa conduite en général, ce qui peut rarement se produire à Londres. Les membres du clergé sont perdus là-bas dans la foule de leurs paroissiens. La majeure partie d'entre eux les connaissent seulement en tant que prédicateurs. Et pour ce qui se rattache à l'influence qu'ils peuvent

avoir sur la moralité publique, il ne faut pas que mademoiselle Crawford se méprenne sur mes propos, ou suppose que
je songe à les qualifier d'arbitres du savoir-vivre, fixant les
règles d'une politesse raffinée, ou de maîtres de cérémonie
pour notre vie. Les *mœurs* dont je parle pourraient plutôt
s'appeler *conduite,* peut-être, celle qui découle de bons
principes ; l'effet, somme toute, de ces doctrines qu'il est de
leur devoir d'enseigner et de recommander ; et je crois que
partout on découvrira que selon que le clergé est, ou n'est pas
ce qu'il devrait être, il est suivi ou non par toute la
nation. »

« Certainement », dit Fanny avec une douce gravité.

« Voilà », s'écria mademoiselle Crawford, « que vous avez
déjà tout à fait convaincu mademoiselle Price ».

« J'eusse souhaité pouvoir aussi convaincre mademoiselle
Crawford. »

« Je ne crois pas que vous y parveniez jamais », dit-elle
avec un sourire malicieux ; « je suis tout aussi étonnée,
maintenant, que vous ayez l'intention de prendre les ordres,
que je ne l'étais auparavant. Vous pouvez vraiment prétendre
à mieux. Allons, changez d'avis. Il n'est pas trop tard.
Devenez homme de loi ».

« Devenir homme de loi ! cela dit aussi tranquillement que
pour me dire d'aller dans cet endroit sauvage. »

« Vous allez me dire maintenant que la loi est le lieu le plus
sauvage des deux, mais je vous coupe l'herbe sous le pied ;
souvenez-vous-en. »

« Nul besoin de vous hâter s'il s'agit seulement d'empêcher que je fasse un bon mot, car il n'y a pas le moindre esprit
dans ma nature. Je suis un être prosaïque, qui a son
franc-parler, et il m'arrive de tâtonner une demi-heure à
l'aveuglette pour trouver une repartie spirituelle, de presque
la saisir, sans parvenir à la faire jaillir. »

Un silence général s'ensuivit. Chacun restait pensif. La
première à rompre le silence par ces paroles fut Fanny. « Je
m'étonne d'être fatiguée alors que je me suis seulement
promenée dans la fraîcheur de ce bois ; mais quand nous
trouverons un endroit où nous reposer, si cela ne vous
incommode pas, je serais bien aise de m'asseoir un instant. »

« Ma chère Fanny », s'écria Edmond passant aussitôt son

bras dans le sien, « comme j'ai manqué d'égards ! J'espère
que vous n'êtes pas fatiguée. Peut-être », se tournant vers
mademoiselle Crawford, « mon autre compagne me fera-
t-elle l'honneur de prendre mon bras ».

« Merci, mais je ne suis pas du tout fatiguée. » Elle prit
toutefois son bras, en disant ces mots, et le plaisir qu'elle lui
donna en accomplissant ce geste, le bonheur qu'il éprouva à
sentir pour la première fois son bras dans le sien, lui firent
presque oublier Fanny. « Vous ne prenez pas appui sur moi.
Je ne vous suis d'aucune utilité. Quelle différence entre le
poids d'un bras de femme et celui d'un bras d'homme ! À
Oxford, je m'étais accoutumé à ce qu'un homme s'appuyât
sur moi pour parcourir une rue d'un bout à l'autre, mais à
côté, vous êtes aussi légère qu'une plume. »

« Je ne suis vraiment pas fatiguée, ce dont je m'étonne
presque ; car nous avons dû déjà parcourir au moins un mille
dans ce bois. Ne pensez-vous pas ? »

« Même pas un demi-mille », répondit-il vigoureusement ;
car il n'était pas encore si amoureux qu'il mesurât les
distances ou calculât le temps sans lois ou règles, comme les
femmes.

« Oh ! vous ne prenez pas en considération tous les
détours que nous avons faits. Nous avons suivi un chemin
fort sinueux ; et le bois lui-même doit avoir un demi-mille de
long en ligne droite, car nous n'en avons pas encore vu la fin,
depuis que nous avons quitté le premier sentier de quelque
importance. »

« Mais si vous vous rappelez, avant de quitter ce premier
sentier, nous le voyions tout droit jusqu'au bout. La
perspective en contrebas s'offrait tout entière à nos regards, à
l'intérieur des grilles de fer, et il ne pouvait y avoir plus d'un
furlong (1) de long. »

« Oh ! je ne m'y connais pas du tout en furlongs, mais ce
bois est très long, j'en suis certaine ; et je suis sûre que depuis
que nous y sommes entrés, nous avons fait sans cesse des
détours dans tous les sens ; et, par conséquent, quand je dis
que nous avons parcouru un mille dans ce bois, cela doit être
à peu près exact. »

« Il y a exactement un quart d'heure que nous sommes

(1) Un furlong = deux cents mètres.

ici », dit Edmond, sortant sa montre. « Pensiez-vous que
nous fassions quatre milles à l'heure ? »

« Oh ! ne m'attaquez pas avec votre montre. Une montre
avance ou retarde toujours. Je ne saurais recevoir d'ordres
d'une montre. »

Ils firent encore quelques pas et se trouvèrent à l'extrémité
de l'allée dont ils avaient parlé ; il y avait là, en retrait, bien
ombragé et à l'abri, un banc de vastes proportions d'où l'on
pouvait voir le parc, de l'autre côté d'un saut-de-loup, sur
lequel ils s'assirent tous trois.

« J'ai peur que vous ne soyez très fatiguée, Fanny », dit
Edmond, la regardant d'un air attentif ; « pourquoi n'avez-
vous pas voulu parler plus tôt ? Ce sera un piètre amusement
et une mauvaise journée pour vous, si vous devez être
fourbue. Tout exercice la fatigue vite, mademoiselle Crawford, sauf l'équitation. »

« Comme c'est abominable de votre part, alors, de m'avoir
laissée accaparer son cheval, ainsi que je l'ai fait toute la
semaine dernière ! J'ai honte de vous et de moi, mais cela ne
se reproduira plus. »

« *Vos* prévenances et votre considération me font sentir
plus vivement mon propre manque d'égards. Fanny me
semble être moins en danger entre vos mains qu'entre les
miennes. »

« Qu'elle soit fatiguée maintenant, ne m'étonne nullement ; car, dans la succession de nos devoirs, il n'y a rien
d'aussi fatigant que ce que nous avons fait ce matin : visiter
une vaste demeure, musarder d'une pièce à l'autre, en
fatiguant ses yeux et forçant son attention, écouter ce que
l'on ne comprend pas, admirer ce dont on ne se soucie
nullement. On reconnaît généralement que c'est la chose la
plus assommante qui soit, et, sans s'en rendre compte,
mademoiselle Price l'aura trouvée telle. »

« Je serai bientôt reposée », dit Fanny ; « rester assise
à l'ombre, par une belle journée, et poser les yeux sur
du feuillage est ce qu'il y a de plus parfait pour se refraî-
chir. »

Après être restée assise un bref instant, mademoiselle
Crawford se leva de nouveau. « Il faut que je bouge »,
dit-elle, « me reposer me fatigue. J'ai regardé de l'autre côté
du saut-de-loup jusqu'à en être lasse. Il faut que j'aille

regarder cette même vue, à travers la grille de fer, même si je ne peux pour autant mieux la voir. »

Edmond quitta aussi le banc. « Allons, mademoiselle Crawford, vous conviendrez, si votre regard suit cette allée, qu'elle ne peut avoir plus d'un demi-mille de long, ou d'un quart de mille. »

« La distance est énorme », dit-elle. « Je vois *cela* d'un seul coup d'œil. »

Il continua à essayer de lui faire entendre raison, mais en vain. Elle refusait de calculer, elle refusait de comparer. Elle se contentait de sourire et d'affirmer. Un raisonnement logique et rationnel au plus haut degré n'aurait pu être plus engageant, et, à leur satisfaction mutuelle, ils poursuivirent leur discussion. Ils décidèrent enfin d'un commun accord de tenter de déterminer les dimensions du bois, en y prolongeant un peu leur promenade. Ils iraient jusqu'à l'une des extrémités, dans la direction qu'ils suivaient alors (car, longeant le saut-de-loup, il y avait une allée rectiligne et verdoyante), et peut-être obliqueraient-ils légèrement dans une autre direction, si cela était susceptible de les aider, et seraient-ils de retour au bout de quelques minutes. Fanny dit qu'elle était reposée, et elle serait également partie avec eux, mais on ne le permit pas. Edmond l'exhorta à rester là où elle se trouvait, avec une gravité telle qu'elle ne sut résister, et ils s'en allèrent, la laissant sur son banc songer avec plaisir à la sollicitude de son cousin et regretter de n'être pas plus robuste. Elle les suivit du regard jusqu'à ce qu'ils aient franchi le tournant, et tendit l'oreille jusqu'à ce qu'ait cessé le bruit de leurs pas.

CHAPITRE X

Un quart d'heure, vingt minutes s'écoulèrent, et Fanny songeait encore à Edmond, à mademoiselle Crawford et à elle-même, sans que quiconque vînt troubler ses réflexions. Elle commençait à s'étonner qu'on la laissât seule si long-temps, et à tendre l'oreille, souhaitant vivement entendre de nouveau le bruit de leurs pas et de leurs voix. Elle tendit l'oreille et entendit enfin des pas et des voix qui se rappro-chaient ; mais elle venait de s'assurer qu'ils ne provenaient point de ceux qu'elle désirait voir, lorsque mademoiselle Bertram, monsieur Rushworth et monsieur Crawford surgi-rent du sentier qu'elle avait elle-même suivi, et se trouvèrent devant elle.

« Mademoiselle Price toute seule ! » et « Ma chère Fanny, que s'est-il passé ? » furent les premières salutations. Elle raconta son histoire. « Pauvre chère Fanny », s'écria sa cousine, « comme ils ont mal agi envers vous ! Mieux eût valu rester avec nous. »

Alors, assise entre les deux gentlemen, elle reprit la conversation qui les avait occupés auparavant, et discuta avec beaucoup d'animation de la possibilité d'embellissements. Rien n'était décidé ; mais Henry Crawford était plein d'idées et de projets, et, généralement, toutes ses propositions, quelles qu'elles fussent, étaient immédiatement approuvées, d'abord par elle, puis par monsieur Rushworth, dont la principale occupation était, semblait-il, d'écouter les autres, et qui ne se hasardait guère à risquer de pensée originale de son cru, si ce n'est pour regretter de ne pas avoir visité les lieux où demeurait son ami Smith.

Quelques minutes s'étant écoulées à deviser ainsi, mademoiselle Bertram, remarquant la grille de fer, exprima le désir de la franchir afin de pénétrer dans le parc et de donner une plus grande portée à la fois à leurs idées et à leurs plans. C'était, d'après Henry Crawford, la chose souhaitable entre toutes, c'était la meilleure, l'unique façon de procéder avec quelque profit ; et il ne fut pas long à apercevoir à moins d'un demi-mille une butte qui leur offrirait précisément la position indispensable d'où dominer la maison. Les voilà donc partis, prêts à franchir la grille et à gagner la butte ; mais la grille était fermée à clef. Monsieur Rushworth exprima le regret de ne pas avoir apporté la clef ; il avait bien songé à se demander s'il ne devrait pas apporter cette clef ; il était déterminé à ne plus jamais sortir sans elle ; cela ne supprimait pas toutefois ce fâcheux contretemps. Ils ne parvinrent pas à franchir la grille ; et comme le désir qu'éprouvait mademoiselle Bertram de la franchir ne diminuait en aucune façon, Monsieur Rushworth finit par déclarer brusquement qu'il irait chercher la clef. Il se mit donc en route.

« C'est sans aucun doute ce que nous avons de mieux à faire, puisque nous sommes déjà si éloignés de la maison », dit Monsieur Crawford, une fois qu'il fut parti.

« Oui, il n'y a rien d'autre à faire. Mais, vraiment, en toute sincérité, ne croyez-vous pas, somme toute, que vous vous attendiez à mieux ? »

« Non, vraiment, c'est tout le contraire. Je trouve que l'architecture, même si son style n'est pas parmi les meilleurs, est meilleure, plus achevée, plus grandiose que je ne l'eusse cru. A dire vrai », dit-il en baissant la voix, « je ne crois pas que *je* verrai à nouveau Sotherton avec autant de plaisir que maintenant. Un autre été ne l'embellira guère à mes yeux ».

Après avoir montré un instant un certain embarras, la jeune lady répondit : « Vous êtes trop homme du monde pour ne pas voir avec les yeux du monde. Si d'autres personnes pensent que Sotherton est embelli, nul doute que vous n'en fassiez autant ».

« Je crains de n'être pas tout à fait sur certains points

l'homme du monde qu'il serait bon que je sois. Mes
sentiments ne sont pas, comme c'est le cas chez les gens du
monde, tout à fait aussi évanescents, ni ma mémoire du passé
aussi aisément soumise. »

Un bref silence suivit. Mademoiselle Bertram reprit. « On
dirait que vous avez pris grand plaisir à votre promenade, ce
matin. J'étais heureuse de vous voir si bien vous divertir.
Vous n'avez cessé de rire, vous et Julia, tout au long du
chemin. »

« Vraiment ? Oui, c'est ce qu'il me semble ; mais je n'ai
pas le moindre souvenir de ce dont nous riions. Oh ! Je crois
que j'étais en train de lui raconter des histoires ridicules à
propos d'un vieux palefrenier irlandais qui travaillait chez
mon oncle. Votre sœur aime rire. »

« Vous trouvez qu'elle est plus enjouée que moi. »

« Plus facile à divertir », répliqua-t-il, « et par conséquent,
de meilleure compagnie », dit-il en souriant. « Je n'aurais pu
espérer parvenir à vous divertir, tout au long d'une promenade en voiture de dix milles, en *vous* racontant des
anecdotes irlandaises. »

« Je suis, par nature, aussi joyeuse que Julia, mais en ce
moment, j'ai tant de choses auxquelles il me faut songer. »

« Cela ne fait aucun doute ; et il y a des situations dans
lesquelles une trop grande gaieté serait le signe d'un cœur
insensible. Votre avenir est cependant trop beau pour
justifier un manque de gaieté. Ce qui s'offre à vous est fort
souriant. »

« Vous voulez dire littéralement ou au figuré ? Je conclus
que c'est littéralement. Oui, assurément, le soleil brille et le
parc a l'air fort riant. Mais, par malheur, cette grille de fer, ce
saut-de-loup sont pour moi comme une entrave, comme une
épreuve à surmonter. Je ne peux sortir, ainsi que le dit
l'étourneau. » Tout en prononçant ces mots avec beaucoup
d'expression, elle avança jusqu'à la grille ; il la suivit.
« Monsieur Rushworth met si longtemps à rapporter cette
clef ! »

« Et pour rien au monde, vous ne voudriez sortir sans la
clef, et sans l'autorité et la protection de Monsieur Rushworth, sinon je crois qu'avec mon aide il vous serait possible
de contourner la grille sur le côté, à cet endroit ; je crois que
cela serait possible, si vous souhaitez vraiment vous sentir

plus libre, et pouviez vous autoriser à penser que ce n'est pas
là chose interdite. »

« Interdite ! allons donc ! Je peux sans aucun doute sortir
par là, et c'est ce que je ferai. Monsieur Rushworth sera ici
d'un moment à l'autre, et nous ne serons pas hors de
vue. »

« Ou, si nous le sommes, mademoiselle Price sera assez
bonne pour lui dire qu'il pourra nous trouver près de cette
butte, dans le bois de chênes qui est situé sur la butte. »

Fanny, qui avait le sentiment que tout cela était mal, ne
put s'empêcher de tenter de contrecarrer leurs efforts.
« Vous vous blesserez, mademoiselle Bertram », s'écria-
t-elle, « vous allez à coup sûr vous blesser contre ces pointes
de fer — vous allez déchirer votre robe — vous risquez de
glisser et de tomber dans le saut-de-loup. Vous feriez mieux
de ne pas y aller ».

Sa cousine, qui, pendant qu'elle prononçait ces paroles,
était saine et sauve de l'autre côté, dit avec toute la bonne
humeur que lui donnait la réussite : « Merci, ma chère
Fanny, mais ma robe et moi sommes bien en vie et en bonne
santé, aussi adieu ».

Fanny fut de nouveau abandonnée à sa solitude, sans que
ses sentiments en soient pour autant plus agréables, car elle
était fâchée de presque tout ce qu'elle avait vu et entendu,
étonnée de l'attitude de mademoiselle Bertram, et courroucée contre monsieur Crawford. Ayant pris un chemin
détourné et, lui semblait-il, fort déraisonnable, pour atteindre la butte, ils disparurent bientôt à sa vue ; et pendant
quelques minutes encore, elle demeura sans voir ou entendre
aucun de ses compagnons. On eût dit qu'elle avait le petit
bois pour elle toute seule. Elle aurait presque pu croire
qu'Edmond et mademoiselle Crawford l'avaient quittée,
bien qu'il fût impossible qu'Edmond l'oubliât si complètement.

De nouveau des bruits de pas soudains la réveillèrent de
ses désagréables rêveries, quelqu'un arrivait à vive allure
par l'allée principale. Elle s'attendait à voir monsieur
Rushworth, mais c'était Julia, qui tout échauffée et hors
d'haleine, l'air dépité, s'écria en la voyant : « Ah-bah ! Où
sont les autres ? Je croyais que Maria et monsieur Crawford
étaient avec vous ».

Fanny expliqua.

« Un joli tour, ma foi ! Je ne les vois nulle part », jetant sur le parc un œil avide. « Mais ils ne peuvent être bien loin, et je pense être de taille à faire comme Maria, même sans assistance. »

« Mais, Julia, monsieur Rushworth sera ici d'un instant à l'autre avec la clef. Je vous en prie attendez-le. »

« Je n'en ferai rien, assurément. Ce que j'ai vu de la famille me suffit amplement pour la matinée. Voyons, mon enfant, je viens à l'instant d'échapper à son horrible mère. Quelle pénitence m'a été infligée pendant que vous restiez assise ici, calme et heureuse ! Si vous aviez été à ma place, cela aurait été peut-être tout aussi bien, mais vous vous arrangez toujours pour éviter de vous attirer des désagréments. »

Cette réflexion était extrêmement injuste, mais Fanny parvint à la comprendre et à ne plus y songer ; Julia était mortifiée et prête à s'emporter, mais comme elle sentit que cette humeur ne durerait pas, elle n'y prêta donc pas attention, se contentant de lui demander si elle n'avait pas vu monsieur Rushworth.

« Oui, oui, nous l'avons vu. Il filait grand train comme s'il s'agissait d'une question de vie ou de mort, et n'a eu que le temps de nous dire quelle était sa mission, et à quel endroit vous étiez tous. »

« Il est regrettable qu'il se soit donné tant de peine pour rien. »

« *Cela,* c'est l'affaire de mademoiselle Maria. Je ne suis pas obligée de me punir pour *ses* péchés. Je n'ai pu éviter la mère tant que mon ennuyeuse tante était là à gambader autour de moi en compagnie de la femme de l'intendant, mais je saurai échapper au *fils*. »

Et aussitôt elle escalada la clôture et s'en alla, sans prêter attention à la dernière question de Fanny qui lui demandait si elle savait où se trouvaient mademoiselle Crawford et Edmond. L'espèce de terreur qui s'empara de Fanny à l'idée de voir monsieur Rushworth l'empêcha cependant de trop songer à leur absence prolongée, ainsi qu'elle aurait pu le faire. Elle avait conscience qu'on avait fort mal agi envers elle, et l'idée qu'il lui faudrait rendre compte de ce qui s'était passé la rendait très malheureuse. Il la rejoignit moins de cinq minutes après que Julia eut quitté les lieux ; et bien qu'elle ait présenté l'histoire du mieux qu'elle le pouvait, il était à l'évidence humilié et mécontent au plus haut degré. D'abord, il ne dit mot ; on voyait seulement à sa mine qu'il était surpris et dépité à l'extrême, il alla jusqu'à la grille et y demeura, sans savoir que faire, semblait-il.

« Ils m'ont priée de rester ; ma cousine Maria m'a chargée de vous dire que vous les trouveriez sur la butte, ou tout près d'elle. »

« Je ne crois pas que j'irai plus loin », dit-il d'un air renfrogné ; « je ne les vois pas du tout. Avant que je sois parvenu à cette butte, ils seront peut-être partis ailleurs. J'ai assez marché ».

Et, le visage rembruni, il s'assit aux côtés de Fanny.

« Je suis désolée », dit-elle ; « c'est bien fâcheux ». Et elle désirait vivement être capable de dire quelque chose qui soit plus approprié.

Après un intervalle de silence : « Je pense qu'ils auraient pu tout aussi bien m'attendre », dit-il.

« Mademoiselle Bertram pensait que vous la suivriez. »

« Je n'aurais pas eu à la suivre, si elle était restée. »

On ne pouvait nier qu'il en était ainsi, et Fanny fut réduite au silence. Après être resté un moment sans dire mot, il poursuivit : « De grâce, mademoiselle Price, êtes-vous, comme certaines personnes, une grande admiratrice de ce monsieur Crawford ? Quant à moi, je ne vois rien en lui de remarquable. »

« Je ne le trouve pas du tout bel homme. »

« Bel homme ! Personne ne saurait parler de bel homme, à propos d'un homme de taille aussi médiocre. Il n'a pas sept pieds neuf pouces. Je pense qu'il est fort laid. À mon avis, ces Crawford ne sont guère un heureux complément à notre société. Nous nous passions fort bien d'eux. »

À ces mots, Fanny laissa échapper un léger soupir, et ne sut que dire qui pût le contredire.

« Si j'avais fait quelque difficulté pour aller chercher la clef, il y aurait pu y avoir quelque excuse, mais je suis parti à l'instant même où elle m'a dit qu'elle la voulait. »

« Vos manières ne pouvaient être plus obligeantes, j'en suis sûre, et je suppose que vous avez marché aussi rapidement que vous le pouviez ; mais, cependant, il y a une certaine distance entre cet endroit et la maison, et elle est encore plus grande, si l'on veut entrer dans la maison ; quand on attend, on est mauvais juge du temps, et chaque demi-minute semble en durer cinq. »

Il se leva, avança de nouveau jusqu'à la grille, et dit qu'il « regrettait de ne pas avoir eu la clef sur lui à ce moment-là ». Il sembla à Fanny qu'elle discernait dans la façon dont il restait là des signes de fléchissement, ce qui l'incita à faire encore une tentative ; elle dit donc : « Il est dommage que vous ne les rejoigniez pas. Ils pensaient que de cet endroit du parc, la perspective sur la maison serait meilleure, et doivent être en train de réfléchir à la façon dont on peut l'embellir ; et je crois que rien ne saurait être réglé sans vous ».

Elle découvrit qu'elle réussissait mieux à renvoyer quelqu'un qu'à le garder en sa compagnie. Monsieur Rushworth se laissa persuader. « Bien », dit-il, « si vous pensez vraiment que je ferais mieux d'y aller ; ce serait stupide d'avoir apporté la clef pour rien ». Et, ouvrant la porte, il s'en alla sans plus de cérémonie.

Fanny était maintenant occupée à penser aux deux personnes qui l'avaient quittée il y avait si longtemps, et comme elle s'impatientait tout à fait, elle résolut de partir à leur recherche. Elle suivit la trace de leurs pas le long de l'allée du fond et venait de quitter celle-ci pour s'engager dans une autre allée, lorsque la voix et le rire de mademoiselle Crawford frappèrent à nouveau son oreille ; le bruit se rapprocha, et quelques détours du chemin les firent apparaître devant elle. Ils revenaient du parc, et, à peine de retour dans sa partie sauvage, ils avaient été attirés, peu de temps après l'avoir quittée, par une porte latérale qui n'était pas fermée à clef ; ils avaient traversé une partie du parc, étaient arrivés jusqu'à l'avenue même que Fanny avait souhaité atteindre enfin toute la matinée, et s'étaient assis sous un arbre. Telle fut l'histoire qu'ils racontèrent. Il était évident qu'ils avaient passé le temps agréablement, et ne s'étaient pas aperçus qu'ils avaient été absents si longtemps. La meilleure des consolations pour Fanny était la certitude qu'Edmond ne lui avait voulu que du bien, et qu'il serait certainement revenu la chercher, si elle n'avait pas été déjà si fatiguée ; mais ce n'était tout à fait suffisant, ni pour supprimer la peine éprouvée à être abandonnée une heure entière, alors qu'il avait parlé de quelques minutes seulement, ni pour chasser sa curiosité, ainsi que le désir de savoir de quoi ils s'étaient entretenus pendant tout ce temps-là ; aussi lorsque, d'un commun accord, ils se préparèrent à regagner la maison, était-elle déçue et accablée.

Au moment où ils atteignaient les premières marches de l'escalier qui conduisait à la terrasse, madame Norris et madame Rushworth se présentèrent en haut de l'escalier, s'apprêtant, alors qu'elles avaient quitté la maison depuis une bonne heure et demie, à gagner la partie sauvage du parc. Madame Norris avait été bien trop occupée pour pouvoir avancer plus vite. Quels qu'aient pu être les ennuis et accidents de parcours qui avaient contrarié les plaisirs de ses nièces, cette matinée avait été pour elle d'un bonheur parfait, car la femme de l'intendant, après maintes politesses au sujet des faisans, lui avait fait visiter la laiterie, lui avait parlé abondamment de ses vaches, et lui avait donné la recette de son célèbre fromage à la crème ; et depuis que Julia les avait quittées, elles avaient fait la rencontre du jardinier, avec qui elle avait fait connaissance de la façon la plus satisfaisante qui fût, car elle l'avait mis sur la bonne voie à propos de la maladie de son petit-fils, l'avait persuadé qu'il s'agissait d'une fièvre intermittente, et lui avait promis un charme pour la guérir ; il lui avait en retour montré toutes ses plantes de pépinière les plus précieuses, et était même allé jusqu'à lui faire don d'un spécimen de bruyère très curieux.

Après cette rencontre, ils revinrent tous à la maison, et firent passer le temps du mieux qu'ils purent, à se prélasser sur les sofas, à bavarder et feuilleter des publications trimestrielles, jusqu'à ce que leurs compagnons reviennent et qu'arrive le dîner. Il était tard lorsque les deux demoiselles Bertram et les deux gentlemen firent leur apparition ; leur promenade vagabonde n'avait été, semblait-il, qu'en partie agréable, et n'avait rien produit d'utile quant à l'objet de la journée. À les en croire, ils étaient tous partis à la recherche les uns des autres, et lorsqu'ils s'étaient tous enfin retrouvés, il était trop tard, apparemment, ainsi que le remarqua Fanny, à la fois pour rétablir l'harmonie et, de l'aveu général, pour décider des modifications à apporter. Elle se rendit compte, en regardant Julia et monsieur Rushworth, qu'elle n'était pas la seule à être mécontente au plus profond de son cœur. Ils portaient tous sur le visage un air de mélancolie. Monsieur

Crawford et mademoiselle Bertram étaient beaucoup plus joyeux, et, pensa-t-elle, il s'appliqua avec un soin infini, pendant le dîner, à faire disparaître chez les deux autres toute trace de ressentiment, et à rétablir la bonne humeur.

Le dîner fut bientôt suivi par le thé et le café, un trajet en voiture de dix milles n'autorisant pas de perte de temps, et à partir du moment où ils se mirent à table jusqu'au moment où la voiture arriva à la porte, ce fut une succession rapide et affairée de petits riens ; Madame Norris, après avoir obtenu de la femme de l'intendant quelques œufs de faisan ainsi qu'un fromage à la crème, et avoir adressé à madame Rushworth une multitude de discours polis, fut prête à ouvrir la marche. Au même instant, monsieur Crawford s'approcha de Julia et lui dit : « J'espère que je ne perdrai pas ma compagne de voyage, à moins qu'elle ait peur de la fraîcheur du soir à une place aussi exposée au vent ». Cette requête n'avait pas été prévue, mais elle fut accueillie fort gracieusement, et il était probable que Julia allait terminer sa journée presque aussi bien qu'elle l'avait commencée. Mademoiselle Bertram avait décidé en faveur de quelque chose de différent, et elle fut quelque peu désappointée, mais la conviction qu'elle était l'élue, la consola et lui permit d'accueillir les attentions de monsieur Rushworth qui prenait congé, ainsi qu'elle le devait. Il était assurément plus heureux de l'aider à monter dans la calèche que sur le siège du cocher et sa satisfaction semblait confirmée par cet arrangement.

« Eh bien, Fanny, par ma foi, cela a été une belle journée pour vous ! » dit madame Norris, pendant que la voiture traversait le parc. « Rien que des choses agréables, du début à la fin ! Vous devriez en vérité nous savoir infiniment gré, à votre tante Bertram et à moi, de ce que nous soyons parvenues à vous permettre cette visite. Voilà une assez bonne journée de distraction pour vous ! »

Maria était juste assez mécontente pour dire sans détours : « Il me paraît que *vous* avez vous-même, plutôt bien réussi, madame ! Vos genoux semblent pleins de bonnes choses, et voici entre nous un panier qui ne cesse de me heurter le coude sans pitié ».

« Ma chère, ce n'est qu'un beau petit pied de bruyère ; cet aimable jardinier a insisté pour me le donner, mais s'il vous gêne, je le mettrai tout de suite sur mes genoux. Là, Fanny, vous porterez ce paquet pour moi — prenez-en grand soin — ne le laissez pas tomber ; c'est un fromage blanc, semblable à celui, si excellent, que nous avons mangé au dîner. Je ne pouvais satisfaire autrement la vieille madame Whitaker, qui est si bonne, qu'en prenant un de ses fromages. J'ai tenu bon aussi longtemps que je le pouvais, jusqu'à ce que les larmes lui montassent presque aux yeux, et je savais que c'était ce fromage-là que ma sœur aimait tout particulièrement. Cette madame Whitaker est un trésor ! Elle a été tout à fait scandalisée lorsque je lui ai demandé si on autorisait le vin à la table des domestiques, et elle a renvoyé deux femmes de chambre, parce qu'elles portaient des robes blanches. Prenez soin du fromage, Fanny. Maintenant, je me débrouille très bien avec l'autre paquet et avec le panier. »

« Qu'est-ce que vous avez encore quémandé ? » dit Maria, qui n'était qu'à demi contente que Sotherton soit si fort loué.

« Quémandé, ma chère ! Rien d'autre que quatre de ces beaux œufs de faisan que madame Whitaker m'a contrainte à prendre ; elle n'a pas toléré de refus. Elle a dit que ce serait une telle distraction pour moi, lorsqu'elle comprit que je vivais tout à fait seule, que d'avoir quelques créatures vivantes comme celles-ci ; et assurément, c'est bien ainsi que cela se passera. Je dirai à la fille de laiterie de les faire couver par la première poule disponible, et s'ils viennent bien, je les ferai porter chez moi et emprunterai une cage à poules ; ce sera pour moi un grand plaisir pendant mes heures de solitude que de m'occuper d'eux ; et si la chance est avec moi, votre mère en aura aussi. »

C'était une belle soirée, douce et silencieuse, et la sérénité de la nature rendait la promenade en voiture aussi agréable que possible ; mais lorsque madame Norris eut cessé de parler, ce fut pour les passagers à l'intérieur de la voiture un voyage silencieux. Leur ardeur était maintenant épuisée, et ils purent presque tous occuper leurs méditations à décider si la journée leur avait procuré plus de plaisir que de peine.

CHAPITRE XI

En dépit de toutes ses imperfections, la journée à Sotherton procura aux demoiselles Bertram des sentiments bien
plus doux que ceux qu'avaient fait naître les lettres en
provenance d'Antigua qui parvinrent peu de temps après à
Mansfield. Penser à Henry Crawford leur était bien plus
agréable que penser à leur père ; et penser à leur père de
nouveau en Angleterre à une date déterminée était un
exercice des plus fâcheux, que ces lettres les obligeaient à
pratiquer.

Novembre était le sombre mois fixé pour son retour.
Sir Thomas en parlait fermement, autant que le permettaient
l'expérience et l'inquiétude. Ses affaires, qui étaient presque à
leur terme, justifiaient qu'il se proposât de faire la traversée
par le paquebot de septembre, et il jouissait à l'avance du
plaisir d'être de nouveau au sein de sa famille bien-aimée
dans les premiers jours du mois de novembre.

Maria était bien plus à plaindre que Julia, car pour elle le
père amenait un mari, et le retour de l'ami le plus soucieux de
son bonheur, l'unirait à l'amant de son choix, de qui devait
dépendre son bonheur. C'était une perspective mélancolique, et tout ce qu'elle pouvait faire était de jeter un voile
dessus et de souhaiter, une fois le voile levé, que surgisse
autre chose. Ce retour ne pouvait guère avoir lieu dans les
premiers jours de novembre, il y avait généralement des
retards, une mauvaise traversée ou *quelque chose* ; ce *quelque chose* de favorable qui apporte le réconfort à tous ceux
qui ferment les yeux pour regarder, ou leur entendement
pour raisonner. Il aurait sans doute lieu au moins à la

mi-novembre. Trois mois comprenaient treize semaines. Bien des choses pouvaient se passer en treize semaines.

Sir Thomas aurait été profondément humilié, s'il avait soupçonné la moitié de ce que ses filles éprouvaient en songeant à son retour, et n'aurait guère trouvé de consolation à apprendre l'intérêt qu'il éveillait dans le sein d'une autre jeune fille. Mademoiselle Crawford apprit l'heureuse nouvelle alors qu'elle se rendait à Mansfield pour y passer la soirée ; et bien qu'elle parût ne point se soucier de cette affaire sinon par politesse, et qu'elle eût épanché son cœur en de sobres félicitations, elle accueillit la nouvelle avec une attention qui ne fut pas si aisément satisfaite. Madame Norris communiqua le contenu des lettres dans le détail, et on ne parla plus du sujet ; mais, après le thé, alors que mademoiselle Crawford se tenait devant une fenêtre ouverte en compagnie d'Edmond et de Fanny qui regardaient le paysage au crépuscule, tandis que les demoiselles Bertram, monsieur Rushworth et Henry Crawford s'affairaient tous au piano avec des bougies, elle ranima la discussion par ces paroles, après s'être retournée vers ces derniers : « Comme monsieur Rushworth a l'air heureux ! Il songe au mois de novembre. »

Edmond se retourna aussi pour regarder monsieur Rushworth, mais ne dit mot.

« Le retour de votre père sera un événement des plus intéressants. »

« Certainement, après une aussi longue absence, pas seulement longue mais qui comprenait tant de dangers. »

« Il annoncera également d'autres événements intéressants ; le mariage de votre sœur, et votre entrée dans les ordres. »

« Oui. »

« Ne soyez pas offensé », dit-elle en riant ; « mais cela me fait songer aux héros païens des anciens temps, qui, après avoir accompli d'illustres exploits dans une terre étrangère, offraient aux dieux des sacrifices lorsqu'ils rentraient sains et saufs. »

« Il n'y a pas de sacrifice dans le cas qui nous occupe », répondit posément Edmond avec un sourire, et en jetant de nouveau un coup d'œil au piano, « c'est elle, et elle seule qui a décidé. »

« Oh, oui, je sais. Je plaisantais simplement. Elle a fait ce que toute jeune femme aurait fait ; et je ne doute point qu'elle ne soit extrêmement heureuse. Mon autre sacrifice, évidemment, vous ne le comprenez pas. »

« C'est librement, je vous en réponds, que j'entrerai dans les ordres, et tout aussi librement que Maria se mariera. »

« Il est heureux qu'il y ait un tel accord entre votre inclination et les désirs de votre père. Il y a, je crois, un bon bénéfice en réserve pour vous dans les environs. »

« Ce qui m'a, supposez-vous, prévenu en sa faveur. »

« Mais je suis certaine que *cela* n'est pas le cas », s'écria Fanny.

« Merci de cette bonne parole, Fanny, mais c'est plus que je ne pourrais affirmer moi-même. Au contraire, savoir qu'il y avait de telles dispositions en ma faveur, m'a sans doute réellement prédisposé en leur faveur. Mais je ne peux croire que cela ait été mauvais. Il n'y avait pas de répugnance naturelle à surmonter, et je ne vois pas de raison pour qu'un homme soit plus mauvais clergyman parce qu'il sait qu'il aura des moyens d'existence à suffisance pour débuter dans la vie. Mon avenir était dans des mains sûres. Je crois ne pas avoir moi-même fait fausse route, et je suis sûr que mon père ne l'aurait, en toute conscience, pas permis. Sans aucun doute, j'ai été prévenu en sa faveur, mais je ne mérite aucun reproche. »

« Il en est de même », dit Fanny, après un bref silence, « quand un fils d'amiral entre dans la marine, ou un fils de général dans l'armée, et personne n'y voit de mal. Personne ne s'étonne qu'ils préfèrent le métier pour lequel leurs amis peuvent le mieux être utiles, ni ne conçoit le moindre doute quant à leur bonne foi. »

« Non, ma chère mademoiselle Price, et cela pour de bonnes raisons. Ces professions, tant la marine que l'armée, portent en elles-mêmes leur propre justification. Tout joue en leur faveur : l'héroïsme, le danger, le mouvement, la mode. Soldats et marins sont toujours les bienvenus dans la société. Nul ne saurait s'étonner qu'un homme soit soldat ou marin. »

« Mais vous pensez qu'on peut équitablement mettre en doute les raisons qui poussent un homme à devenir clergyman, lorsqu'il a l'assurance qu'il sera appelé à un bénéfice ? »

dit Edmond. « Pour trouver grâce à vos yeux, il doit agir dans un état de complète incertitude en ce qui concerne les dispositions prises en sa faveur. »

« Comment ! Prendre les ordres sans bénéfice ! Non, c'est de la folie en vérité, une folie absolue ! »

« Puis-je vous demander comment il sera possible de remplir les églises, si un homme ne doit prendre les ordres ni avec, ni sans bénéfice ? Cette question, je ne vous la poserai pas, car vous ne sauriez certainement que dire. Mais, d'après votre propre argument, je dois solliciter l'avantage en faveur du clergyman. Comme il ne saurait être influencé dans le choix d'une profession par ces sentiments que vous placez si haut, tels que, pour le marin ou le soldat, la tentation et la récompense, puisque l'héroïsme, le bruit et la mode parlent tous contre lui, leur sincérité et bonne foi dans le choix de leur métier devraient être moins exposées au soupçon. »

« Oh, sans aucun doute, sa sincérité est extrême, lorsqu'au souci d'acquérir un revenu par le travail, il préfère un revenu tout fait ; nul doute que, de la meilleure foi du monde, il n'ait l'intention de ne rien faire d'autre le restant de ses jours que manger, boire et prendre de l'embonpoint. C'est de l'indolence, monsieur Bertram, en vérité. De l'indolence et un penchant pour l'oisiveté ; l'absence de toute ambition louable, le manque de goût pour la fréquentation des gens de bonne compagnie, ou l'absence du désir de prendre la peine de se rendre agréable, voilà ce qui fait les clergymen. Un clergyman n'a rien d'autre à faire que d'être débraillé, égoïste, que de lire le journal, observer le temps qu'il fait et se quereller avec sa femme. Son assistant fait tout le travail et l'affaire de sa vie est de dîner. »

« Il y a sans doute de pareils clergymen, mais ils ne sont pas, je pense, nombreux au point de prouver le bien-fondé du jugement que mademoiselle Crawford a porté sur leur caractère en général. J'imagine que dans cette condamnation globale et, dirai-je banale, ce n'est pas votre propre jugement qui se fait entendre mais celui des personnes à préjugés que vous avez l'habitude d'écouter. Il est impossible que vos propres observations vous aient permis d'acquérir une grande connaissance du clergé. Vous n'avez pu personnellement faire connaissance du clergé. Vous n'avez pu personnellement faire connaissance que d'un nombre fort restreint de ces hommes qui appartiennent à un monde que vous condamnez de façon aussi catégorique. Vous répétez ce que vous avez entendu dire à la table de votre oncle. »

« Mon opinion est l'expression de l'opinion générale, telle qu'elle m'apparaît ; et quand une opinion est générale, elle est d'habitude juste. Bien que *je* n'aie pas vu grand-chose de la vie de famille des clergymen, trop de gens la voient pour que la connaissance que j'ai d'eux demeure incomplète. »

« Quand on condamne sans discernement n'importe quelle assemblée de gens instruits, quelle que soit leur confession, il doit y avoir quelque défaut de connaissance, ou (avec un sourire) quelque autre défaut. Votre oncle et ses frères les amiraux ne connaissaient guère les clergymen en dehors des aumôniers, bons ou mauvais, qu'ils auraient voulu voir ailleurs. »

« Pauvre William ! L'aumônier de l'*Anvers* l'a reçu avec la plus grande bienveillance », fut la tendre apostrophe de Fanny, parfaitement appropriée à ses sentiments mais pas du tout à la conversation.

« Mon inclination m'a si peu incitée à adopter les opinions de mon oncle », dit mademoiselle Crawford, « que je ne peux guère qu'imaginer, et puisque vous me pressez si fort, je dois faire remarquer que je ne suis pas entièrement dépourvue des moyens de voir ce que sont les clergymen, car je suis pour l'heure l'hôte de mon propre frère, le docteur Grant. Et bien que le docteur Grant se montre extrêmement bon et bienveillant à mon égard, bien qu'il soit un vrai gentleman, sans doute fort érudit et intelligent, bien qu'il prêche souvent de bons sermons et soit fort respectable, *je* constate que c'est un *bon vivant* (1), égoïste et indolent, qui ne lèvera pas le petit doigt en faveur de qui que ce soit, et qui boude de plus son excellente femme, si la cuisinière commet une maladresse. A dire vrai, nous avons été pour ainsi dire quasiment mis à la porte, ce soir, Henry et moi, parce qu'il avait été contrarié de ne point réussir à venir à bout d'une oie insuffisamment cuite. Ma pauvre sœur a été obligée de rester et de supporter sa mauvaise humeur. »

(1) En français dans le texte.

« Je ne m'étonne pas, ma foi, de votre désapprobation. C'est un grave défaut de caractère qu'a aggravé cette néfaste habitude de ne rien se refuser ; et voir votre sœur en souffrir doit être extrêmement pénible pour qui éprouve, comme vous, de pareils sentiments. Fanny, nous sommes à contre-courant. Nous ne pouvons entreprendre de défendre le docteur Grant. »

« Non », répondit Fanny, « mais il ne nous faut pas pour autant abandonner la défense de sa profession ; car le docteur Grant aurait apporté dans la profession choisie par lui, quelle qu'elle eût pu être, un caractère assez inégal ; et comme, tant dans la marine que dans l'armée, il aurait eu par la force des choses sous ses ordres bien plus de gens qu'il n'en a maintenant, il aurait, je crois, rendu malheureux beaucoup plus de gens, comme marin ou comme soldat, que comme clergyman. En outre, j'imagine que ce qu'on aurait, chez le docteur Grant, voulu voir autre, aurait risqué encore plus de s'aggraver dans une profession plus active et plus mondaine, à laquelle il aurait consacré moins de temps, qui aurait nécessité moins de devoirs, dans laquelle il aurait pu éviter de se connaître, ce à quoi il ne peut *guère* se soustraire comme clergyman. Un homme, un homme sensé comme l'est le docteur Grant, ne peut apprendre aux autres leurs devoirs, ainsi qu'il le fait chaque semaine, ne peut se rendre deux fois à l'église chaque dimanche et y prêcher d'aussi bons sermons, ce en quoi il excelle, sans en éprouver lui-même les bienfaits. Cela doit l'inciter à réfléchir, et je suis persuadée qu'il s'efforce de se contenir plus souvent qu'il ne le ferait s'il n'avait pas été clergyman ».

« Nous ne pouvons prouver le contraire, assurément, mais je vous souhaite, mademoiselle Price, un sort meilleur que d'être la femme d'un homme dont l'amabilité est tributaire de ses sermons, car même s'il se trouve converti à la bonne humeur par son propre prêche chaque dimanche, il sera assez déplaisant de le voir se quereller du lundi matin au samedi soir à propos d'une oie mal cuite. »

« Je crois que l'homme qui parviendrait à se quereller avec Fanny », dit Edmond affectueusement, « ne saurait être touché par un sermon ».

Fanny s'enfonça plus avant dans le recoin de la fenêtre ; et mademoiselle Crawford n'eut que le temps de dire d'un ton

affable : « J'imagine que mademoiselle Price est plus accoutumée à mériter l'éloge qu'à l'entendre prononcer. » Et
lorsque les demoiselles Bertram la prièrent instamment de se
joindre à elles pour un chant à trois voix, elle s'avança d'un
pas menu jusqu'à l'instrument, laissant Edmond la suivre,
d'un regard ravi, et admirer tout à la fois ses manières
courtoises et la légèreté de sa démarche gracieuse.

« Voici assurément de la bonne humeur », dit-il bientôt.
« Voici un caractère qui ne saurait infliger de peine ! Comme
elle marche gracieusement ! comme elle se prête volontiers
aux désirs des autres ! se joignant à eux dès l'instant où on le
lui demande. Quel dommage », ajouta-t-il après un instant
de réflexion, « que son sort se soit trouvé en de pareilles
mains ! »

Fanny acquiesça et eut la joie de le voir rester avec elle à la
fenêtre, malgré le chant attendu ; de le voir comme elle
diriger bientôt ses regards au-dehors et regarder dans l'éclat
d'une nuit sans nuages, dans le contraste que faisait l'ombre
profonde des bois, une scène où apparaissait tout ce qui était
solennel, apaisant et délicieux. Fanny laissa parler son cœur :
« Quelle harmonie ! » dit-elle. « Quelle sérénité ! Voilà qui
laisse loin derrière toute la musique et la peinture, et que la
poésie ne peut que s'efforcer de décrire. Voilà qui peut
apaiser tous les soucis et plonger tous les cœurs dans le
ravissement ! Quand je contemple une nuit pareille, j'ai
l'impression qu'il ne saurait y avoir dans le monde de
douleur, de méchanceté ; et il y en aurait certainement moins
si l'on était plus attentif à la sublimité de la Nature, et si l'on
se laissait plus facilement transporter par la contemplation
d'un tel spectacle. »

« J'aime entendre votre enthousiasme, Fanny. C'est une
nuit délicieuse, et ils sont à prendre en pitié ceux à qui on n'a
pas appris à ressentir dans une certaine mesure les choses
comme vous — à qui on n'a pas du moins donné dans leur
premier âge du goût pour la nature. Ils perdent beaucoup. »

« C'est *vous*, cousin, qui m'avez appris à réfléchir sur ce
sujet et à éprouver ces sentiments. »

« Mon élève était fort douée. Voilà la brillante lumière
d'Arcturus. »

« Oui, et l'Ours. J'aimerais voir Cassiopée. »

« Alors, il faut que nous sortions sur la pelouse. Auriez-vous peur ? »

« Pas le moins du monde. Nous n'avons pas contemplé les étoiles depuis bien longtemps. »

« Oui, je ne sais pas comment cela s'est produit. » Le chant à trois voix commença. « Nous allons rester jusqu'à ce que cela soit fini, Fanny », dit-il, en tournant le dos à la fenêtre ; et à mesure que le chant se déroulait, elle eut l'humiliation de le voir avancer aussi et s'approcher insensiblement de l'instrument ; quand le chant cessa, il se trouvait près des chanteurs, parmi ceux qui priaient mademoiselle Crawford de la façon la plus pressante de leur faire entendre à nouveau cette chanson.

Fanny demeura seule à la fenêtre à soupirer, jusqu'au moment où madame Norris l'en chassa par des réprimandes et des menaces, en lui annonçant qu'elle allait prendre froid.

CHAPITRE XII

Sir Thomas devait être de retour au mois de novembre, et son fils aîné, que des devoirs appelaient, devait être rentré avant lui. A l'approche du mois de septembre, deux lettres qui étaient destinées, l'une au garde-chasse, l'autre à Edmond, apportèrent des nouvelles de monsieur Bertram ; et à la fin du mois d'août, celui-ci arriva en personne, prêt à se montrer à nouveau selon les circonstances ou selon ce qu'exigeait mademoiselle Crawford, tour à tour enjoué, aimable et galant, ou à parler de courses de chevaux et de Weymouth, de réceptions et d'amis, ce à quoi elle eut peut-être prêté une oreille attentive six semaines auparavant, et il la convainquit ainsi pleinement qu'elle préférait son frère cadet, en lui permettant d'établir réellement la comparaison.

Cela était fort contrariant, et elle le regrettait franchement ; mais c'était ainsi ; et donc, loin de songer maintenant à épouser l'aîné, elle ne désirait même plus déployer pour lui sa séduction, sinon en exerçant les simples droits qu'exige une beauté consciente d'elle-même ; son absence prolongée loin de Mansfield, sans qu'il songeât à autre chose qu'à se divertir, sans qu'il consultât autre chose que son bon plaisir, montrait parfaitement qu'il n'éprouvait pour elle aucune inclination ; et son indifférence égalait la sienne, à tel point qu'elle ne pensait pouvoir l'accepter, dût-il maintenant apparaître sous les traits du maître de Mansfield Park, dût-il incarner le parfait Sir Thomas qu'il devait être à son heure.

La même saison, les mêmes obligations qui ramenèrent monsieur Bertram à Mansfield, entraînèrent monsieur Crawford dans le comté de Norfolk. Everingham ne pouvait se passer de lui dans les premiers jours de septembre. Il fut absent deux semaines, deux semaines d'un ennui tel pour les demoiselles Bertram que cela eut dû les mettre en garde toutes deux, et même inciter Julia à reconnaître, malgré sa jalousie envers sa sœur, la nécessité absolue de se méfier de ses attentions, et de souhaiter qu'il ne revînt pas ; deux semaines de loisirs dans les intervalles que lui laissaient la chasse et le sommeil, qui auraient dû suffire à convaincre le gentleman qu'il devrait demeurer au loin plus longtemps, eût-il été plus accoutumé à s'interroger sur les raisons qui le faisaient agir, et à se demander vers quoi allait l'entraîner la vaine oisiveté dans laquelle il se complaisait ; mais, rendu insouciant et égoïste par la prospérité et le mauvais exemple, il refusait de regarder plus loin que le moment présent. Les sœurs, avec leur beauté, leur intelligence et leurs encouragements, divertissaient son esprit blasé ; et comme il ne trouvait dans le Norfolk rien qui égalât les plaisirs de la société à Mansfield, il s'en retourna de grand cœur au moment convenu, et fut accueilli tout aussi chaleureusement par ceux dont il devait plus tard se jouer.

Maria ressentit douloureusement l'absence de monsieur Crawford, car elle n'avait que monsieur Rushworth pour s'occuper d'elle, et était condamnée à l'écouter faire le récit détaillé de ses divertissements de la journée, bons ou mauvais, à prêter l'oreille à ses vanteries au sujet de ses chiens, et à l'entendre parler de sa méfiance jalouse envers ses voisins, de ses doutes quant à leurs talents, de son acharnement à sévir contre les braconniers, sujets qui ne touchent guère d'habitude un cœur féminin, s'il n'y a de part et d'autre un certain talent ou quelque attachement ; et Julia, qui n'avait ni attaches, ni occupations, se sentait en droit de regretter encore bien plus son absence. Chacune des deux sœurs se croyait la préférée. Les insinuations de madame Grant, encline à prendre ses désirs pour des réalités, autorisèrent Julia à le croire, et celles de monsieur Crawford prouvèrent à Maria le bien-fondé de son opinion. Les choses reprirent leur cours habituel, comme avant son absence ; ses manières envers chacune étaient suffisamment vives et aimables pour qu'il ne perdît de terrain ni avec l'une ni avec l'autre, sans toutefois apparaître trop assidues, empressées, chaleureuses ou constantes, ce qui aurait pu susciter la curiosité générale.

Fanny était la seule des cousines à qui quelque chose déplût ; mais depuis la journée passée à Sotherton, elle ne voyait jamais monsieur Crawford en compagnie de l'une ou l'autre de ses cousines, sans faire ses propres observations, et il était rare qu'elle ne trouvât quelque chose à critiquer ou dont s'étonner ; et si la confiance qu'elle avait en son propre jugement avait été égale à l'usage qu'elle en faisait dans tous les autres domaines, si elle avait été sûre de voir clair et de juger honnêtement, elle eut fait à son confident habituel d'importantes révélations. Dans l'état des choses, elle se contenta de risquer quelques allusions voilées qui ne furent pas comprises. « Je suis assez étonnée », dit-elle, « que monsieur Crawford soit revenu si tôt, après être demeuré ici si longtemps auparavant, sept bonnes semaines ; car je croyais qu'il aimait à tel point bouger et changer de lieux, qu'il lui serait impossible de ne pas se laisser entraîner au loin par quelque événement imprévu. Il est accoutumé dans les lieux qu'il fréquente à plus de gaieté que celle que nous pouvons lui offrir à Mansfield ».

« C'est tout à son honneur », fut la réponse d'Edmond, « et je crois que cela fait plaisir à sa sœur. Elle n'aime pas ses façons versatiles ».

« Comme il est dans les bonnes grâces de mes cousines ! »

« Oui, ses manières envers les femmes ne peuvent que plaire. Madame Grant le soupçonne, je crois, de préférer Julia ; je n'ai pas vu la moindre marque d'une telle préférence, mais j'aimerais qu'il en soit ainsi ; il n'a pas de défauts qu'un attachement sérieux ne puisse faire disparaître. »

« Si mademoiselle Bertram n'était pas fiancée », dit Fanny avec circonspection, « je pourrais presque croire parfois qu'il est plus son admirateur que celui de Julia ».

« Cela révèle peut-être plus que vous ne pouvez le croire, Fanny, sa préférence pour Julia ; car il arrive souvent qu'un homme distingue la sœur ou l'amie intime de la femme à laquelle il songe réellement, plus que cette femme elle-même, quand il n'a pas encore arrêté vraiment son choix. Crawford a bien trop de bon sens pour rester ici s'il découvrait que Maria était dangereuse pour lui, et je ne doute nullement de la fermeté de ses sentiments. »

Fanny supposa qu'elle avait dû se tromper, et se proposa de penser différemment à l'avenir ; mais en dépit de tout ce que pouvait accomplir sa docilité envers Edmond, en dépit du concours que lui apportaient les regards et les allusions en conformité avec son opinion qu'elle remarquait à l'occasion chez certains membres de son entourage et qui semblaient dire que Julia était la préférée de monsieur Crawford, elle ne savait que penser. Elle fut un soir mise dans le secret des espérances et des sentiments de madame Norris, ainsi que dans celui de madame Rushworth sur un point du même ordre, et ne put manquer de s'étonner, lorsqu'elle leur prêta l'oreille ; et dieu sait si elle eut été heureuse de ne pas avoir à les écouter, car pendant ce temps, tous les autres jeunes gens et jeunes filles étaient en train de danser, tandis qu'elle demeurait assise, bien à contrecœur, au coin du feu, parmi les chaperons, à attendre impatiemment que réapparût l'aîné de ses cousins, sur qui reposaient alors tous ses espoirs de trouver un partenaire. Bien qu'il n'eût ni les apprêts ni la splendeur que mainte jeune lady fût en droit d'attendre et se soit vu offrir pour son premier bal, bien que l'idée n'en soit venue qu'au tout dernier moment dans l'après-midi, que tout l'édifice reposât sur la seule et tardive acquisition à l'office d'un violoniste, et sur la possibilité de réunir cinq couples avec la participation de madame Grant et de l'un des nouveaux amis intimes de monsieur Bertram récemment arrivé pour une visite, c'était là son premier bal. Il avait pendant quatre danses procuré toutefois à Fanny le plus grand bonheur, et elle était fort chagrinée d'en perdre ne fut-ce qu'un quart d'heure. Tandis qu'elle attendait pleine d'espoir et regardait tantôt la porte, tantôt les danseurs, elle fut contrainte d'entendre la conversation qu'échangeaient les deux ladies ci-dessus mentionnées.

« Je pense, madame », dit madame Norris, le regard dirigé vers monsieur Rushworth et Maria qui étaient pour la seconde fois partenaires, « que nous verrons à nouveau maintenant des visages heureux ».

« Vous avez raison », répondit l'autre, avec un sourire

affecté et majestueux. « Il y aura quelque satisfaction à être spectateur *maintenant*, et je pense qu'il a été fort dommage qu'ils aient été obligés de se séparer. On devrait dispenser les jeunes gens dans leur situation d'une stricte observance de l'étiquette. Je m'étonne que mon fils ne l'ait pas suggéré. »

« Il l'aura sans doute fait, madame. Monsieur Rushworth ne néglige jamais ses devoirs. Mais notre chère Maria a un sens des convenances si strict, elle possède à tel point cette vraie délicatesse que l'on ne trouve que rarement de nos jours, madame Rushworth, elle a tellement le souci d'éviter un empressement trop assidu ! Chère madame, il suffit de regarder son visage en cet instant ; comme il est différent de ce qu'il était pendant les deux dernières danses ! »

Mademoiselle Bertram avait en vérité un air de bonheur, ses yeux étincelaient de plaisir, et elle parlait avec une grande animation, car Julia et son partenaire, monsieur Crawford, étaient près d'elle et ils se trouvaient presque réunis. Quel avait été son air auparavant, Fanny ne parvenait pas à s'en souvenir, car elle avait dansé avec Edmond et n'avait pas songé à elle.

Madame Norris poursuivit. « C'est pur délice, madame, que de voir le bonheur si convenable de jeunes gens si bien assortis, si comme il le faut ! Je ne peux m'empêcher de penser au ravissement de notre cher Sir Thomas. Et que pensez-vous, madame, de la probabilité d'un autre mariage ? Monsieur Rushworth a montré le bon exemple, et ces choses-là sont fort contagieuses. »

Madame Rushworth, qui n'avait d'yeux que pour son fils, se trouva fort embarrassée. « Les deux jeunes gens que voici, ne voyez-vous pas quelques symptômes ? »

« Oh ! vraiment ! Mademoiselle Julia et monsieur Crawford. Oui, indéniablement, une très belle alliance. De combien dispose-t-il ? »

« De quatre mille livres par an. »

« Très bien. Ceux qui ne possèdent pas davantage, doivent se contenter de ce qu'ils ont. Quatre mille livres par an, c'est un joli revenu, et comme il semble être un jeune homme sérieux et distingué, j'espère que mademoiselle Julia sera très heureuse. »

« La chose n'est pas encore conclue. C'est une affaire dont nous ne parlons qu'entre amis. Mais je suis certaine qu'elle se *fera*. Les marques d'attention qu'il lui adresse se font plus pressantes. »

Fanny ne put en écouter davantage. Elle cessa momentanément de prêter l'oreille et de s'étonner, car Tom Bertram était rentré à nouveau dans la pièce, et elle ne pouvait s'empêcher de penser qu'il l'inviterait à danser, bien qu'elle sût que ce serait là lui faire un grand honneur. Il s'avança vers leur petit groupe ; mais au lieu de l'inviter, il approcha d'elle une chaise et se mit à lui décrire par le menu l'état de santé de son cheval, qui était malade, et à lui communiquer l'avis du palefrenier qu'il venait de quitter à l'instant. Fanny se rendit compte que son souhait ne serait pas exaucé ; et avec son humilité naturelle, elle sentit combien elle avait été peu raisonnable d'espérer qu'il se réalisât. Une fois qu'il eut parlé de son cheval, il prit un journal sur la table et tout en jetant dessus un regard nonchalant, il lui dit : « Si vous désirez danser, Fanny, je suis prêt à me lever. » Elle déclina l'offre, avec une égale, sinon plus grande courtoisie ; elle n'avait nulle envie de danser. « J'en suis fort aise », dit-il, « car je suis exténué. Je me demande comment les bonnes gens que voici peuvent continuer à danser aussi longtemps. Il faut nécessairement qu'ils soient *tous* amoureux, pour trouver à se divertir avec de pareilles billevesées ; et j'ai l'impression qu'ils le sont tous en effet. Regardez-les, vous verrez que ce sont autant de couples d'amoureux que nous avons sous les yeux, tous sauf Yates et madame Grant, et entre nous, la pauvre femme aurait bien besoin d'un amoureux, comme tout le monde. La vie qu'elle mène avec le docteur Grant doit être affreusement monotone », et tout en adressant ces paroles à la chaise de celle-ci, il fit une grimace malicieuse ; mais il dut changer aussitôt d'expression et de sujet, car il s'avéra que la chaise était occupée et cela fut si instantané que Fanny ne put se retenir de rire. « C'est une drôle d'histoire que cette affaire d'Amérique, docteur Grant ! Quelle est votre opinion ? Je m'en remets toujours à vous pour ce qui est des affaires publiques. »

« Mon cher Tom », s'écria sa tante peu de temps après, « puisque vous ne dansez pas, je crois que vous ne nous refuserez pas de vous joindre à nous pour un rob, n'est-ce pas ? » puis quittant son siège et s'approchant de lui pour donner plus de force à sa proposition, elle ajouta dans un

murmure : « Nous désirons former une table de whist pour
madame Rushworth. C'est le plus cher désir de votre mère,
mais elle n'a pas le temps de s'asseoir à la table, à cause de sa
frange de passementerie. Nous nous arrangerons bien tous
les trois, le docteur Grant, vous-même et moi ; et quoique
nous ne jouions que des demi-couronnes, je crois que vous
pourrez parier des demi-guinées avec *lui*. »

« Vous m'en verriez ravi », répondit-il à haute voix, et,
se levant d'un bond avec célérité, « cela me procurerait le
plus grand plaisir, mais c'est que j'étais à l'instant même
sur le point d'aller danser. Venez, Fanny, ne restez pas en
arrière », et il lui prit la main, « ou la danse sera finie ».

Il entraîna Fanny qui se laissa faire très volontiers, bien
qu'il lui fût impossible d'éprouver beaucoup de gratitude
pour son cousin, ou de faire la différence, ainsi qu'il le faisait
certainement, entre l'égoïsme d'une autre personne et le
sien.

« Ma foi, c'est là une requête peu modeste, c'est le
comble ! » déclara-t-il indigné lorsqu'ils s'éloignèrent.
« Vouloir me clouer pendant deux heures à une table de jeux
en sa compagnie ainsi que celle du docteur Grant, alors qu'ils
sont toujours à se quereller, avec cette vieille femme qui met
son nez partout et ne s'y connaît pas plus au whist qu'en
algèbre. J'aimerais que ma bonne tante se mêlât un peu
moins des affaires des autres. Et de quelle manière elle me l'a
demandé ! sans gêne, devant tout le monde, sans même me
laisser la possibilité de refuser ! *Voilà* ce qui me déplaît
surtout. Cela me met dans une humeur noire, plus que toute
autre chose, lorsque l'on feint de me demander mon avis, de
me proposer un choix tout en s'adressant à moi de façon à
m'obliger de faire ce qu'on m'a demandé ! Si je n'avais pas eu
l'heureuse idée de me lever pour danser avec vous, je ne m'en
serais pas sorti. C'est trop fort. Mais quand ma tante a
quelque chose en tête, rien ne saurait l'arrêter. »

CHAPITRE XIII

Il n'y avait chez l'Honorable John Yates, le nouvel ami de Tom, pas grand-chose qui prédisposât en sa faveur, sinon qu'il avait un penchant pour la mode et la dépense, était le plus jeune fils d'un lord et possédait une assez belle fortune personnelle ; et sans doute Sir Thomas eut-il jugé sa présence à Mansfield tout à fait indésirable. Monsieur Bertram avait fait sa connaissance à Weymouth, où ils avaient passé ensemble une dizaine de jours dans la même société, et leur amitié, à supposer que l'on pût lui donner ce nom, avait été affermie et consacrée par une invitation à se rendre à Mansfield dès que possible, invitation qui avait été acceptée ; en fait monsieur Yates arriva bien plus tôt que prévu, par suite de la soudaine dispersion de la compagnie assemblée pour de grandes réjouissances dans la demeure d'un autre de ses amis qu'il avait rejoint après avoir quitté Weymouth. Il arrivait porté sur les ailes de la désillusion, la tête pleine d'idées de théâtre, car il s'était agi de donner une représentation théâtrale ; et ils étaient à deux jours de cette représentation quand la mort soudaine de l'un des plus proches parents de la famille avait réduit à néant ce projet et dispersé les artistes. Approcher le bonheur et la gloire de si près, être près d'atteindre le long paragraphe à la louange du spectacle d'amateurs d'Ecclesford, demeure du très Honorable Lord Ravenshaw, en Cornouailles, qui eût de toute évidence immortalisé toute la troupe au moins une année durant ! se trouver si près du but et tout perdre, c'était là une blessure qu'on ne pouvait que ressentir douloureusement, et mon-

sieur Yates ne pouvait parler de rien d'autre. Ecclesford et
son théâtre, ses préparatifs, ses costumes, ses répétitions et
ses plaisanteries, étaient pour lui un sujet inépuisable, et
l'exaltation du passé son unique consolation.

Heureusement pour lui, l'amour du théâtre est chose si
répandue, le désir de jouer si fort chez les jeunes gens qu'il ne
parvint pas à lasser l'intérêt de ses auditeurs. Depuis l'attri-
bution première des rôles jusqu'à l'épilogue, ils demeurèrent
sous le charme, et il y en avait peu parmi eux qui n'eussent
désiré être l'un des protagonistes ou n'eussent balancé à tâter
de la scène. La pièce avait été « Serments d'amoureux », et
monsieur Yates devait être le Comte Cassel. « Un rôle de peu
d'importance », dit-il, « et pas du tout à mon goût ; je
n'accepterais plus de rôle de ce genre ; mais j'étais résolu à ne
point créer d'embarras. Avant mon arrivée à Ecclesford,
Lord Ravenshaw et le duc s'étaient appropriés les deux seuls
personnages qui valaient la peine qu'on les jouât ; et bien que
Lord Ravenshaw m'eût proposé de se démettre et de m'offrir
son rôle, il m'était à l'évidence impossible d'accepter. Je
regrettais de *le* voir se méprendre à tel point sur ses capacités,
car il n'était pas non plus de taille à jouer le Baron ! Que
voulez-vous que fasse un petit homme, à la voix frêle, et
toujours enroué après les dix premières minutes ! Cela
n'aurait pu fatalement que nuire à la pièce ; mais j'étais, *moi*,
résolu à ne point créer d'embarras. Sir Henry pensait que le
duc n'était pas de force à jouer Frédéric, mais c'est parce qu'il
voulait le rôle pour lui ; alors que le rôle était sans conteste
entre les mains du moins mauvais des deux. Je fus surpris de
voir comme le jeu de Sir Henry était emprunté. Par bonheur
la vigueur du morceau ne reposait pas sur lui. Notre Agatha
était inimitable, et il y en eut beaucoup pour trouver le duc
magnifique. Et, tout bien considéré, les choses eussent dû
réussir à merveille ».

« C'était une entreprise difficile, assurément », et « Vous
êtes vraiment fort à plaindre », furent les réponses complai-
santes des auditeurs compatissants.

« Rien ne sert de se plaindre, mais, à dire vrai, la pauvre
vieille douairière ne pouvait choisir pour mourir un plus
mauvais moment ; et il est impossible de ne pas regretter que
la nouvelle de sa mort n'ait pas été passée sous silence
pendant les trois jours qui nous faisaient défaut pour

terminer. Il ne s'agissait que de trois jours ; comme ce n'était qu'une grand-mère, et que la chose s'était passée à deux cents milles de là, il n'y aurait, à mon avis, pas eu grand mal, et l'idée *en a été,* je crois, suggérée ; mais Lord Ravenshaw est, de toute l'Angleterre, l'homme le plus à cheval sur l'étiquette, et il n'a rien voulu entendre. »

« Le divertissement de fin de spectacle remplaçait la comédie », dit monsieur Bertram. « C'en était fini des « Serments d'amoureux », et Lord et Lady Ravenshaw en étaient réduits à jouer Ma Grand-mère de leur côté. Enfin, peut-être trouvera-t-il quelque consolation dans le douaire ; et peut-être, soit dit entre nous, commençait-il à trembler pour son honneur et ses poumons dans le rôle du Baron, et ne regrettait-il nullement de devoir se retirer ; et je pense, Yates, que pour *vous* dédommager, nous devrions monter un petit théâtre à Mansfield et vous demander d'en être le directeur. »

Et cette idée, qui n'était que l'inspiration du moment, fit son chemin ; car le désir de jouer avait été éveillé, et il était particulièrement vif chez celui qui était maintenant le maître de maison ; celui-ci avait tant de loisir à sa disposition que toute chose nouvelle était accueillie comme un bienfait certain, et il avait de plus une vivacité naturelle et un goût pour la comédie, qui le prédisposaient particulièrement à cette expérience inaccoutumée qu'était le théâtre. L'idée fut reprise et ressassée. « Ah ! si nous avions le théâtre et les décors d'Ecclesford pour nous essayer à la comédie. » Chacune des deux sœurs pouvaient se faire l'écho de cette pensée ; et Henry Crawford, qui n'avait pas encore, dans la profusion de ses plaisirs, goûté à ce divertissement, fut vivement attiré par ce projet. « Je crois en vérité », dit-il, « qu'en cet instant je serais fort capable d'être assez sot pour entreprendre de jouer n'importe quel rôle jamais écrit, que ce soit Shylock ou Richard III, ou encore que je pourrais être ce héros qui chante dans une farce en manteau écarlate et chapeau à cornes. J'ai l'impression que je pourrais être tout le monde et n'importe qui, que je pourrais faire le rodomont, pousser des soupirs ou faire des cabrioles, dans n'importe laquelle des tragédies ou comédies de la langue anglaise. Faisons quelque chose. Ne serait-ce que la moitié d'une pièce, un acte, une scène ; qu'est-ce qui nous en empêche ?

Ce ne seront pas ces visages-là en tout cas qui s'y opposeront », avec un regard en direction des demoiselles Bertram, « et pour ce qui est du théâtre, de quoi s'agit-il ? Il nous suffira de nous divertir. N'importe quelle pièce de cette demeure fera l'affaire ».

« Il nous faut un rideau », dit Tom Bertram, « quelques aunes de serge verte en guise de rideau, et peut-être n'aurons-nous besoin de rien d'autre ».

« Oh ! Cela est bien suffisant », s'écria monsieur Yates, « il suffit d'un portant de coulisse, de portes sur châssis, et de trois ou quatre décors qui puissent s'abaisser ; il n'est besoin de rien de plus pour notre projet. Pour un simple divertissement entre amis que vouloir d'autre ? »

« Il faudra, je le crois, que nous nous contentions de *moins* », dit Maria. Nous n'aurions pas assez de temps pour cela, et d'autres difficultés surgiraient. Nous devons plutôt faire nôtres les idées de monsieur Crawford, et considérer que notre but est non le *théâtre,* mais la *représentation.* Bien des rôles de notre meilleur répertoire ne dépendent nullement du décor. »

« Que non », dit Edmond, qui écoutait et commençait à montrer quelque inquiétude. « Ne faisons pas les choses à moitié. Si nous devons jouer, que ce soit dans un théâtre qui soit complètement aménagé, avec parterre, loges et galeries, et que la pièce soit complète, du début à la fin ; une pièce allemande, peu importe laquelle, avec en dernière partie un bon divertissement, plein de truquages et de changements de décors, avec une danse figurée, une gigue et une chanson entre chaque acte. Il nous faut ou éclipser Ecclesford, ou ne rien faire. »

« Voyons, Edmond », dit Julia, « ne vous montrez pas désagréable. Personne plus que vous n'aime le théâtre et n'a parcouru plus de chemin pour voir une pièce ».

« Il est vrai ; mais c'était pour voir du vrai théâtre, du bon vieux théâtre, du théâtre authentique ; mais je ne ferais guère les quelques pas qui me séparent de la pièce d'à côté pour regarder les efforts de novices, qui ne sont pas du métier, pour une coterie de gentlemen et de ladies qui se trouveront aux prises avec tous les inconvénients dus à leur éducation et auront à lutter contre leur réserve naturelle. »

Après un court silence, on reprit toutefois le sujet, et on en débattit avec une ardeur qui ne faiblissait point, car chacun voyait, à mesure qu'avançait la discussion, s'accroître son goût pour le théâtre, et cela d'autant plus que chacun voyait les autres dans les mêmes dispositions ; et bien que rien n'eût été décidé, sinon que Tom préférait les comédies, et que ses sœurs ainsi qu'Henry Crawford préféraient eux les tragédies, et que, d'autre part, rien n'était plus facile que de trouver une pièce qui leur plût à tous, il semblait si bien établi que la décision de jouer, quelle que fût la pièce, était prise, qu'Edmond commença d'éprouver quelque inquiétude. Il était fermement décidé à empêcher, si possible, qu'on mît en œuvre ce projet, bien que sa mère qui entendit les propos échangés alors qu'ils se trouvaient à table, n'eût manifesté la moindre désapprobation.

Cette même soirée fut pour lui l'occasion de mettre sa fermeté à l'épreuve. Maria, Julia, Henry Crawford et monsieur Yates étaient dans la salle de billard. Tom, qui les avait laissés dans cette pièce, entra dans le salon où il trouva Edmond debout, pensif, près du feu, et Lady Bertram assise à quelque distance de là sur le sofa, tandis que Fanny, à ses côtés, travaillait à son ouvrage. « Quelle exécrable table de billard nous avons là ! je crois qu'on n'en trouverait nulle part au monde de plus abominable ! Je ne peux supporter cet état de choses plus longtemps ; rien ne pourra m'inciter à jouer à nouveau sur cette table. Mais je viens de constater une chose qui nous sera fort utile. Cette salle convient à la perfection pour faire un théâtre, elle a exactement la forme et la longueur requises, et l'eussions-nous voulu que nous n'aurions pu trouver mieux, car on peut, en cinq minutes, faire communiquer les portes au fond de la salle, à la seule condition que l'on déplace la bibliothèque de la pièce de mon père. Et la pièce de mon père sera un excellent foyer des artistes. On dirait que c'est à dessein qu'elle jouxte la salle de billard. »

« Vous ne parlez pas sérieusement, Tom, lorsque vous parlez de monter sur scène ? » dit Edmond à voix basse, tandis que son frère s'approchait du feu.

« Pas sérieusement ! Je n'ai jamais été plus sérieux, je peux vous l'assurer. Qu'y a-t-il là qui puisse vous surprendre ? »

« Je pense que ce serait là très mal agir. D'un point de vue

général, il y a un certain nombre de critiques à adresser au
théâtre d'amateurs, mais dans la situation qui est la nôtre, ce
serait encore moins judicieux de s'y essayer. Ce serait
témoigner d'une grande indifférence envers mon père, alors
qu'il est absent, et que certains dangers le menacent constamment ; et ce serait agir de façon inconsidérée à l'égard de
Maria, dont la position est fort délicate, tout bien considéré,
extrêmement délicate. »

« Vous prenez les choses tellement à cœur ! comme si nous
allions jouer trois fois la semaine jusqu'au retour de mon
père et inviter tout le pays alentour. Mais il n'y aura pas tant
de fastes et d'apparat. Nous ne songeons à rien d'autre qu'à
nous divertir quelque peu, entre nous, simplement pour
introduire quelque diversité dans les lieux où nous vivons, et
employer nos talents à quelque chose de nouveau. Nous
n'avons besoin, ni de spectateurs, ni que l'on fasse grand
bruit autour de notre représentation. Vous pouvez nous faire
confiance quant au choix d'une pièce qui soit parfaitement
irréprochable, et je ne saurais concevoir qu'il soit plus néfaste
pour nous de converser en faisant usage d'une langue pleine
d'élégance, écrite par quelque respectable auteur, plutôt que
de jaser en employant des mots de notre cru. Je n'ai rien à
redouter et aucun scrupule à avoir. Et quant à l'absence de
mon père, bien loin de considérer cela comme une objection,
je pense que c'est plutôt pour nous une raison d'agir ; car à
attendre son retour, ma mère doit éprouver bien des
inquiétudes, et s'il est en notre pouvoir de l'en distraire et de
soutenir son courage pendant les quelques semaines à venir,
je serai tout à fait satisfait de la façon dont nous aurons
employé notre temps, et ce sera aussi le cas pour notre père.
Elle est en ce moment plongée dans une *très* grande
inquiétude. »

Comme il disait ces mots, ils regardèrent tous en direction
de leur mère. Lady Bertram, enfoncée dans un coin du sofa,
l'image même de la santé, de la richesse, du bien-être et de la
sérénité, était en train de s'assoupir doucement tandis que
Fanny venait à bout des quelques rares difficultés qu'offraient son ouvrage.

Edmond eut un sourire et hocha la tête.

« Ciel ! cela ne tient pas debout », s'écria Tom qui se rejeta
sur sa chaise en riant de bon cœur. « A dire vrai, votre grande

inquiétude... je n'ai pas été très heureux dans le choix des mots. »

« Que se passe-t-il donc ? » demanda Sa Seigneurie avec le ton de voix mal assuré de quelqu'un qui est à moitié assoupi. « Je ne dormais pas. »

« Oh ! mon dieu, bien sûr que non, madame, personne n'imaginait pareille chose ; eh bien, Edmond », poursuivit-il, en revenant au premier sujet et reprenant la même voix et la même posture dès l'instant où Lady Bertram eut commencé à nouveau à dodeliner du chef, « mais je n'en *soutiendrai* pas moins *ceci*, il n'y aura aucun mal à agir ainsi ».

« Je ne peux être d'accord avec vous. Je suis convaincu que mon père aurait montré la plus entière désapprobation. »

« Et je suis convaincu du contraire. Personne n'aime plus que mon père à voir s'exercer les talents des jeunes gens, ni n'aide plus que lui à leur éclosion ; et il a toujours montré pour tout ce qui touche au jeu des acteurs, à leur diction, à l'art du monologue, un goût prononcé. Il nous a toujours incité indiscutablement à pratiquer ces arts lorsque nous étions enfants. Combien de fois nous sommes-nous lamentés sur la mort de Jules César et avons-nous versé des pleurs sur son cadavre ; combien de fois avons-nous répété des « *être* » et des « *ne pas être* », dans cette même pièce, en guise de divertissement ! et je crois bien avoir répété, une année chaque soir *je m'appelais Norval*, tout le temps que durèrent les vacances de Noël. »

« Il s'agissait alors de tout autre chose. Vous ne pouvez manquer de voir combien ces deux choses-là diffèrent. Notre père désirait que pendant notre enfance nous apprenions à bien parler, mais il n'aurait jamais souhaité voir ses filles, une fois grandes, jouer des pièces de théâtre. Son sens des convenances est rigoureux. »

« Je sais tout cela », dit Tom qui était fort mécontent. « Je connais mon père aussi bien que vous, et je veillerai à ce que ses filles ne fassent rien qui puisse lui infliger de peine. Veillez à vos propres affaires, Edmond, et je prendrai soin du reste de la famille. »

« Si vous êtes décidé à préparer cette représentation », répondit Edmond avec opiniâtreté, « j'espère que ce sera le plus petitement et tranquillement possible ; et je crois qu'il ne faut pas tenter de monter un théâtre. Ce serait prendre avec la maison de mon père, en son absence, des libertés que l'on ne saurait justifier ».

« Pour toute chose de cet ordre, ce sera à moi d'en répondre », dit Tom d'une voix tranchante. « La maison ne sera pas endommagée. J'ai tout autant que vous intérêt à veiller à la bonne tenue de la maison ; et pour ce qui est de ces transformations que je suggérais, comme de déplacer une bibliothèque, ou d'ôter le verrou d'une porte, ou même d'utiliser la salle de billard l'espace d'une semaine pour autre chose que des parties de billard, vous pourriez aussi bien imaginer qu'il s'opposerait à ce que nous occupions plus souvent cette pièce et moins souvent la petite salle à manger qu'avant son départ, ou à ce que l'on changeât de place le piano de ma sœur et le transportât d'un bout à l'autre de la pièce. Absurdités que tout cela ! »

« Cette innovation, si elle n'est pas néfaste en tant qu'innovation, l'est en tant que dépense. »

« Vraiment, la dépense due à une telle entreprise serait prodigieuse ! Cela coûterait peut-être la somme globale de vingt livres. Il nous faut sans conteste quelque chose qui puisse nous servir de théâtre, mais la conception en sera des plus rudimentaires ; un rideau vert et quelques travaux de charpente et voilà tout ; et comme le gros œuvre peut être fait entièrement sur place par Christopher Jackson en personne, ce serait réellement absurde que de parler de dépense. Et tant qu'on fera appel à Jackson pour ces travaux, nous serons en règle avec Sir Thomas. Ne croyez pas être le seul dans cette maison capable de porter un jugement ou de voir les choses clairement. Ne prenez pas part à la représentation, si vous ne le souhaitez pas, mais n'attendez pas que tout le monde subisse votre loi. »

« Que je prenne un rôle moi-même », dit Edmond, « cela est absolument hors de question ».

Tom quitta la pièce sur ces mots, abandonnant à ses soucis et à ses méditations Edmond, qui s'assit pour attiser le feu.

Fanny, qui avait tout entendu et avait partagé les sentiments d'Edmond tout au long de la conversation, se hasarda bientôt à dire, dans son impatience de proposer quelque consolation : « Peut-être ne trouveront-ils pas de pièce qui leur convienne. Votre frère et vos sœurs ont des goûts si différents. »

« Je ne crois pas qu'il y ait quelque espoir de ce côté-là, Fanny. S'ils maintiennent leur projet, ils trouveront quelque chose. Je parlerai à mes sœurs et essaierai de *les* en dissuader, et c'est tout ce que je peux faire. »

« A mon avis, tout porte à croire que ma tante Norris sera de votre côté. »

« Sans doute le sera-t-elle ; mais elle n'a aucune autorité, ni sur Tom, ni sur mes sœurs ; et si je ne parviens pas à les convaincre moi-même, je laisserai les choses suivre leur cours, sans tenter de passer par son entremise. Les querelles de famille sont le plus grand des maux, et tout vaut mieux que d'en venir à semer la discorde. »

Ses sœurs, à qui il eut l'occasion de parler le lendemain matin, furent comme Tom tout aussi impatientes de recueillir son avis, tout aussi inébranlables devant ses remontrances courtoises, tout aussi résolues à prendre fait et cause dans la défense de leurs plaisirs. Leur mère ne fit aucune difficulté pour accepter leur projet, et ils ne redoutaient pas le moins du monde que leur père les désapprouvât. Quel mal y avait-il à faire ce que tant de respectables familles, tant de femmes occupant une position de première importance avaient fait ; c'était pousser le scrupule à l'excès que de trouver quoi que ce soit à critiquer dans un projet comme le leur, qui ne demandait la participation que de frères et de sœurs et dont personne sinon eux-mêmes n'entendraient jamais parler. Julia était *vraiment*, semblait-il, disposée à reconnaître que la position de Maria exigeait peut-être une prudence et des scrupules particuliers, mais il ne pouvait en être de même pour *elle ; elle* était libre de faire ce qu'elle voulait ; quant à Maria, elle considérait de toute évidence que ses fiançailles l'élevaient bien au-dessus de toute contrainte, et qu'elle avait moins que Julia lieu de prendre avis auprès de son père ou de sa mère. Il n'y avait guère d'espoir pour Edmond, mais il n'en continuait pas moins à mettre en avant ses raisons de refuser, lorsque Henry Crawford, qui arrivait tout juste du presbytère, entra dans la pièce, et s'écria : « Il ne manquera pas de bras pour notre théâtre, mademoiselle Bertram. Ni de subalternes. Ma sœur vous envoie ses affectueuses amitiés, souhaite que vous l'acceptiez dans votre compagnie et sera

heureuse de prendre le rôle de n'importe quelle vieille
Duègne ou Confidente pusillanime, que vous n'aurez peut-
être pas envie de jouer vous-même ».

Maria lança à Edmond un regard qui voulait dire : « que
pouvez-vous dire maintenant ? Pouvons-nous être dans
l'erreur si Mary Crawford éprouve les mêmes sentiments que
nous ? » Et Edmond, réduit au silence, fut obligé de reconnaître que les charmes du théâtre pouvaient fasciner un esprit
exceptionnel, et de s'attarder avec l'ingéniosité de l'amour
plus sur l'obligeance et la complaisance dont témoignait le
message que sur autre chose.

Le projet avança. Toute opposition était vaine ; et quant à
madame Norris, il s'était trompé en supposant qu'elle
montrerait quelque réticence. Toutes les objections qu'elle
souleva furent réduites à néant au bout de cinq minutes par
l'aîné de ses neveux et l'aînée de ses nièces, qui étaient
tout-puissants auprès d'elle ; et comme toutes les dispositions prises ne devaient nécessiter que peu de frais pour la
famille et aucun pour elle, qu'elle entrevoyait pour elle à
l'avenir tout le réconfort qu'elle trouvait à se donner du
mouvement, prendre de grands airs et faire diligence, le
premier avantage qu'elle en retira fut de se croire obligée de
quitter sa propre demeure, dans laquelle elle avait vécu un
mois en pourvoyant à ses propres dépenses, et d'établir ses
quartiers chez eux, afin que chaque heure pût être consacrée
à leur service, et somme toute, ce projet l'enchanta tout à
fait.

CHAPITRE XIV

Fanny était plus proche de la vérité que ne l'eût supposé Edmond. Ce ne fut pas une bagatelle que de trouver une pièce qui convînt à tout le monde ; le charpentier avait reçu ses instructions, pris ses mesures, avait par deux fois mis le doigt sur toute une série de difficultés qu'il avait surmontées, et il était déjà au travail, après avoir rendu évidente la nécessité de donner plus d'ampleur au projet, et d'accroître la dépense, que la pièce restait encore à trouver. D'autres préparatifs étaient également en cours. Un énorme rouleau de serge verte était arrivé de Northampton, et madame Norris l'avait taillé, après en avoir industrieusement mis de côté une bonne mesure, soit trois quarts de mètre, et les femmes de chambre étaient bel et bien en train de le transformer en rideau, que la pièce continuait à faire défaut ; et comme deux ou trois jours s'écoulèrent ainsi, Edmond commença à reprendre espoir et à croire presque qu'on n'en trouverait jamais.

Il fallait en effet veiller à la bonne marche de tant de choses, il fallait contenter un si grand nombre de personnes, on réclamait tant de personnages de premier rang, et, surtout, on exigeait que la pièce soit tout à la fois comédie et tragédie, que cela offrait peu de chances qu'une décision soit prise, comme c'est le cas lorsqu'une ardeur et un zèle juvéniles doivent se prononcer.

Dans le clan de la tragédie, il y avait les demoiselles Bertram, Henry Crawford et monsieur Yates, dans celui de la comédie, Tom Bertram, qui n'était pas *tout à fait* seul de

son opinion car, à l'évidence, Mary Crawford retenait par
politesse les désirs qui l'inclinaient à penser comme lui ; mais
son opiniâtreté et son énergie rendaient inutiles la présence
d'alliés ; et, indépendamment de ce sérieux différend impossible à régler, ils réclamaient une pièce qui ne contînt que peu
de personnages, à condition qu'ils fussent tous de premier
ordre et qu'il y eût trois rôles principaux pour des femmes.
Ce fut en vain qu'ils passèrent en revue les meilleures pièces
du répertoire. Ni *Hamlet*, ni *Macbeth*, ni *Othello*, ni
Douglas, ni *le Joueur* ne trouvèrent grâce aux yeux de ces
tragédiens ; et ils écartèrent successivement, après avoir
soulevé des objections encore plus âpres, *les Rivaux, l'École
de la médisance, la Roue de la fortune, le Procès de l'héritier,*
ainsi qu'une longue liste d'et cætera. Pas une des pièces qui
ne soulevât quelque objection de la part de l'un ou de l'autre,
et ce n'était de tout côté que perpétuelles répétitions de « oh !
cela ne fera jamais l'affaire. Ne choisissons pas de tragédies
déclamatoires. Trop de personnages ; pas un seul rôle de
femme passable dans cette pièce. Tout, sauf *cette pièce-là,*
mon cher Tom. On ne pourrait tenir tous les rôles. Ce rôle
n'est pas à la portée de n'importe qui. Rien que des
bouffonneries du début à la fin. *Cette pièce-ci* conviendrait
peut-être, mais voyez tous ces rôles de bas étage. Si vous
voulez mon avis, j'ai toujours pensé que c'était la pièce
anglaise la plus insipide qui fût ; *je* n'ai pas l'intention de
soulever des objections, je serai fort heureuse de me montrer
utile, mais je crois qu'on ne saurait plus mal choisir ».

Fanny regardait autour d'elle et écoutait, et elle n'était
pas sans éprouver quelque amusement à observer l'égoïsme
plus ou moins déguisé qui semblait les gouverner tous, et
elle se demandait comment tout cela se terminerait. Elle
eut pu souhaiter, pour sa propre satisfaction, que l'on jouât
quelque chose, car elle n'avait jamais vu de pièce de théâtre,
ne fut-ce que la moitié d'une, mais tout ce qui était chez
elle d'une essence plus noble plaidait contre une pareille
idée.

« On ne peut pas continuer ainsi », finit par dire Tom.
« Nous perdons du temps de la façon la plus abominable. Il
faut que nous arrêtions notre choix. Peu importe lequel,
pourvu que nous choisissions quelque chose. Ne nous
montrons pas si difficiles. Quelques personnages de trop ne

doivent pas nous faire peur. Nous n'avons qu'à *jouer chacun
deux rôles*. Il nous faut en rabattre un peu. Si un rôle est
négligeable, nous n'en aurons que plus de mérite à en tirer
parti. Dorénavant, *je* ne soulèverai plus de difficultés.
J'accepte tout ce que vous me proposerez, à condition qu'il
s'agisse d'un rôle comique. Je ne demande rien d'autre, que
ce soit un rôle comique. »

Il proposa alors, pour la cinquième fois environ, *le Procès
de l'héritier,* se demandant seulement s'il préférait pour
lui-même le rôle de Lord Duberley ou celui du Docteur
Pangloss, et s'efforçant, mais en vain, de convaincre les
autres qu'il y avait dans la liste des autres personnages
quelques beaux rôles tragiques.

L'intervalle de silence qui suivit ces efforts infructueux fut
interrompu par le même orateur, qui, après avoir saisi l'un
des nombreux volumes qui se trouvaient sur la table et l'avoir
retourné, s'exclama ainsi : « *Les Serments d'amoureux* ! Et
pourquoi *les Serments d'amoureux* ne nous conviendraient-
ils pas à *nous* autant qu'aux Ravenshaw ? Comment se fait-il
que nous n'y ayons jamais pensé auparavant ? À ce qu'il me
semble, cette pièce fera parfaitement l'affaire. Qu'en dites-
vous, vous autres ? Voici pour Yates et Crawford deux rôles
tragiques d'une importance considérable ; et voici pour moi
le majordome rimailleur, si personne d'autre ne le veut ; un
rôle infime, mais ce genre de chose ne me déplaira pas, car
ainsi que je l'ai dit auparavant, je suis décidé à accepter
n'importe quoi et à faire de mon mieux. Quant aux autres
rôles, n'importe qui peut les jouer. Il y a seulement le Comte
Cassel et Anhalt. »

Tous accueillirent chaleureusement cette suggestion. Ils
commençaient à se lasser de l'indécision générale, et la
première idée qui leur vint à l'esprit fut que c'était, de tout ce
qui avait été proposé auparavant, ce qui était le plus
susceptible de leur convenir. Ce fut surtout monsieur Yates
qui se montra ravi ; il avait, à Ecclesford, tant rêvé, tant brûlé
d'incarner le Baron, avait montré de l'animosité à l'égard de
Lord Ravenshaw à chacun de ses morceaux de bravoure, et
avait été contraint par la force des choses à déclamer pour son
compte, dans sa chambre, chacune de ces tirades. Se
déchaîner dans le rôle du Baron Wildenheim, c'était pour lui
porter au faîte ses ambitions théâtrales, et comme il possédait

de surcroît le privilège de connaître déjà la moitié des scènes par cœur, il s'empressa avec la plus grande célérité d'offrir ses services pour ce rôle. Il faut, toutefois, lui rendre cette justice qu'il ne décida pas de se l'approprier uniquement, car il se rappelait qu'il y avait dans le rôle de Frédéric quelques excellents passages de déclamation, aussi fit-il profession d'une égale bonne volonté pour incarner celui-ci. Henry Crawford était prêt à jouer l'un ou l'autre. Il se satisfairait à merveille de celui que monsieur Yates ne choisirait pas, et il s'ensuivit un bref échange de civilités. Mademoiselle Bertram, qui se sentait en cette circonstance l'âme d'une Agatha, prit sur elle d'en décider, en faisant remarquer à monsieur Yates que c'était là un sujet pour lequel il fallait prendre en considération tant la taille que la silhouette, et que comme *il* était le plus grand, cela lui semblait le rendre particulièrement apte à jouer le Baron. On reconnut qu'elle avait raison, et les deux rôles ayant été en conséquence acceptés, elle fut assurée d'avoir le Frédéric qui lui convenait. Trois des personnages étaient maintenant attribués, sans compter monsieur Rushworth qui était disposé, Maria en répondant, à faire tout ce qu'on attendait de lui ; c'est alors que Julia, qui avait comme sa sœur songé pour elle-même au rôle d'Agatha, commença à faire part de ses scrupules en ce qui concernait mademoiselle Crawford.

« Nous ne nous conduisons guère ainsi que nous le devrions vis-à-vis des absents », dit-elle. « Il n'y a pas assez de rôles de femmes. Amelia et Agatha peuvent nous convenir, à Maria et à moi, mais il n'y a, monsieur Crawford, rien pour votre sœur. »

Monsieur Crawford souhaita qu'on *n'y* songeât point ; il était certain que sa sœur ne désirait point paraître sur scène, sauf si elle pouvait se montrer de quelque utilité, et qu'elle ne permettrait pas qu'on la prît en considération en la circonstance présente. Mais Tom Bertram s'éleva immédiatement contre une pareille idée, et déclara que le rôle d'Amelia revenait de droit à mademoiselle Crawford, si elle voulait bien l'accepter. « Il lui appartient », dit-il, « aussi naturellement, aussi inévitablement que n'appartient à l'une ou l'autre de mes sœurs celui d'Agatha. Ce ne peut être de leur part un sacrifice, car il est d'une veine hautement comique ».

Il y eut ensuite un bref silence. Chacune des deux sœurs

avait l'air peu satisfaite ; car chacune pensait être celle qui pouvait le mieux prétendre au rôle d'Agatha, et espérait que tout le monde insisterait pour qu'elle l'acceptât. Henry Crawford, qui avait entre-temps pris le livre et en feuilletait le premier acte d'un air faussement détaché, régla bientôt l'affaire. « Il faut que j'implore mademoiselle *Julia* Bertram », dit-il, « de ne pas se lancer dans le rôle d'Agatha, ou c'en sera fait de mon air sérieux. Il ne faut pas, vraiment pas, que vous l'acceptiez (se tournant vers elle). Il ne sera pas en mon pouvoir de résister à la mine que vous aurez lorsque vous aurez revêtu le costume de la blême affligée. Nous avons si souvent ri ensemble, que ces éclats de rire me reviendraient en mémoire, et Frédéric et son sac à dos n'auraient plus qu'à s'enfuir ».

Ces paroles furent prononcées avec amabilité et courtoisie ; mais la manière en fut perdue pour Julia, et masquée par l'importance du contenu. Elle le vit jeter un coup d'œil à Maria et confirmer ainsi l'affront qu'il lui avait infligé à elle ; c'était une machination, un mauvais tour qu'on lui jouait ; on la traitait sans égards, Maria était la préférée ; le sourire de triomphe que Maria essaya de dissimuler montrait que c'était bien ainsi que celle-ci entendait les paroles et le clin d'œil d'Henry Crawford, et avant que Julia n'eût réussi à se dominer suffisamment pour pouvoir s'exprimer, son frère fit lui aussi pencher la balance en faveur de sa sœur, en disant : « Oh ! oui, c'est Maria qui doit être Agatha ; Maria sera une meilleure Agatha. Bien que Julia s'imagine préférer la tragédie, je ne lui confierais pas un tel rôle. Il n'y a rien de tragique en elle. Elle n'a pas l'air d'une tragédienne. Les traits de son visage ne sont pas tragiques, elle marche trop vite, parle trop vite, et ne pourrait garder son sérieux. Elle ferait mieux de prendre le rôle de la vieille femme de la campagne ; la Femme du Villageois ; cela vaudrait mieux, en vérité, Julia. Ce rôle est un très joli rôle, je peux vous l'assurer. La vieille femme rachète la pompeuse bienveillance de son mari, en faisant preuve de beaucoup de verve. Vous serez la Femme du Villageois. »

« La Femme du Villageois ! » s'écria monsieur Yates. « Comment pouvez-vous dire une chose pareille ? Le rôle le plus banal, le plus mesquin, le plus insignifiant ; rien que des platitudes ; et pas une seule tirade passable dans le rôle tout

entier. Que votre sœur joue cela ! C'est une insulte que de le
lui proposer. À Ecclesford, on avait réservé ce rôle à la
gouvernante. Nous tombâmes tous d'accord que nous ne
pouvions le donner à quelqu'un d'autre. Un peu plus de
justice, monsieur le Régisseur, s'il vous plaît. Vous n'êtes pas
à la hauteur de cette tâche, si vous ne savez pas mieux
apprécier les talents des membres de votre compagnie. »

« Eh bien, mon bon ami, tant que moi et ma compagnie ne
serons pas vraiment montés sur scène, *cela* restera du
domaine de la conjecture ; mais je n'ai pas l'intention de
rabaisser les mérites de Maria. Nous ne pouvons avoir deux
Agathas et il nous faut une Femme de Villageois ; je lui ai
montré moi-même, je crois, l'exemple de la modération en
me contentant du vieux Majordome. Si le rôle est de piètre
importance, elle n'en aura que plus de mérite à en tirer parti ;
et si elle s'oppose avec tant d'acharnement à tout ce qui est
humoristique, qu'elle prenne les tirades du Villageois plutôt
que celles de sa femme, et intervertisse ainsi les rôles tout au
long de la pièce ; il est, *quant à lui*, suffisamment solennel et
attendrissant. La pièce n'en serait nullement modifiée ; et
quant au Villageois en personne, une fois qu'il sera en
possession des tirades de sa femme, *je* me chargerai de lui de
bon cœur. »

« Malgré toute la partialité dont vous faites preuve envers
la Femme du Villageois », dit Henry Crawford, « il sera
impossible d'en faire quelque chose qui puisse convenir à
votre sœur, et nous ne devons pas lui *permettre* d'accepter le
rôle. Ne la laissons pas agir par pure complaisance. Ses
talents sont nécessaires pour le rôle d'Amélia. Le personnage
d'Amélia est plus difficile même à bien interpréter que celui
d'Agatha. À mon avis, c'est de toute la pièce le personnage
qui est le plus difficile à incarner. Il requiert une grande
autorité, une grande délicatesse, afin de lui donner cet
enjouement et cette candeur sans outrance qui sont les
siennes. J'ai vu de bonnes actrices échouer dans ce rôle. En
vérité, la candeur dépasse les compétences de presque toutes
les actrices de profession. Il exige une délicatesse de sentiments qui leur fait défaut. Il réclame une jeune femme bien
née, une Julia Bertram. Vous vous en *chargerez*, j'espère ? »
se tournant vers elle, avec un air d'inquiète supplication qui
la radoucit quelque peu ; mais tandis qu'elle hésitait et ne

savait que dire, son frère s'interposa à nouveau en mettant en avant les droits qu'avait mademoiselle Crawford sur le personnage.

« Non, non, il ne faut pas que Julia soit Amélia. Ce n'est pas du tout un rôle pour elle. Il ne lui plairait pas. Elle ne le jouerait pas bien. Elle est trop grande et trop robuste. Amélia devrait avoir la silhouette menue, légère et bondissante d'une jeune fille. Il convient à mademoiselle Crawford et à elle seule. Elle a précisément le physique de l'emploi, et le jouera, j'en suis persuadé, à merveille. »

Sans prêter attention à ces remarques, Henry Crawford poursuivit ses supplications. « Il faut que vous nous accordiez cette faveur », dit-il, « il le faut vraiment. Quand vous aurez étudié le personnage, vous vous apercevrez, j'en suis certain, qu'il vous convient. La tragédie a peut-être votre préférence, mais c'est, à n'en pas douter, semble-t-il, la comédie qui *vous* choisit. Il faudra que vous me rendiez visite en prison et m'apportiez un panier de provisions ; vous ne refuserez pas de me rendre visite en prison ? Je vous imagine entrant avec votre panier. »

La voix produisit son effet. Julia demeura indécise : mais essayait-il seulement de l'apaiser, de la calmer et de lui faire oublier l'affront que l'on venait de lui infliger ? Elle se méfiait de lui. L'offense avait été volontairement faite, cela était certain. Peut-être se jouait-il d'elle traîtreusement. Elle regarda sa sœur d'un œil soupçonneux ; ce serait à l'expression du visage de Maria d'en décider ; si elle avait l'air contrarié et inquiet — mais Maria n'était que sérénité et contentement, et Julia savait bien qu'en ces circonstances Maria ne pouvait être heureuse qu'à ses dépens. Ce fut donc d'une voix que l'indignation faisait frémir qu'elle lui dit précipitamment : « Vous ne semblez pas redouter de ne pas garder votre sérieux lorsque j'entrerai avec le panier de provisions — bien qu'on ait pu le supposer — mais c'était seulement dans le rôle d'Agatha que je devais être tellement irrésistible ! » Elle s'arrêta. Henry Crawford était tout décontenancé et ne savait apparemment que dire. Tom Bertram reprit :

« Mademoiselle Crawford doit être Amélia. Elle sera une excellente Amélia. »

« Ne craignez point que je réclame, *moi*, de jouer ce

personnage », s'écria Julia avec cette vivacité que donne la colère ; « puisque *je ne dois pas* être Agatha, je ne serai assurément personne d'autre ; et quant à Amélia, c'est le rôle que j'aborrhe le plus au monde. Je le déteste vraiment. Une odieuse jeune fille, impertinente, apprêtée et impudente. J'ai toujours désapprouvé la comédie, et c'est là une comédie de la pire espèce ». Et sur ces mots, elle quitta hâtivement la pièce, les laissant tous, ou presque, plus ou moins penauds, mais ne suscitant guère de compassion, sauf chez Fanny qui avait été pendant ce temps une auditrice paisible, et ne pouvait manquer d'éprouver pour celle qui était sous l'emprise de la *jalousie,* la plus grande pitié.

Son départ fut suivi d'un bref silence ; mais son frère revint bientôt à la charge et aux *Serments d'amoureux,* feuilletant la pièce avec avidité, assisté dans cette tâche par monsieur Yates, afin d'établir quels décors seraient nécessaires — tandis que Maria et Henry Crawford conversaient à voix basse, et lorsqu'elle commença à déclarer, « j'aurais assurément cédé fort volontiers le rôle à Julia, s'il ne m'avait paru que tout en le jouant moi sans doute fort mal, *elle* le jouerait, elle, encore plus mal », cette assertion fut évidemment accueillie avec toutes les marques de courtoisie qu'elle réclamait.

Après cet échange de politesses, qui dura quelque temps, la désunion fut rendue totale, lorsque Tom Bertram et monsieur Yates s'éloignèrent ensemble pour délibérer du sujet plus à fond, se rendant dans ce but dans la pièce que l'on commençait maintenant à appeler *Le Théâtre,* et lorsque mademoiselle Bertram prit la décision de se rendre en personne au presbytère, porteuse d'une offre adressée à mademoiselle Crawford, afin qu'elle acceptât le rôle d'Amélia ; et Fanny demeura seule.

Fanny mit tout d'abord à profit sa solitude, en prenant le volume qui était resté sur la table et en commençant à prendre connaissance de la pièce dont elle avait tant entendu parler. Sa curiosité était en éveil, et elle la parcourut rapidement, avec avidité, ne s'interrompant que dans les moments où elle s'étonnait qu'on eût pu la proposer en la circonstance, la proposer et l'accepter dans un théâtre d'amateurs ! Il lui apparaissait que chacune à sa manière, Agatha comme Amélia, était totalement impropre à figu-

rer dans une représentation donnée dans le sein d'une famille
— que la situation de l'une, le langage de l'autre, étaient
indignes d'être représentée ou exprimé par une femme
honnête, et que ses cousins ne se rendaient certainement pas
compte de l'entreprise dans laquelle ils allaient se lancer ; et
elle espérait vivement que les reproches qu'Edmond ne
manquerait pas de leur adresser ne tarderaient pas à leur
ouvrir les yeux.

CHAPITRE XV

Mademoiselle Crawford accepta le rôle avec empressement, et peu de temps après que mademoiselle Bertram soit revenue du presbytère, monsieur Rushworth arriva, de sorte qu'un autre personnage fut attribué. On lui proposa à la fois le comte Cassel et Anhalt, et au début il ne sut lequel des deux choisir, car il désirait que mademoiselle Bertram le conseillât, mais après qu'on lui eut expliqué à quoi ressemblaient ces personnages, et lui eut dit qui était qui, comme il se rappelait avoir vu autrefois la pièce à Londres, et avoir trouvé qu'Anhalt était fort stupide, il se décida pour le Comte. Mademoiselle Bertram approuva cette décision, car, moins il avait à apprendre, mieux c'était ; et bien qu'elle ne pût être d'accord avec lui pour souhaiter qu'Agatha et le Comte jouassent ensemble, ni attendre non plus patiemment pendant qu'il tournait lentement les pages dans l'espoir de découvrir une scène où les choses se passeraient ainsi, elle prit fort aimablement le rôle en main et en écourta toutes les tirades qui supportaient d'être abrégées ; sans compter qu'elle souligna l'importance qu'il y avait pour lui à être bien mis, et à choisir les couleurs de son costume. Monsieur Rushworth, qui prétendait faire peu de cas de sa mise, fut tout à fait heureux à l'idée de ses futurs atours, et par trop occupé à songer à ce que serait son apparence pour songer aux autres, ou, ce à quoi Maria avait été plus qu'à moitié préparée, pour tirer des déductions et manifester du mécontentement.

On régla ainsi beaucoup de choses avant qu'Edmond, qui

avait passé toute la matinée dehors, n'en soit informé ; mais, quand il entra dans le salon avant le dîner, la discussion entre Tom, Maria, et monsieur Yates était vive et bruyante ; et monsieur Rushworth s'avança vers lui avec une grande alacrité pour lui communiquer l'agréable nouvelle.

« Nous avons trouvé une pièce », dit-il. « Ce sera *Serments d'amoureux* ; je vais être le comte Cassel, et je dois apparaître tout d'abord en habit bleu, cape de satin rose, et je dois avoir ensuite un autre déguisement sous la forme d'un habit de chasseur — je ne sais si cela me plaira. »

Fanny suivait Edmond du regard et son cœur battit à l'unisson avec le sien lorsqu'elle entendit ces propos, vit l'air qu'il prit, et comprit quelles devaient être ses sensations.

« *Les Serments d'amoureux !* » se borna-t-il à répondre à monsieur Rushworth sur un ton de complète stupéfaction ; et il se tourna vers son frère et ses sœurs comme s'il s'attendait à ce qu'on le contredît.

« Oui », s'écria monsieur Yates. « Après toutes nos discussions, après tous ces problèmes, nous avons trouvé que rien n'était plus propre à nous convenir parfaitement que les *Serments d'amoureux*, et que rien n'était plus irréprochable. Ce qui est étonnant, c'est que nous n'y ayons pas songé auparavant. J'ai été d'une effroyable stupidité, car nous pouvons tirer ici profit de ce que j'ai vu à Ecclesford ; et il est si utile d'avoir un modèle ! Nous avons distribué presque tous les rôles importants. »

« Mais qu'allons-nous faire en ce qui concerne les rôles de femmes ? » dit Edmond avec gravité, en dirigeant ses regards vers Maria.

Maria répondit en rougissant malgré elle : « Je prends le rôle qui devait être tenu par Lady Ravenshaw », et, avec plus de hardiesse dans le regard, « mademoiselle Crawford doit être Amélia. »

« Je n'eusse pas cru que ce genre de pièce trouverait si aisément chez *nous* des acteurs pour la jouer », répondit Edmond, détournant son regard et le posant sur le feu près duquel étaient assises sa mère, sa tante et Fanny, et il prit lui-même un siège avec un air d'extrême dépit.

Monsieur Rushworth le rejoignit pour lui dire : « J'apparais trois fois et j'ai quarante-deux tirades à réciter. Ce n'est pas peu, n'est-ce pas ? L'idée de revêtir tant de si beaux costumes ne me plaît guère ; j'aurai du mal à me reconnaître en habit bleu et cape de satin rose. »

Edmond ne trouva rien à répondre. Au bout de quelques minutes, Tom Bertram, qu'on réclamait au-dehors pour qu'il apaisât les inquiétudes du machiniste, quitta la pièce en compagnie de monsieur Yates, et, peu de temps après, il fut suivi par monsieur Rushworth, circonstance dont Edmond profita sur-le-champ pour dire : « Je ne peux pas, devant monsieur Yates, exprimer mon sentiment à propos de cette pièce, car ce serait implicitement adresser des reproches à ses amis d'Ecclesford ; mais je dois maintenant *vous* dire, ma chère Maria, qu'elle est, à mon avis, excessivement impropre à être jouée en privé, et que je souhaite que vous y renonciez. Je ne saurais imaginer que vous *agissiez autrement,* une fois que vous l'aurez lue attentivement. Lisez seulement le premier acte à haute voix à votre mère ou à votre tante, et vous verrez s'il est possible qu'elle recueille votre approbation. Il ne vous sera pas nécessaire de vous en rapporter au jugement de votre *père,* j'en suis convaincu. »

« Nous voyons les choses fort différemment », s'écria Maria ; « je connais la pièce parfaitement, et je vous assure qu'à l'exception de quelques coupures ou autres choses de ce genre qui seront faites, il n'y a rien en elle de condamnable ; et je ne suis pas *l'unique* jeune femme à penser que cette pièce est tout à fait propre à être représentée en privé. »

« C'est ce que je déplore », fut sa réponse. « Mais dans cette affaire, c'est *vous* qui devez être le guide. C'est *vous* qui devez montrer l'exemple. Si les autres ont commis un impair, c'est à vous qu'il revient de les remettre dans le droit chemin, et de leur montrer ce qu'est la vraie délicatesse de sentiments. Pour tous les points de l'étiquette, *votre* conduite doit faire force de loi pour tous ceux qui nous entourent. »

Le portrait qu'il faisait d'elle ainsi que le rôle de premier plan qu'il voulait lui voir jouer ne furent pas sans produire un certain effet, car personne plus que Maria n'aimait être meneur de jeu ; aussi répondit-elle d'un ton moins acerbe, « Je vous suis fort obligée, Edmond ; vos intentions, je n'en doute pas, sont fort louables ; mais je persiste à croire que vous prenez les choses trop à cœur ; et je ne saurais faire entendre aux autres de harangue à ce sujet. *Voilà*, je crois, qui serait enfreindre les lois de la bienséance. »

« Vous imaginez-vous qu'une pareille idée m'ait traversé l'esprit ? Eh bien, non ; que votre conduite seule parle pour vous. Dites qu'après avoir examiné le rôle, vous vous sentez incapable de le jouer, que vous trouvez qu'il exige plus d'efforts et d'assurance que vous n'auriez pu le supposer. Dites cela avec fermeté et cela suffira. Tous ceux qui ont quelque discernement comprendront les raisons de votre refus. On renoncera à la pièce, et on fera, ainsi qu'il se doit, honneur à la délicatesse de vos sentiments. »

« Ne jouez rien qui soit peu convenable, ma chère enfant », dit Lady Bertram. « Sir Thomas en serait fâché. Fanny, sonnez la cloche ; c'est l'heure de mon dîner. Julia doit certainement être habillée maintenant. »

« Madame, je suis persuadé », dit Edmond, devançant Fanny, « que Sir Thomas n'apprécierait pas cette pièce. »

« Eh bien, chère enfant, entendez-vous ce que dit Edmond ? »

« Si je devais décliner le rôle », dit Maria avec une ardeur renouvelée, « Julia l'accepterait certainement. »

« Comment ! » s'écria Edmond, « même si elle connaissait vos raisons ! »

« Oh ! Elle pourrait penser, étant donné la différence qui existe entre nous, une différence de situation, qu'*elle* n'a nul besoin comme moi de s'embarrasser de scrupules, alors que *moi*, je pourrais en ressentir la nécessité. Je suis sûre que tel serait le cours de son raisonnement. Non, il faudra que vous m'excusiez, mais je ne peux me dédire. Les choses sont trop engagées ; tout le monde serait déçu. Tom serait tout à fait furieux ; et si nous devons nous montrer difficiles à ce point, nous ne mettrons jamais en scène quoi que ce soit. »

« C'est précisément ce que j'allais dire », dit madame Norris. « Si nous devons trouver à redire à chaque pièce de théâtre, nous n'en jouerons aucune — et les préparatifs déjà engagés seront autant d'argent gaspillé ; et *voilà* qui nous discréditerait tous. Je ne connais pas cette pièce ; mais, ainsi que le dit Maria, s'il s'y trouve quelque chose d'un peu trop vif (et c'est le cas pour la plupart des pièces), on peut facilement le supprimer. Il ne faut pas que nous soyons trop collet monté, Edmond. Puisque monsieur Rushworth doit jouer aussi, il ne peut y avoir aucun mal. Je regrette seulement que Tom n'ait pas su exactement ce qu'il voulait quand les charpentiers ont commencé leur ouvrage, car il y a eu une demi-journée de perdue, à cause de ces portes latérales. Le rideau est une bonne affaire, toutefois. Les servantes font bien leur travail, et je pense que nous aurons quelques douzaines d'anneaux en trop que nous pourrons renvoyer. Il n'y a aucune raison pour les placer si près les uns des autres. Je *me montre* utile, j'espère, en mettant un frein au gaspillage et en tirant au mieux parti des choses. Il faudrait toujours, pour gouverner tant de jeunes gens et jeunes filles, une personne sensée. J'ai oublié de raconter à Tom ce qui m'est arrivé aujourd'hui même. J'avais jeté un coup d'œil à la basse-cour et était en train de m'en aller, lorsque qui vois-je, sinon Dick Jackson qui se dirigeait vers la porte de l'office, avec dans chaque main un bout de planche en bois blanc qu'il apportait, vous pouvez en être sûr, à son père ; il se trouvait que sa mère l'avait envoyé porter un message à son père, et celui-ci lui avait alors demandé de lui rapporter deux bouts de planche dont il avait absolument besoin. Je compris ce que cela signifiait, car la cloche annonçant le repas des domestiques sonnait au même moment au-dessus de nos têtes, et comme je déteste ces gens rapaces (la famille Jackson fait partie de ces gens-là, je l'ai toujours dit, de cette catégorie de gens qui s'approprient tout ce qu'ils peuvent), j'ai dit sans plus attendre au garçon (un grand rustaud de dix ans, qui devrait avoir honte) « c'est *moi* qui vais porter les planches à ton père, Dick ; rentre donc à la maison aussi vite que possible ». Le garçon avait l'air bien nigaud et il m'a tourné le dos sans savoir que dire, car je crois qu'il m'arrive de réprimander les gens un peu vertement ; et je crois que cela le guérira un temps de venir piller la maison — je hais une pareille cupidité — et votre père est si bon pour toute la famille, car il fournit du travail à cet homme tout au long de l'année ! »

Personne ne prit la peine de répondre ; les autres revinrent bientôt, et Edmond s'aperçut que la seule satisfaction qu'il pouvait avoir serait de s'être efforcé de les remettre dans le droit chemin.

Il y eut tout au long du dîner une certaine pesanteur. Madame Norris narra encore une fois son triomphe sur Dick Jackson, mais on ne parla guère autrement de la pièce, ou des dispositions à prendre pour la jouer, car il n'était pas jusqu'à

Tom qui ne sentit peser sur lui la réprobation de son frère, sans toutefois vouloir le reconnaître. Maria, qui n'était plus soutenue par la vivacité de monsieur Crawford, jugea qu'il valait mieux éviter le sujet. Monsieur Yates, qui essayait de se rendre agréable à Julia, découvrit que sa mélancolie était tout à fait impénétrable lorsqu'il parlait des regrets éprouvés à la voir quitter leur troupe, et qu'elle l'était moins sur tout autre sujet ; et monsieur Rushworth, la tête pleine du rôle qu'il allait jouer et de ses costumes, eut bientôt épuisé tout ce qui pouvait être dit là-dessus.

Mais les préoccupations théâtrales ne furent en suspens qu'une heure ou deux ; il y avait encore beaucoup de choses à régler ; et l'énergie du soir leur insufflant un courage nouveau, Tom, Maria et monsieur Yates, après s'être retrouvés au salon, s'assirent à une table séparée, en petit comité, la pièce ouverte devant leurs yeux, et ils venaient de s'y attaquer lorsqu'ils furent interrompus, fort agréablement, par l'arrivée de monsieur et mademoiselle Crawford, qui n'avaient pu s'empêcher de venir, malgré l'heure tardive, la boue et l'obscurité, et qui furent accueillis avec la plus grande joie et gratitude.

« Et bien, comment cela marche-t-il ? » et « Quelle décision avez-vous prise ? » et « Oh, nous ne pouvons rien faire sans vous », suivirent les premières salutations ; et bientôt Henry Crawford était assis à la table avec les trois autres, pendant que sa sœur s'avançait vers Lady Bertram, et *lui* présentait ses respects avec une aimable courtoisie. « Je dois féliciter votre Seigneurie, de ce que la pièce ait été choisie ; car bien que vous ayez tout supporté avec une patience exemplaire, vous devez, j'en suis sûre, en avoir assez de tout ce bruit et ces tracas. Les acteurs sont peut-être heureux, mais les spectateurs doivent être infiniment reconnaissants qu'une décision ait été prise ; et c'est sincèrement que je vous adresse mes compliments, à vous et à madame Norris, et à tous ceux qui se trouvent dans la même et pénible situation », et, ce faisant, elle lança à Edmond un coup d'œil mi-craintif, mi-espiègle, sans accorder un seul regard à Fanny. Lady Bertram lui répondit fort civilement, mais Edmond ne dit rien. Il ne prétendait pas être autre chose qu'un simple spectateur. Après avoir poursuivi la conversation quelques minutes avec le groupe assis autour du feu, mademoiselle

Crawford s'en revint vers ceux qui étaient assis autour de la table ; et, debout à leurs côtés, elle sembla s'intéresser aux dispositions qu'ils étaient en train de prendre, jusqu'au moment où, comme frappée par un brusque souvenir, elle s'exclama : « Mes bons amis, vous voilà occupés le plus tranquillement du monde à ces chaumières et cabarets, à retourner la question dans tous les sens, mais, je vous en prie, dites-moi quel va être mon sort pendant ce temps. Qui sera Anhalt ? Quel gentleman parmi vous aurai-je le bonheur d'aimer ? »

Pendant un instant, personne ne parla ; et puis tout le monde se mit à parler à la fois pour faire connaître cette vérité mélancolique : ils n'avaient pas encore trouvé d'Anhalt. « Monsieur Rushworth serait le comte Cassel, mais personne ne s'était encore chargé du rôle d'Anhalt. »

« J'avais le choix », dit monsieur Rushworth ; « mais j'ai accordé la préférence au Comte, bien que j'aie peu de goût pour les beaux atours qui seront les miens. »

« Vous avez, j'en suis certaine, choisi fort sagement », répondit mademoiselle Crawford, d'un air plus animé. « Le rôle d'Anhalt est fort lourd. »

« *Le Comte* a quarante-deux tirades », répondit monsieur Rushworth, « ce qui n'est pas une bagatelle. »

« Je ne suis nullement surprise », dit mademoiselle Crawford, après un court silence, « que vous n'ayez pas trouvé d'Anhalt. Amélia n'a que ce qu'elle mérite. Il se peut fort bien que la hardiesse de cette jeune lady fasse peur aux hommes. »

« Je ne serais que trop heureux de prendre le rôle, si cela était possible », s'écria Tom, « mais malheureusement, le Majordome et Anhalt apparaissent ensemble sur scène. Je ne renonce pas complètement, toutefois. J'essaierai de voir ce que nous pouvons faire. Je vais tout examiner à nouveau. »

« Votre *frère* pourrait prendre le rôle », dit monsieur Yates à voix basse. « Ne croyez-vous pas qu'il l'accepterait ? »

« Je ne le lui demanderai pas », répondit Tom d'un air froid et résolu.

Mademoiselle Crawford changea de sujet et rejoignit bientôt le groupe qui était assis au coin du feu. « Ils n'ont pas du tout besoin de moi », dit-elle en s'asseyant. « Je les mets seulement dans l'embarras, et les oblige à m'adresser des discours courtois. Monsieur Edmond Bertram, puisque vous ne jouez pas, vous serez un conseiller désintéressé ; et je m'en remets par conséquent à *vous*. Qui allons-nous choisir pour le rôle d'Anhalt ? Est-il possible que quelque autre personnage puisse jouer ce rôle en même temps que le sien ? Quel est votre avis là-dessus ? »

« Mon avis », dit-il calmement, « est que vous changiez de pièce. »

« Je ne vois, quant à *moi*, aucune objection à en changer », répondit-elle ; car bien que je ne déteste pas particulièrement le rôle d'Amélia lorsqu'on lui donne la réplique de façon satisfaisante — c'est-à-dire quand tout marche bien — je serais désolée d'être une gêne ; mais comme *à cette table* on préfère ne pas écouter votre avis (en se retournant), le rôle ne sera certainement pas pris. »

Edmond n'ajouta mot.

« Si *un* rôle pouvait *vous* inciter à jouer, je suppose que ce serait celui d'Anhalt », fit remarquer la jeune femme, d'un air espiègle, après un bref silence, « car il doit, ainsi que vous le savez, devenir clergyman. »

« *Cette* particularité ne m'inciterait en aucun cas à prendre le rôle », répliqua-t-il, « car j'aurais trop peur de rendre le personnage ridicule en jouant mal. Il doit être très difficile d'empêcher Anhalt d'apparaître comme un sermonneur guindé et pompeux ; et celui qui choisit pour lui-même cette profession, sera peut-être le dernier à souhaiter la représenter sur scène. »

Mademoiselle Crawford fut réduite au silence ; et comme elle éprouvait du dépit et du ressentiment, elle rapprocha considérablement sa chaise de la table à thé à laquelle présidait madame Norris et reporta sur elle toute son attention.

« Fanny », s'écria Tom Bertram, assis à l'autre table, où la conférence battait son plein et la conversation ne souffrait pas d'interruption, « nous aurons besoin de vos services. »

Fanny fut debout en un instant, s'attendant à quelque message, car on ne s'était pas encore dépris de l'habitude de l'occuper ainsi, quoi que pût dire et faire Edmond.

« Ce n'est pas la peine que vous vous dérangiez. Nous n'avons pas besoin de vos services *pour le moment*. Nous aurons seulement besoin de vous pour notre pièce. Il faut que vous soyez la Femme du Villageois. »

« Moi ! » s'écria Fanny, s'asseyant à nouveau l'air terrifié. « Non, vraiment, il faudra que vous m'excusiez. Vous m'offririez tout ce qu'il y a de plus beau au monde que je ne pourrais monter sur scène. Non vraiment, cela est impossible. »

« En vérité, il faudra que vous acceptiez, car nous ne pouvons nous dispenser de vos services. Nul besoin de vous effrayer, ce n'est pas grand-chose comme rôle, c'est moins que rien, il n'y a guère en tout et pour tout qu'une douzaine de tirades, et peu importera si personne n'entend le moindre mot de ce que vous direz, aussi vous pourrez vous faire aussi petite qu'une souris, à condition de paraître sur scène. »

« Si vous avez peur d'une demi-douzaine de tirades », s'écria monsieur Rushworth, « que feriez-vous avec un rôle comme le mien ? J'en ai quarante-deux à apprendre. »

« Ce n'est pas que j'aie peur d'apprendre par cœur », dit Fanny, atterrée de se trouver à cet instant la seule oratrice de la pièce, et de sentir tous les regards posés sur elle ; « mais je ne sais vraiment pas jouer. »

« Bien sûr, bien sûr, mais vous savez suffisamment bien jouer pour *nous*. Apprenez votre rôle, et nous vous apprendrons le reste. Vous n'avez que deux scènes, et c'est moi qui serai le Villageois, je vous aiderai pour vos entrées sur scène et vous guiderai ; et vous ferez tout cela très bien, je vous en réponds. »

« Non, vraiment, monsieur Bertram, il faudra m'excuser. Abandonnez ce projet. Cela me serait tout à fait impossible. Si je devais entreprendre de jouer ce rôle, je vous décevrais. »

« Taratata ! Ne soyez pas si honteuse. Vous le jouerez très bien. Nous montrerons la plus grande indulgence à votre égard. Nous ne nous attendons pas à la perfection. Il faut que vous vous trouviez une robe brune, un tablier blanc, une petite coiffe, nous vous dessinerons quelques rides et, au coin de l'œil, une légère patte d'oie, et vous ferez une petite vieille très convenable. »

« Il faut que vous m'excusiez, vraiment, il le faut », s'écria Fanny qui rougissait sous l'empire d'une extrême agitation et regardait Edmond d'un air de détresse, Edmond qui l'observait avec bienveillance, mais se contenta de lui adresser un sourire d'encouragement, car il était peu désireux d'irriter son frère en s'interposant. Ses supplications ne produisirent aucun effet sur Tom ; il n'en continua pas moins à répéter ce qu'il avait dit auparavant, et il ne fut plus le seul en l'occurrence, car maintenant c'était Maria, monsieur Crawford et monsieur Yates qui venaient à sa rescousse et leur requête était si pressante, bien qu'exprimée différemment, avec plus de douceur et de cérémonie, que Fanny en était toute accablée ; et avant qu'elle n'ait eu le temps de reprendre haleine, madame Norris porta la chose à son comble en s'adressant à elle dans un murmure qui était à la fois furieux et intelligible pour tout le monde : « Voilà bien des embarras pour si peu de choses, j'ai vraiment honte, Fanny, de vous voir faire tant d'histoires, alors qu'un geste aussi insignifiant obligerait fort vos cousins. Ils sont si bienveillants envers vous ! Acceptez ce rôle de bonne grâce, et qu'on n'en parle plus, je vous prie. »

« Ne la pressez pas, madame », dit Edmond. « Ce n'est pas juste de la presser ainsi. Vous voyez bien qu'elle n'a pas envie de jouer. Qu'elle en décide, comme les autres, par elle-même. On peut se fier à son jugement, tout autant qu'à celui des autres. Ne la pressez plus. »

« Je n'insisterai pas », répliqua madame Norris d'un ton acerbe, « mais croyez-moi, ce sera une ingrate et une entêtée, si elle ne fait pas ce que sa tante et ses cousins lui demandent — une ingrate en vérité, étant donné ce qu'elle est, et qui elle est. »

La colère empêcha Edmond de parler ; mais mademoiselle Crawford regarda un instant madame Norris, les yeux emplis d'étonnement, puis tourna son regard vers Fanny qui commençait à avoir les larmes aux yeux, et s'empressa de dire avec une certaine perspicacité : « Il ne me plaît pas de rester ici ; il y fait trop chaud, à mon avis », et elle éloigna sa chaise pour se mettre à l'extrémité opposée de la table, près de Fanny, et tout en s'asseyant, lui dit dans une espèce de chuchotement : « Peu importe, ma chère mademoiselle Price, tout le monde est de méchante humeur ce soir, et disposé à faire enrager les autres, mais ne nous soucions pas d'eux » ; et elle continua de bavarder avec elle, ostensiblement, et d'essayer de lui faire retrouver sa bonne humeur,

bien qu'elle fût elle-même sans entrain. D'un regard qu'elle
lança à son frère, elle empêcha qu'à la table où l'on délibérait
du théâtre, on la suppliât plus longtemps ; et les sentiments
de réelle bonté qui la gouvernaient, et qui étaient presque
dénués d'artifice, lui firent regagner rapidement, bien qu'elle
ne l'eût guère beaucoup perdue, toute l'estime qu'Edmond
avait pour elle.

Fanny n'aimait pas mademoiselle Crawford ; mais elle lui
fut, dans ces circonstances, fort reconnaissante de sa bonté ;
et quand cette dernière, après avoir prêté attention à son
ouvrage, avoir souhaité pouvoir *elle-même* travailler aussi
bien de ses mains, avoir demandé le modèle, et fait cette
supposition que Fanny se préparait maintenant à faire son
apparition dans le monde quand sa cousine se marierait,
quand cette dernière donc poursuivit en lui demandant si elle
avait eu récemment des nouvelles de celui de ses frères qui
était en mer, et dit qu'elle était fort curieuse de le voir, qu'elle
imaginait que c'était un beau jeune homme, et conseilla à
Fanny de faire faire son portrait au crayon avant qu'il
reprenne la mer, Fanny ne put s'empêcher alors de reconnaître que c'était là des propos flatteurs et fort agréables, ni
ne put se retenir d'écouter et de répondre avec plus d'animation qu'elle n'avait songé à en montrer.

La délibération sur la pièce se poursuivait, et ce fut Tom
Bertram qui attira le premier l'attention de mademoiselle
Crawford, en lui disant qu'à son infini regret, il lui était
impossible de cumuler les rôles d'Anhalt et du Majordome ;
il s'était vivement efforcé de rendre la chose faisable ; il n'y
était pas parvenu et devait y renoncer. « Mais nous n'aurons
aucune difficulté à remplir le rôle », ajouta-t-il. « Un mot
suffira ; nous pouvons nous montrer difficiles. Je pourrais
nommer en cet instant au moins six jeunes gens, à six milles à
la ronde, qui brûlent du désir d'être acceptés dans notre
compagnie théâtrale, et il y en a un ou deux parmi eux qui ne
nous déconsidèreraient pas. Je ne craindrais pas de faire
confiance, soit aux frères Oliver, soit à Charles Maddox.
Tom Oliver est un garçon très intelligent, et Charles Maddox
est un fort galant homme comme on en trouve partout, aussi
prendrai-je mon cheval demain matin, me rendrai-je à Stoke,
et en débattrai avec l'un d'eux. »

Pendant qu'il parlait, Maria regardait Edmond avec appréhension, car elle s'attendait bel et bien à ce qu'il s'opposât à une pareille extension du projet, si contraire à leurs premières déclarations ; mais Edmond ne dit rien. Après un moment de réflexion, mademoiselle Crawford répondit calmement : « En ce qui me concerne, je ne m'élèverai point contre celui que vous aurez jugé digne d'être choisi. Ai-je jamais vu l'un de ces gentlemen ? Oui, monsieur Charles Maddox a dîné un jour avec ma sœur, n'est-ce pas Henry ? Un jeune homme à l'air réservé. Je me souviens de lui. Ayons recours à lui, je vous en prie, car ce me sera moins désagréable que d'avoir affaire à un parfait inconnu. »

Le choix se porta sur Charles Maddox. Tom réaffirma sa décision d'aller le voir de bonne heure le lendemain ; et bien que Julia, qui n'avait guère ouvert la bouche auparavant, eût fait remarquer d'un air sarcastique, en jetant un regard d'abord à Maria, puis à Edmond, que « Le Théâtre d'Amateurs de Mansfield égaierait excessivement le voisinage », Edmond continua à garder le silence, et ne fit connaître ses sentiments que par une ferme gravité.

« Je n'ai guère confiance dans votre pièce », dit mademoiselle Crawford à voix basse à Fanny, après avoir réfléchi un instant ; « et je pense que je dirai à monsieur Maddox d'abréger certaines de *ses* tirades, avant que nous répétions ensemble, et j'abrégerai aussi un grand nombre des *miennes*. Cela va être très désagréable, et ne ressemblera en rien à ce que j'attendais. »

CHAPITRE XVI

Mademoiselle Crawford ne fut pas en mesure, par ses propos, de faire réellement oublier à Fanny les événements de la soirée. La soirée terminée, Fanny alla se coucher, la tête pleine de ce qui s'était passé, les nerfs encore ébranlés d'avoir eu à subir pareils assauts de la part de son cousin Tom, infligés en public et avec une pareille opiniâtreté, et accablée par les reproches et les remontrances malveillantes de sa tante. Attirer ainsi l'attention, apprendre que ce n'était que le prélude à quelque chose de bien pire, découvrir qu'on l'avait désignée pour faire ce qu'il lui était impossible de faire, c'est-à-dire jouer ; et ensuite se voir reprocher son ingratitude et son entêtement, se voir accuser pareillement d'être à la charge de la famille, tout cela avait été au moment même trop pénible pour que, lorsqu'elle se trouva seule, sa mémoire fît paraître ces souvenirs moins douloureux, surtout avec le surcroît d'appréhension que faisait naître en elle la perspective d'entendre le lendemain se poursuivre les discussions à ce sujet. Mademoiselle Crawford ne l'avait protégée qu'un instant ; et que ferait-elle si Tom et Maria s'en prenaient encore à elle, avec cette insistance péremptoire dont ils étaient capables ? et si Edmond n'était pas là ? Elle s'endormit avant de trouver une réponse à cette question, et lorsqu'elle se réveilla le lendemain matin, ce fut pour s'apercevoir que cette question n'en était pas moins embarrassante. La petite mansarde blanche qui continuait à lui servir de chambre à coucher depuis qu'elle était entrée dans la famille s'avérant incapable de lui inspirer une réponse, elle eut recours, dès qu'elle fut habillée, à l'aide que pouvait lui apporter une autre chambre, plus vaste et plus adaptée à la réflexion, où elle pouvait marcher de long en large, et dont elle avait également pris possession depuis un certain temps. Cette pièce avait été leur salle de classe ; elle avait porté ce nom jusqu'à ce que les demoiselles Bertram refusent de l'appeler ainsi plus longtemps, et avait été employée à cet usage bien plus tardivement. C'était là que mademoiselle Lee avait vécu, là qu'elles avaient lu et écrit, ri et bavardé jusqu'à ce que mademoiselle Lee les eût quittées, il y avait moins de trois ans de cela. Puis, cette pièce était devenue inutile, et elle demeura quelque temps complètement déserte, si ce n'est lorsque Fanny venait inspecter ses plantes ou prendre l'un des livres qu'elle était heureuse de laisser encore là, car l'espace et la place lui manquaient dans sa petite chambre du dessus ; mais, petit à petit, à mesure que s'accroissait le prix qu'elle attachait aux conforts qu'elle y trouvait, elle avait ajouté à ses possessions et passait là le plus clair de son temps ; et comme rien ne s'y opposait, elle y avait élu domicile, si ingénument, si naturellement qu'on reconnaissait désormais qu'elle lui appartenait. La chambre de l'Est, ainsi qu'on l'appelait depuis les seize ans de Maria Bertram, fut maintenant considérée comme la chambre de Fanny, presque aussi incontestablement que la mansarde blanche ; la petitesse de cette dernière rendait l'utilisation de la première si éminemment raisonnable, que les demoiselles Bertram, qui étaient, ainsi que l'exigeait le sentiment qu'elles avaient de leur propre supériorité, en possession d'appartements incomparablement supérieurs, donnèrent leur entière approbation ; et madame Norris, après avoir expressément demandé qu'on n'y fît pas de feu pour la seule Fanny, se résigna plus ou moins à ce qu'elle eût la jouissance de ce dont personne n'avait besoin, bien que les termes dont elle se servait parfois pour parler de ce traitement de faveur semblassent donner à entendre qu'il s'agissait de la plus belle pièce de la maison.

Même sans feu, l'exposition en était si favorable qu'elle était souvent habitable, dans les premières heures des matinées de printemps, où à la fin des matinées d'automne, pour quelqu'un d'aussi bien disposé que Fanny, et elle espérait bien, tant qu'il resterait le moindre rayon de soleil, ne pas devoir en être chassée complètement, même quand l'hiver surviendrait. Le réconfort que cette pièce lui apportait pendant ses heures de loisir était extrême. Elle pouvait s'y réfugier quand quelque pénible incident avait eu lieu dans les étages inférieurs, pour y trouver une consolation immédiate, en s'employant à quelque occupation à portée de la main, ou en poursuivant le cours de ses pensées. Ses plantes, les livres dont elle faisait collection depuis la première heure où elle put disposer d'un shilling, son pupitre, ainsi que ses ouvrages de charité et les témoignages de son habileté, étaient tous là autour d'elle ; ou, si elle était peu encline à s'occuper, si rien ne convenait hormis la rêverie, elle ne pouvait poser le regard sur un objet dans cette pièce sans que s'y rattachât quelque souvenir intéressant. Chaque objet était pour elle un ami, ou lui rappelait un ami ; et bien qu'elle eût parfois beaucoup souffert, bien qu'on eût souvent mal interprété ses raisons d'agir, qu'on eût fait peu de cas de ses sentiments et sous-estimé ses facultés de compréhension ; bien qu'elle eût connu les souffrances qu'infligent la tyrannie, la raillerie et le manque d'égards, elle avait su chaque fois que cela se reproduisait découvrir quelque motif de consolation ; sa tante avait pris sa défense, ou mademoiselle Lee l'avait encouragée, ou bien, ce qui était plus fréquent et plus cher à son cœur, Edmond avait été son champion et son ami ; il avait soutenu sa cause, ou expliqué aux autres ses intentions, lui avait dit de ne pas pleurer, ou lui avait donné des preuves d'affection qui faisaient monter à ses yeux des larmes délicieuses ; et le temps ayant fait son office, tout cela se confondait si harmonieusement que les chagrins des jours passés lui paraissaient avoir aussi quelque agrément. Cette pièce surtout était chère à son cœur, et elle eût refusé d'échanger ses meubles contre les plus beaux meubles de la maison, même si ceux-ci, des plus ordinaires à l'origine, eussent souffert depuis des mauvais traitements infligés par les enfants, et que les plus magnifiquement ornés d'entre eux et les plus luxueux n'eussent été composés que d'un tabouret fabriqué par Julia et trop mal exécuté pour figurer au salon, de trois transparents réalisés à un moment où ceux-ci faisaient fureur, et fixés sur les trois carreaux inférieurs d'une fenêtre, et sur lesquels Tintern Abbey prenait place entre une grotte italienne et un lac du Cumberland au clair de lune ;

d'une collection de portraits à la silhouette jugée indigne de paraître ailleurs, et, épinglée au mur à côté d'eux, d'une petite esquisse d'un bateau que William lui avait envoyée de Méditerranée quatre ans auparavant, avec en bas l'inscription *l'Anvers au Service de sa Majesté*, en lettres aussi hautes que le grand-mât.

Ce fut vers ce nid douillet que Fanny descendit alors, pour qu'il exerçât son influence sur le désarroi dans lequel son esprit était plongé, et pour qu'il lui permît, en regardant au mur le profil d'Edmond, de saisir quelles devaient être ses intentions, ou encore insufflât à son esprit de la force d'âme lorsqu'elle donnerait de l'air à ses géraniums. Mais il ne s'agissait pas seulement d'écarter les craintes qu'elle éprouvait au sujet de sa propre ténacité ; car elle avait commencé à se sentir ébranlée et ne plus savoir ce qu'elle *devait faire* ; et tandis qu'elle tournait en rond dans la pièce, ses doutes ne cessaient de croître. Avait-elle *raison* de refuser ce qui lui était demandé avec tant d'insistance, et qui était si fortement désiré ? Ce qui pouvait être si essentiel à la réalisation d'un projet que certains de ceux à qui elle devait la plus grande reconnaissance avaient pris tellement à cœur ? N'était-ce pas là de la méchanceté, de l'égoïsme ainsi que la peur d'être exposée aux regards ? Le jugement d'Edmond et la conviction qu'il avait de la désapprobation de Sir Thomas sur toute l'affaire, suffisaient-ils, en dépit de tout, à légitimer son refus ?

L'idée de monter sur scène lui paraissait si effroyable qu'elle était encline à douter de la pureté et de l'authenticité de ses propres scrupules, et lorsqu'elle regardait autour d'elle, les droits qu'avaient ses cousins à sa reconnaissance se renforçaient à la vue de chacun des présents qu'elle avait reçu d'eux. La table entre les fenêtres était couverte de boîtes à ouvrage et de réticules en filet qui lui avaient été offerts à différents moments, surtout par Tom ; et sa tête s'embrouillait à calculer le montant de la dette que produisaient tous ces témoignages de bonté. Un petit coup discret à la porte l'arracha aux efforts qu'elle faisait pour parvenir à découvrir quel était son devoir, et à son « entrez », prononcé d'une voix douce, répondit l'apparition de celui à qui elle avait coutume d'exposer ses doutes. Ses yeux s'illuminèrent en **voyant Edmond.**

« Puis-je vous parler un instant, Fanny ? » dit Edmond.

« Bien sûr. »

« J'ai besoin de votre avis. J'ai besoin de vos conseils. »

« Mon avis ! » s'écria-t-elle, intimidée par un pareil compliment, bien qu'il lui eût fait le plus grand plaisir.

« Oui, vos conseils et votre avis. Je ne sais que faire. Ce projet de théâtre, voyez-vous, est de plus en plus détestable. Ils ont choisi comme pièce ce qu'il pouvait y avoir de pire ; et pour couronner le tout, ils vont maintenant avoir recours aux talents d'un jeune homme que nous ne connaissons qu'à peine. C'en est fini pour nous de la paix de notre retraite et des règles de bienséance dont il était au début question. Il n'y a rien, à ma connaissance, que je puisse reprocher à Charles Maddox ; mais l'excessive intimité, qui naîtra fatalement lorsque nous l'accueillerons parmi nous, est un obstacle des plus condamnables, et *plus* que l'intimité, c'est la familiarité qu'elle engendrera qui sera déplorable. Je ne peux y songer sans que ma patience s'exaspère, et le mal est si grand, me semble-t-il, qu'il faut, *à tout prix*, l'empêcher. Voyez-vous les choses sous le même jour ? »

« Oui, mais que faire ? Votre frère est si résolu à agir ? »

« Il n'y a qu'une *seule* chose à faire, Fanny. Il faut que je prenne moi-même le rôle d'Anhalt. Je sais parfaitement que rien autrement ne saurait apaiser Tom. »

Fanny fut incapable de répondre.

« Ce n'est pas que cela me plaise », poursuivit-il. « Personne ne saurait être heureux de se trouver contraint de *paraître* à ce point inconséquent — alors qu'on m'a vu m'opposer à ce projet dès le commencement, il est absurde que je me joigne à eux *maintenant*, alors qu'ils dépassent les limites de ce qui avait été prévu à l'origine en tout point ; mais je ne vois pas quel autre parti prendre. Et vous, Fanny ? »

« Non, pas immédiatement », dit-elle lentement, « mais... »

« Mais quoi ? Je vois que vous ne portez pas sur les choses le même jugement que moi. Réfléchissez-y un peu plus longuement. Peut-être ne vous rendez-vous pas autant compte que moi, du tort qui *peut* être fait, des désagréments qui ne *manquent* pas de se produire, lorsqu'on accueille ainsi

chez soi un jeune homme, qu'on l'invite à participer à la vie
de la famille, l'autorise à venir à toute heure, et le place dans
une position telle qu'elle ne peut que faire disparaître toute
réserve. Pensez seulement à la licence qu'est susceptible de
faire naître la répétition de cette pièce ! Mettez-vous à la
place de mademoiselle Crawford, Fanny. Imaginez ce que
peut représenter le fait de jouer avec un inconnu. Elle mérite
qu'on ait des égard envers elle, car de toute évidence elle sait
ce qu'elle se doit à elle-même. J'ai fort bien entendu ce
qu'elle vous a dit hier soir, assez du moins pour comprendre
ses réticences à jouer avec un inconnu comme partenaire ; et
comme, lorsqu'elle s'est engagée à tenir ce rôle, elle avait
probablement autre chose en tête, et qu'elle n'avait peut-être
pas suffisamment réfléchi pour pressentir ce qui allait se
passer, ce serait nous montrer bien peu généreux et fort
injustes, si nous la laissions s'aventurer ainsi. Nous devrions
respecter ses sentiments. N'est-ce pas votre avis, Fanny ?
Vous hésitez. »

« Je suis désolée pour mademoiselle Crawford ; mais je
regrette encore plus de vous voir obligé de faire ce contre
quoi vous étiez fermement résolu, et que mon oncle,
pensiez-vous, jugerait extrêmement fâcheux. Quel triomphe
pour les autres ! »

« Ils n'auront guère de raison de triompher, lorsqu'ils
verront de quelle infâme manière je joue. Mais, assurément,
ce sera bien toutefois de triomphe qu'il s'agira, et il faudra
que je l'affronte. Mais s'il m'est possible, par mon interven-
tion, de réduire le tintamarre fait autour de la pièce, de
limiter notre parution en public et de circonscrire notre sotte
folie, je serai amplement récompensé. Dans la situation où je
me trouve maintenant, je n'ai sur eux aucune autorité, je ne
peux agir ; je les ai offensés et ils se refuseront à m'entendre ;
mais une fois que je les aurai mis de bonne humeur par cette
concession, j'ai quelque espoir de les persuader de restreindre la représentation à une compagnie moins grande que celle
qu'ils sont en bonne voie de trouver. Il y aura là une
amélioration sensible. Mon dessein est de la restreindre à
madame Rushworth et aux Grant. Cela ne sera-t-il pas
autant de gagné ? »

« Oui, c'est un point important. »

« Mais qui n'a toujours pas reçu votre approbation.

Pouvez-vous suggérer une mesure qui me permette de me
rendre aussi utile ? »

« Non, je ne trouve rien d'autre. »

« Alors, Fanny, donnez-moi votre approbation. Je serai
mal à l'aise si vous ne me la donnez pas. »

« Oh ! cousin. »

« Si vous êtes contre moi, il faudra que je me défie de
moi-même — et pourtant — mais il est absolument impossible que nous laissions Tom continuer ainsi à battre la
campagne à la recherche de quelqu'un qu'il puisse persuader
de monter sur scène, sans qu'il se soucie de qui il s'agit ; il lui
suffira que celui-ci ait l'allure d'un gentleman. Je pensais que
vous aviez compris mademoiselle Crawford et partagiez son
sentiment. »

« Elle sera sans contredit très heureuse. Ce sera certainement un grand soulagement pour elle », dit Fanny, s'efforçant de montrer un peu plus d'enthousiasme.

« Elle ne m'a jamais semblé aussi aimable qu'hier au soir,
dans sa façon de se comporter avec vous. Cela lui donne au
plus haut point droit à notre bienveillance. »

« Elle *a été*, il est vrai, fort bonne, et je suis heureuse qu'on
ait des ménagements pour elle… »

Elle ne put achever cette effusion généreuse. Sa conscience
l'arrêta au beau milieu, mais ses paroles satisfirent
Edmond.

« Je me rendrai là-bas tout de suite après le petit déjeuner », dit-il, « et les nouvelles que j'apporterai feront certainement plaisir. Et maintenant, ma chère Fanny, je ne vais pas
vous déranger plus longtemps. Vous voulez poursuivre votre
lecture ? Mais je ne parvenais pas à me sentir à mon aise tant
que je n'avais pas parlé avec vous et pris une décision.
Endormi ou éveillé, j'ai eu toute la nuit la tête pleine de ce
sujet. C'est une erreur, mais je la rends assurément moins
grande qu'elle n'eût pu l'être. Si Tom est debout, j'irai le voir
de ce pas, et j'en finirai avec cette affaire ; et lorsque nous
nous retrouverons au petit déjeuner, nous serons tous de
belle humeur, à l'idée que nous allons tous ensemble, avec
une pareille unanimité, faire les bouffons. Pendant ce temps,
vous serez en train de parcourir la Chine, je suppose. Où en
êtes-vous de la lecture de Lord Macartney ? (ouvrant un
volume sur la table et en prenant ensuite d'autres). Et voici

les *Contes* de Crabbe, et *l'Oisif*, à votre portée pour vous changer les idées si vous vous lassez de votre illustre livre. J'admire beaucoup la façon dont vous avez arrangé cette pièce à votre goût ; dès que je serai parti, vous débarrasserez votre esprit de toutes ces folles idées de théâtre, et vous asseyerez confortablement à votre table. Mais n'y restez pas jusqu'à prendre froid. »

Il s'en alla, mais il s'agissait bien maintenant de lecture, de Chine et de tranquillité d'âme. La nouvelle qu'il lui avait communiquée était la plus extraordinaire, la plus inconcevable, la plus fâcheuse qui fût ; et elle ne pouvait songer à rien d'autre. Qu'il jouât ! après avoir ouvertement, et de façon si juste critiqué ce projet ! après tout ce qu'elle l'avait entendu dire, après avoir vu l'air qu'il prenait, après avoir compris tout ce qu'il pouvait éprouver. Se pouvait-il que cela fut possible ? Edmond si incohérent. Ne se leurrait-il pas à son insu ? N'avait-il pas tort ? Hélas ! C'était là l'œuvre de mademoiselle Crawford. Le moindre de ses propos témoignait du pouvoir qu'elle avait sur lui, et elle était malheureuse. Les doutes et les inquiétudes qu'elle avait éprouvés auparavant au sujet de la conduite à tenir, et qui s'étaient assoupis pendant qu'elle l'écoutait, lui paraissaient désormais de bien piètre importance. La profonde inquiétude qui l'accablait les avait engloutis. Les choses suivraient leur cours ; peu lui importait comment tout cela se terminerait. Ses cousins pourraient bien s'en prendre à elle, ils ne réussiraient guère à la tourmenter. Elle était hors d'atteinte ; et si elle devait finir par céder, peu importait ; tout était *maintenant* pour elle douleur et affliction.

CHAPITRE XVII

Ce fut en vérité un jour d'apothéose pour monsieur Bertram et Maria. Ils n'eussent jamais oser espérer remporter une telle victoire sur la prudente sagesse d'Edmond, et ce leur était une grande joie. Rien ne venait plus se mettre en travers d'un projet si cher à leur cœur, et ils se félicitèrent en privé de l'envieuse faiblesse à laquelle ils attribuaient ce revirement, avec l'allégresse de ceux dont les désirs ont été comblés. Edmond aurait beau prendre l'air solennel et dire que d'une façon générale leur entreprise ne lui plaisait point, il aurait beau soutenir qu'il était de son devoir de désapprouver la pièce en particulier, ils avaient eu quant à eux gain de cause ; il allait jouer et c'était la seule force de ses penchants égoïstes qui l'y avait poussé. Edmond était descendu du piédestal où sa noblesse de caractère l'avait jusque-là maintenu, et ils étaient d'autant ravis de cet abaissement.

Ils se conduisirent toutefois en la circonstance parfaitement avec *lui* et ne laissèrent paraître leur joie triomphante que par certains plissements au coin des lèvres ; ils semblaient vouloir montrer qu'ils avaient eu l'échappée belle et étaient heureux d'être débarrassés de la présence de Charles Maddox, comme si on les eût contraints à l'accepter contre leur gré. « Ce qu'ils désiraient par-dessus tout c'était se retrouver dans le cercle de la famille. L'intrusion d'un étranger parmi eux eût anéanti tout leur bien-être », et quand Edmond, qui ne voulait pas en démordre, laissa entendre qu'il souhaitait limiter le nombre des spectateurs, ils se montrèrent prêts, dans leur désir momentané d'obligeance, à promettre n'importe quoi. Ce n'était partout qu'encouragement et bonne humeur. Madame Norris proposa ses services pour son costume, monsieur Yates l'assura que la dernière scène entre Anhalt et le Baron comportait beaucoup d'action énergique et de mouvement, et monsieur Rushworth entreprit de dénombrer les tirades qu'il aurait à apprendre.

« Peut-être », dit Tom, « *Fanny* se montrera-t-elle maintenant plus disposée à nous obliger. Peut-être réussirez-vous à *la* persuader ».

« Non, elle est tout à fait ferme là-dessus. Elle refusera certainement de jouer. »

« Oh ! très bien. » Et on s'en tint là : mais Fanny continuait à se sentir en danger, car elle voyait déjà faiblir en elle son indifférence envers ce danger.

Il n'y eut au presbytère pas moins de sourires qu'à Mansfield pour accueillir le revirement d'Edmond ; ceux de mademoiselle Crawford étaient radieux et lui donnaient un air charmant, et la bonne humeur renouvelée qu'elle mit sur-le-champ à reprendre le sujet là où on l'avait laissé, ne pouvait manquer de produire son effet sur Edmond. « Il sentait qu'il avait certainement raison de respecter de pareils sentiments ; il était heureux d'en avoir décidé ainsi. » Et la matinée s'écoula fort agréablement, bien que ce bonheur ne fût guère raisonnable. Fanny en retira au moins un avantage ; à la requête de mademoiselle Crawford, madame Grant accepta avec sa bonne humeur coutumière de se charger du rôle pour lequel Fanny avait fait défaut, et ce fut de toute la journée le seul événement qui *lui* fit plaisir ; et pourtant cette nouvelle même, annoncée par Edmond, lui serra le cœur, car elle devenait ainsi l'obligée de mademoiselle Crawford, c'était mademoiselle Crawford dont les bienveillants efforts devaient susciter en elle de la gratitude, et c'était ses mérites qu'on célébrait, en vantant avec une admiration enthousiaste le talent qu'elle avait déployé pour cela. Elle était saine et sauve ; mais l'absence de danger ne pouvait dans ce cas-là lui apporter la tranquillité d'esprit. Son âme n'avait jamais été aussi loin de trouver la paix. Elle n'avait pas l'impression d'avoir mal agi, mais tout le reste lui paraissait peu rassurant. Son cœur et son jugement s'élevaient contre la décision qu'avait prise Edmond ; elle ne pouvait faire autrement que l'accuser d'avoir balancé et vacillé ; et elle était extrêmement malheureuse qu'il pût être heureux de s'être montré si peu ferme. Elle était emplie de jalousie et troublée. Mademoiselle Crawford arriva avec sur le visage un air de gaieté qui lui parut une insulte, et lui adressa des paroles d'amitié auxquelles elle parvint à peine à répondre calmement. Tout le monde autour d'elle était gai et affairé, avait un air de bonheur et le sentiment de sa propre importance, chacun avait un objet d'intérêt, son rôle, son costume, sa scène favorite, ses amis et comparses ; tous s'employaient à délibérer et à comparer, ou à se divertir en proposant des traits d'esprit pleins d'enjouement. Elle seule était triste, elle seule était sans importance aux yeux des autres ; elle ne prenait part à rien ; elle pouvait rester ou s'en aller, se trouver au milieu de tout leur tintamarre ou bien se retirer dans la solitude de la chambre de l'Est, sans qu'on remarquât son absence. Elle était près de penser que tout eût été préférable à cet état de choses. Madame Grant était un personnage d'importance ; on faisait allusion à *son* bon naturel en des termes élogieux ; on prenait son goût en considération, tout comme son temps ; on avait besoin de sa présence, recherchait sa compagnie, avait des égards pour elle, on faisait son éloge ; et tout d'abord Fanny fut exposée au danger d'envier le rôle que celle-ci avait accepté. Mais elle revint à de meilleurs sentiments, et, à la réflexion, reconnut que madame Grant méritait le respect qu'on lui témoignait, ce qui n'aurait jamais pu être le cas s'il s'était agi d'*elle*-même, et que, à supposer qu'on lui eût montré le plus grand respect, elle n'eût pu se sentir à l'aise si elle s'était associée à un projet qu'elle ne pouvait que condamner ; il lui suffisait pour cela de penser à son oncle.

Comme Fanny put bientôt s'en rendre compte, elle n'était pas parmi eux absolument la seule à éprouver quelque tristesse. Julia, dont la conduite n'avait pas été tout à fait aussi irréprochable, était sa compagne d'infortune.

Henry Crawford s'était joué de ses sentiments ; mais elle avait longtemps autorisé et même recherché ses attentions, et sa jalousie envers sa sœur eût dû raisonnablement y mettre un terme ; et maintenant que s'était imposée à elle la certitude qu'il préférait Maria, elle s'y soumettait, sans inquiétude pour la situation dans laquelle se trouvait celle-ci, sans essayer de parvenir en se raisonnant à quelque tranquillité d'esprit. Tantôt elle demeurait assise, silencieuse et morne, avec un air sérieux, sans montrer la moindre curiosité ou se laisser amuser par quelque trait d'esprit ; tantôt elle acceptait les attentions de monsieur Yates, s'entretenait avec lui avec une gaieté forcée, et en tournant en ridicule la façon de jouer des autres participants.

Pendant un jour ou deux, après que l'affront eut été infligé, Henry Crawford s'était efforcé de le faire oublier en faisant assaut de galanteries et de propos flatteurs, comme d'habitude, mais après quelques rebuffades, il abandonna ses tentatives, faute de s'y intéresser suffisamment ; et comme il consacra bientôt beaucoup de temps à la pièce, il n'eut plus l'occasion de continuer sa cour et devint indifférent à la querelle, ou plutôt, il considéra que c'était là un événement heureux qui mettait tranquillement fin à une situation qui aurait pu faire naître avant peu des espérances chez d'autres que madame Grant. Celle-ci n'était pas satisfaite de voir Julia exclue de la pièce de théâtre, et assise sans qu'on lui prêtât attention ; mais comme ce sujet n'était point de ceux qui mettaient son bonheur en jeu, comme Henry était certainement meilleur juge en la matière, et comme il l'assura avec un sourire persuasif qu'ils n'avaient, Julia et lui, jamais réellement songé l'un à l'autre, elle se contenta de recommander à nouveau la prudence ainsi qu'elle l'avait fait précédemment, vis-à-vis de la sœur aînée, de le supplier de ne pas mettre en danger la tranquillité de son cœur par un excès d'admiration, et puis elle prit joyeusement part à tout ce qui pouvait contribuer à répandre sur tous la bonne humeur et à accroître ainsi les plaisirs des deux êtres si chers à son cœur.

« Je suis étonnée que Julia ne soit pas amoureuse d'Henry », fit-elle remarquer à Mary.

« Si vous voulez mon avis, c'est pourtant le cas », répondit Mary d'un ton froid. « J'imagine que les deux sœurs éprouvent les mêmes sentiments. »

« Toutes les deux ! non, non ; cela ne doit pas être. Ne lui en parlez pas. Pensez à monsieur Rushworth. »

« Vous feriez mieux de dire à mademoiselle Bertram de penser à monsieur Rushworth. Cela *lui* ferait peut-être du bien. Je pense souvent à monsieur Rushworth, à ses biens et à sa fortune personnelle, et souhaiterais les voir en d'autres mains, mais je ne songe jamais à *lui*. Un homme qui possède tant de terres et un pareil domaine pourrait représenter le comté ; il pourrait se dispenser de prendre une profession et représenter le comté. »

« À mon avis, il *sera* bientôt au parlement. Quand Sir Thomas rentrera, je crois qu'il sera prêt à faire campagne pour quelque bourg du comté, mais personne n'a pu jusqu'à présent le pousser à se porter candidat. »

« Sir Thomas devra accomplir des prodiges quand il rentrera », dit Mary, après un silence. « Vous rappelez-vous « l'Invocation au tabac » de Hawkins Browne, imitée de Pope ? »

« Feuille bénie ! dont les brises aromatiques dispensent
Aux Templiers la modestie et aux Pasteurs la sagesse. »

« Je pasticherai ainsi ces vers :

« Chevalier béni ! dont les regards meurtriers dispensent
Aux enfants la richesse, à monsieur Rushworth la sagesse. »

« Cela ne conviendra-t-il pas tout à fait, madame Grant ? Tout repose sur le retour de Sir Thomas. »

« Vous découvrirez sa valeur, et comme il est juste et raisonnable, quand vous le verrez dans sa famille, je vous l'assure. Ses manières sont dignes et nobles comme il sied au chef d'une telle maison, et il sait garder ses distances. Lady Bertram semble encore plus insignifiante maintenant que lorsqu'il est chez lui ; et mieux que personne il parvient à contenir madame Norris. Mais Mary, n'imaginez pas que Maria se soucie d'Henry. Je suis certaine que *Julia*, elle, ne s'en soucie guère, ou alors elle n'aurait pas, comme hier soir, flirté comme elle l'a fait avec monsieur Yates ; et bien que Maria et lui soient fort bons amis, je crois qu'elle aime trop Sotherton pour se montrer inconstante. »

« Je ne donnerais pas cher des chances de monsieur Rushworth, si Henry se mettait sur les rangs avant la signature du contrat. »

« Si vous avez de pareils soupçons, il faut faire quelque chose ; dès que la pièce sera terminée, nous lui parlerons sérieusement et lui ouvrirons les yeux, pour qu'il en décide ; et s'il demeure dans l'indécision, nous l'expédierons ailleurs pour quelque temps, tout Henry qu'il soit. »

Julia souffrait *vraiment*, bien que madame Grant ne s'en aperçût pas, et que ses souffrances pussent passer inaperçues aux yeux de la plupart des membres de la famille. Elle était tombée amoureuse, aimait encore, et endurait tous les tourments qu'étaient susceptibles d'infliger à une nature ardente et fougueuse un espoir déçu, cher à son cœur quoique irrationnel, ainsi que la ferme conviction qu'on en avait mal agi avec elle. Son cœur était cruellement blessé et empli de colère, et elle n'était capable de trouver de consolation que dans la colère. La sœur avec laquelle elle était accoutumée de vivre en bonne intelligence était désormais devenue sa plus grande ennemie ; elles s'étaient éloignées l'une de l'autre, et Julia se prenait à espérer que cessât cette cour assidue qui se poursuivait encore de ce côté, et cela dans l'affliction, et que quelque châtiment fût infligé à Maria pour la punir de s'être conduite de façon aussi abominable envers monsieur Rushworth et envers elle. Si, lorsque leurs intérêts étaient les mêmes, aucun défaut notable de caractère ou divergences d'opinion n'empêchaient les deux sœurs d'être d'excellentes amies, dans une épreuve pareille, leur affection mutuelle et leurs principes n'étaient pas suffisants pour éveiller leur sentiment de l'honneur, faire naître la compassion, et les rendre miséricordieuses ou équitables. Maria jouissait de son triomphe, et il était dans son intention de continuer ainsi, sans se soucier de Julia ; et Julia ne manquait jamais de souhaiter, lorsqu'elle voyait Henry Crawford traiter Maria avec des égards particuliers, que cela suscitât la jalousie et finît par un éclat public.

Fanny, qui comprenait à peu près tout ce qui se passait en Julia, avait grand-pitié d'elle ; mais il n'y avait entre elles aucun signe visible de sympathie. Julia ne lui faisait rien connaître de ses sentiments, et Fanny ne prenait aucune liberté. Elles souffraient toutes deux en silence, chacune de son côté, réunies seulement par la conscience qu'avait Fanny de leur situation.

Le peu d'attention que portaient les deux frères et la tante au désarroi de Julia, et leur aveuglement sur ses causes réelles pouvaient être imputés au fait que leur esprit était pleinement occupé. Ils étaient entièrement absorbés. Tom était plongé dans les soucis de son théâtre, et ne voyait rien, hormis ce qui s'y rattachait immédiatement. Edmond, partagé entre son rôle théâtral et son rôle réel, entre les droits de mademoiselle Crawford et le comportement qu'il devait avoir, entre l'amour et la logique, se montrait également peu observateur ; et madame Norris était trop affairée à organiser, à donner des ordres pour tout ce qui touchait aux menus problèmes de la compagnie, à présider à la fabrication des différents costumes, avec des expédients et une parcimonie dont personne ne lui savait gré, et à mettre de côté, avec une intégrité ravie, une demi-couronne par-ci par-là pour Sir Thomas, pour avoir le loisir d'observer en son absence la conduite de ses filles ou protéger leur bonheur.

CHAPITRE XVIII

Tout suivait maintenant normalement son cours ; le théâtre, les acteurs, les actrices et les costumes, tout avançait : mais bien qu'il n'y eût guère eu d'obstacles majeurs, Fanny s'aperçut, avant que quelques jours se fussent écoulés, que ce n'était pas pour chacun des participants une suite ininterrompue de plaisirs, et que ce qui s'offrait à elle n'était pas, ainsi que cela avait été le cas au début, le spectacle prolongé d'un ravissement unanime, chose qu'elle avait eu du mal à supporter dans les premiers temps. Chacun commença à essuyer des déboires. Edmond surtout. En dépit de tout ce qu'*il* put dire pour s'y opposer, un peintre de décors arriva de la ville et se mit à l'ouvrage, ce qui accrut la dépense et donna, pire encore, plus d'éclat à leur entreprise ; et il avait beau recommander que la représentation gardât un caractère privé, son frère Tom invitait toutes les familles qu'il lui arrivait de rencontrer. Il n'était pas jusqu'à Tom qui commençait à s'inquiéter de ce que le peintre de décors avançât si lentement, et à ressentir les souffrances de l'attente. Il avait appris son rôle, tous ses rôles, car avait-il pris tous ceux de moindre importance qui pouvaient être associés à celui de Majordome, et commençait à se montrer fort impatient de jouer ; et chaque jour d'inaction contribuait à augmenter le sentiment qu'il avait de l'insignifiance de tous ses rôles réunis, et à lui faire presque regretter qu'on n'eût pas choisi une autre pièce.

Fanny, qui était toujours une auditrice polie, et souvent la seule auditrice disponible, écoutait le récit de leurs griefs et de leurs malheurs. Elle savait que de l'avis général monsieur Yates déclamait ses rôles de la façon la plus abominable, que monsieur Yates était déçu par Henry Crawford, que Tom parlait si vite qu'il en était inintelligible, que madame Grant gâchait tout par ses rires, et que rien n'était plus pénible que d'avoir affaire à monsieur Rushworth qui réclamait pour chacune de ses tirades les soins d'un souffleur. Elle savait aussi que le pauvre monsieur Rushworth trouvait rarement quelqu'un qui voulût bien répéter avec lui ; *il* s'en ouvrit à elle, ainsi que le faisaient les autres ; et comme il apparut à Fanny que sa cousine Maria évitait celui-ci résolument, tout en répétant souvent et sans nécessité la première scène qui se déroulait entre elle et monsieur Crawford, elle fut bientôt emplie de terreur à l'idée que *monsieur Rushworth* pût s'en plaindre à elle. Loin de les trouver tous satisfaits et heureux, elle voyait que chacun d'entre eux réclamait quelque chose qu'il n'avait pas, donnant ainsi aux autres des sujets de mécontentement. Chacun avait un rôle qui était ou trop long ou trop court ; personne n'écoutait comme il fallait, personne ne se rappelait de quel côté de la scène il lui fallait entrer, personne en dehors du plaignant n'obéissait aux instructions.

Fanny découvrit qu'elle retirait de la pièce autant de plaisirs innocents que n'importe lequel d'entre eux ; Henry Crawford jouait fort bien, et elle aimait à se glisser dans le théâtre et à entendre répéter la première scène malgré les sentiments que certaines tirades suscitaient en elle à l'égard de Maria. Maria elle aussi jouait bien, pensait-elle, trop bien ; et après qu'on eut répété la scène une ou deux fois Fanny commença à être leur seul auditoire, et d'autant plus utile qu'elle était tantôt souffleur, tantôt spectatrice. Il lui paraissait que monsieur Crawford était de loin le meilleur acteur de tous ; il avait plus d'assurance qu'Edmond, plus de discernement que Tom, plus de talent et de goût que monsieur Yates. L'homme ne lui plaisait pas, mais elle devait reconnaître qu'il était excellent acteur, et il y en avait peu parmi eux qui fussent d'un avis contraire. Monsieur Yates, à dire vrai, se récria contre la fadeur insipide de son jeu, et vint enfin le jour où monsieur Rushworth se tourna vers elle d'un air sombre en lui disant : « Trouvez-vous quoi que ce soit d'intéressant dans toute cette affaire ? Par ma foi, je ne peux

éprouver de l'admiration pour lui ; c'est à mon avis une
chose fort ridicule, entre nous, que de voir un homme aussi
petit, rabougri et de si piètre apparence se donner des airs de
grand acteur. »

Dès cet instant, sa jalousie passée réapparut, et Maria ne
prit guère la peine de l'apaiser, tant ses espérances à l'égard
de monsieur Crawford augmentaient ; et il y avait de moins
en moins de chances que monsieur Rushworth parvînt jamais
au bout de ses quarante-deux tirades. Sa mère était la seule à
penser qu'il pourrait en tirer quelque chose de *passable*.
Madame Rushworth regrettait, à vrai dire, que le rôle
attribué à son fils ne fût pas plus considérable, et elle différa
sa venue à Mansfield jusqu'au moment où les répétitions
furent assez avancées pour inclure toutes les scènes dans
lesquelles il apparaissait, tandis que les autres n'avaient
qu'une seule ambition, qu'il fût capable de se rappeler au
moment voulu sa réplique, la première ligne de sa tirade, et
qu'il parvînt à suivre le souffleur. Fanny, par pitié et
gentillesse, s'efforça de lui montrer comment apprendre, lui
donnant tout le secours et les indications scéniques en son
pouvoir, essayant de constituer pour lui une mémoire
artificielle, d'apprendre elle-même chaque parole de son
rôle, mais ce fut en pure perte.

Certes, elle éprouvait bien des sentiments de gêne, d'inquiétude et de crainte ; mais ces sentiments ainsi que le temps
et l'attention consacrés aux autres faisaient qu'elle était loin
de se trouver parmi eux inemployée ou inutile, loin d'être la
seule à se sentir mal à son aise ; et il s'en trouvait toujours
pour réclamer son temps et sa compassion. Ses premières
prédictions, si pessimistes, s'avérèrent dépourvues de fonde-
ment. Elle était parfois utile aux autres ; elle était autant
sinon plus que les autres en paix avec elle-même. En outre on
avait besoin de ses services, car il y avait beaucoup de travaux
d'aiguille ; et de toute évidence madame Norris estimait
qu'elle était aussi heureuse que les autres, à en juger d'après
ce genre de déclarations : « Allons, Fanny », s'écriait-elle,
« voilà pour vous des instants fort agréables, mais il ne
faudrait pas que vous soyez toujours à passer d'une pièce à
l'autre et à jouer ainsi les spectateurs, toute à votre aise, j'ai
besoin de vous ici. Je me suis échinée au point de ne plus
pouvoir me tenir debout, à confectionner, sans faire venir de

satin supplémentaire, la cape de monsieur Rushworth ; et je
pense que vous pourriez m'aider maintenant à en assembler
les différents morceaux. Il n'y a que trois coutures à faire,
vous aurez terminé en un tournemain. Si je n'avais qu'à
exécuter les ordres, je m'estimerais heureuse. C'est *vous* qui
avez, croyez-moi, le plus beau rôle ; mais si personne n'en
faisait plus que *vous*, nous n'avancerions pas très vite. »

Fanny se mit à l'ouvrage paisiblement, sans essayer de se
défendre ; mais sa tante Bertram qui était plus bienveillante
fit observer :

« On ne saurait s'étonner que Fanny *soit* enchantée, ma
chère sœur ; c'est chose toute nouvelle pour elle, voyez-
vous ; autrefois nous aimions beaucoup, vous et moi, le
théâtre, et je l'aime encore ; j'ai l'intention, dès que j'aurai un
peu plus de temps libre, d'assister *moi* aussi à leurs répétitions. Quel est le sujet de la pièce, Fanny, vous ne m'en avez
rien dit ? »

« Oh ! ma chère sœur, je vous en prie, ne le lui demandez
pas maintenant ; car Fanny ne sait pas parler et travailler,
comme tant d'autres en même temps. On y parle de *Serments
d'amoureux* ».

« Je crois », dit Fanny, « que l'on va répéter trois actes
demain soir, et cela vous donnera l'occasion de voir tous les
acteurs à la fois ».

« Vous feriez bien d'attendre jusqu'à ce qu'on ait accroché
le rideau, madame Norris l'interrompit. « On accrochera le
rideau dans un jour ou deux, une pièce jouée sans rideau n'a
guère de sens ; et, si je ne m'abuse, il forme en se relevant de
magnifiques festons. »

Lady Bertram parut tout à fait résignée à attendre. Fanny
ne partageait pas le sang-froid de sa tante ; elle songeait
beaucoup au lendemain, car si l'on répétait les trois actes,
Edmond et mademoiselle Crawford joueraient alors ensemble pour la première fois ; le troisième acte amènerait entre
eux une scène qui l'intéressait tout particulièrement, et elle
redoutait de voir comment ils allaient la jouer, tout autant
qu'elle le désirait. Il n'y était question que d'amour ;
le gentleman devait y faire la description d'un mariage
d'amour, et la dame y prononcer des paroles qui ressemblaient fort à une déclaration d'amour.

Elle avait lu et relu la scène, et avait été partagée entre des

sensations douloureuses et beaucoup d'étonnement, et elle
attendait impatiemment de les voir jouer, comme s'il s'était
agi d'une circonstance à ne manquer à aucun prix. Elle ne
croyait pas qu'ils l'eussent déjà répétée, ne fût-ce qu'en
privé.

Le lendemain arriva, le projet prévu pour la soirée fut
maintenu et Fanny n'en fut pas moins troublée pour autant à
l'idée de la répétition du soir. Elle travailla fort diligemment
selon les instructions de sa tante, mais, sous cette diligence et
ce silence, il y avait un esprit distrait et plein d'inquiétude ;
aussi vers midi, prit-elle son ouvrage et gagna-t-elle à la
dérobée la chambre de l'Est, afin de se soustraire à cette autre
et à son avis inutile répétition du premier acte que proposait
au moment même Henry Crawford ; elle désirait à la fois
avoir du temps à elle et éviter monsieur Rushworth. Elle eut
beau apercevoir en traversant la grande salle les deux ladies
qui revenaient du presbytère, elle n'en eut pas moins envie de
chercher refuge dans la chambre de l'Est où elle travailla et
médita un quart d'heure, sans être dérangée ; il y eut alors un
petit coup discret à la porte et puis mademoiselle Crawford
entra.

« Je ne me suis pas trompée ? Non ; c'est bien la chambre
de l'Est. Ma chère mademoiselle Price, veuillez me pardonner, mais je me suis acheminée jusqu'à vous afin d'implorer
votre aide. »

Fanny, fort étonnée, s'efforça de faire les honneurs de sa
chambre, en faisant les politesses d'usage, et regarda avec
inquiétude la grille reluisante de sa cheminée où ne brûlait
aucun feu.

« Merci, j'ai chaud, très chaud. Permettez-moi de rester ici
un petit instant, et ayez l'obligeance de m'écouter réciter le
troisième acte. J'ai apporté mon livre, et si vous acceptiez de
répéter avec moi, je vous en serais *si* reconnaissante ! Je suis
venue ici aujourd'hui dans l'intention de répéter avec
Edmond, de notre côté, en prévision de ce soir, mais je ne l'ai
pas trouvé ; et même si je *l'avais trouvé*, je ne crois pas que
j'aurais pu aller jusqu'au bout de la scène avec *lui*, avant de
m'être un peu aguerrie, car *il y a* vraiment une ou deux
tirades. Vous allez m'obliger, n'est-ce pas ? »

Fanny la rassura le plus courtoisement du monde, bien que
sa voix fût mal assurée.

« Auriez-vous par hasard jeté un coup d'œil au passage dont je parle ? » poursuivit mademoiselle Crawford, en ouvrant le livre. « Le voici. Je ne lui avais guère prêté attention tout d'abord, mais ma foi — là, regardez *cette* tirade, et *celle-ci*, et *celle-là*. Comment pourrai-je jamais le regarder en face et lui dire des choses pareilles ? En seriez-vous capable ? Mais il est vrai qu'il est votre cousin, ce qui fait toute la différence. Il faut que vous répétiez la scène avec moi, que je puisse imaginer que *vous* êtes lui, et faire ainsi petit à petit quelques progrès. *Il y a* parfois entre *lui* et vous des airs de ressemblance. »

« Vraiment ? Je ferai de mon mieux, avec la meilleure volonté du monde, mais je *lirai* le rôle, car je n'en *connais par cœur* qu'une toute petite partie. »

« Je suppose que vous ne le connaissez *pas du tout*. Vous prendrez le livre bien sûr. Commençons maintenant. Il nous faut deux chaises à notre portée pour que vous puissiez les avancer sur le devant de la scène. Voilà ; ce sont de très bonnes chaises de salle de classe, peu faites pour un théâtre, assurément ; elles conviennent mieux à de petites filles, pour qu'elles s'y assoient et donnent des coups de pied dedans lorsqu'elles apprennent leurs leçons. Que dirait votre gouvernante et votre oncle s'ils les voyaient employées à cet usage ? Si Sir Thomas pouvait jeter un coup d'œil sur nous en cet instant, il ne se féliciterait guère, car l'on répète dans toute la maison. Yates se déchaîne et fulmine dans la salle à manger. Je l'ai entendu en montant l'escalier, et le théâtre est évidemment occupé par ces infatigables acteurs, Agatha et Frédéric, qui répètent inlassablement. Je *serais* fort étonnée s'*ils* n'atteignaient pas la perfection ; à propos, je les ai observés il y a cinq minutes, précisément à l'un des moments où ils essaient de *ne pas* tomber dans les bras l'un de l'autre, et monsieur Rushworth était avec moi. Je lui ai trouvé l'air bizarre, aussi ai-je coupé court du mieux que j'ai pu, en lui chuchotant à l'oreille : « Nous aurons une excellente Agatha, il y a quelque chose de si *maternel* dans ses manières, de si totalement *maternel* dans sa voix et dans l'expression de son visage. Ne me suis-je pas bien tirée d'affaire ? Il s'est rasséréné sur-le-champ. Venons-en maintenant à mon monologue. »

Elle commença, et Fanny lui donna la réplique avec toute

la réserve que l'idée d'incarner Edmond était à même de lui
inspirer ; mais sa voix et son air étaient à dire vrai ceux d'une
femme, si bien que l'image qu'elle donnait d'un homme
n'était pas très véridique. Avec un pareil Anhalt, toutefois,
mademoiselle Crawford s'enhardit, et elles étaient parvenues
à la moitié de la scène, lorsqu'un coup discret à la porte les fit
s'interrompre et l'instant d'après l'entrée d'Edmond mit un
terme à la répétition.

La surprise, l'embarras et la joie se succédèrent sur leurs
trois visages à cette rencontre inattendue ; et comme le but de
la visite que faisait Edmond était le même que celui de
mademoiselle Crawford, il était fort probable que cet
embarras et cette joie seraient plus que passagers. Lui aussi
avait son livre et était à la recherche de Fanny, car il voulait
lui demander de répéter avec lui, de l'aider à se préparer pour
la soirée, et il ne savait pas que mademoiselle Crawford se
trouvait dans la maison ; le plaisir et l'exaltation qu'ils éprouvèrent à se trouver ainsi réunis furent des plus vifs, et ils se
réjouirent de pouvoir comparer leurs projets et s'associèrent
pour faire l'éloge des bons offices que leur rendait Fanny.
Elle ne put rivaliser avec eux en témoignant du même
enthousiasme. *Son* courage faiblissait à mesure qu'ils s'ani-
maient et elle ne pouvait trouver de réconfort dans l'idée
qu'ils étaient tous deux venus la chercher, car elle se rendait
bien compte qu'elle était presque inexistante à leurs yeux. Le
moment était alors venu pour eux de répéter ensemble.
Edmond proposa de commencer, pressa et supplia la jeune
femme jusqu'à ce qu'elle ne puisse plus refuser, bien qu'elle
eût tout d'abord montré de la réticence, et ils n'eurent plus
besoin de Fanny sinon pour jouer le rôle de souffleur et pour
les observer. Elle fut à la vérité chargée de juger et de
critiquer, et on lui demanda instamment d'exercer cette
fonction et de leur signaler tous leurs défauts ; mais elle
répugnait de toute son âme à jouer ce rôle, elle ne pouvait, ne
voulait, ni n'osait essayer ; eût-elle été par ailleurs qualifiée
pour la critique que sa conscience l'eût retenue de se hasarder
à marquer de la désapprobation. Le sentiment qu'elle avait de
la situation en général était trop aigu somme toute pour lui
permettre d'être honnête et sincère dans les détails. Elle
devrait se contenter du rôle de souffleur ; et cette tâche fut
parfois presque au-dessus de ses forces ; car elle ne parvenait

pas toujours à concentrer son attention sur le livre. Elle s'oubliait à les observer ; et il lui arriva même une fois, émue qu'elle était de l'ardeur grandissante qui paraissait dans les manières d'Edmond, de fermer la page et de se détourner au moment précis où il avait besoin d'aide. Ceci fut mis sur le compte d'une lassitude bien naturelle, et ils la remercièrent et la plaignirent ; mais elle méritait leur pitié, pensa-t-elle, plus qu'ils ne le soupçonneraient jamais. La scène fut enfin terminée, et Fanny s'obligea à ajouter son éloge à ceux qu'ils s'adressaient mutuellement ; et quand elle se retrouva seule et capable de tout se remémorer, elle était encline à croire qu'ils joueraient la scène avec tant de naturel et de sentiment que ce serait, à n'en pas douter, tout à leur honneur, et que cela rendrait le spectacle fort pénible pour elle ; il lui faudrait pourtant, quels que puissent être les effets sur elle, affronter cette épreuve le soir même.

La première répétition des trois premiers actes devait avoir lieu dans la soirée, ainsi que cela avait été convenu ; madame Grant et les Crawford avaient promis de revenir dans ce but aussi vite que possible après le dîner ; et tous ceux qui étaient concernés attendaient ce moment avec la plus grande impatience. Une allégresse générale semblait s'être répandue partout pour la circonstance ; Tom était heureux que tout se fût finalement mis en train, Edmond était de bonne humeur depuis la répétition du matin, et les menues contrariétés semblaient s'être partout effacées ; ils étaient tous pleins d'ardeur et d'impatience ; bientôt les ladies se mirent en route, bientôt les gentlemen les suivirent, et tout le monde se trouva au théâtre de bonne heure ; et, après qu'on l'eut éclairé aussi bien que le permettait l'état des travaux, on n'attendit plus pour commencer que l'arrivée de madame Grant et des Crawford.

Les Crawford ne furent pas longs à arriver, mais madame Grant n'était pas avec eux. Elle ne pouvait venir. Le docteur Grant prétextait quelque indisposition, ce à quoi sa charmante belle-sœur ne prêtait guère foi, et déclarait ne pouvoir se passer des soins de sa femme.

« Le docteur Grant est malade », dit-elle avec une feinte gravité. « Il est sans cesse malade ; il n'a pas goûté au faisan aujourd'hui ; il l'a trouvé coriace, a renvoyé son assiette et depuis il est souffrant. »

« Quel contretemps ! » L'absence de madame Grant était
en vérité des plus fâcheuses. Ses manières aimables, son
entrain et sa docilité étaient précieux pour eux dans toutes les
circonstances, mais *maintenant* sa présence leur était indispensable. Il leur était impossible de jouer, il leur était
impossible de répéter sans elle de façon satisfaisante. Tout le
plaisir de la soirée était anéanti. Que faire ? Tom, Le
Villageois, était désespéré. Après un moment de silence
embarrassé, quelques regards commencèrent à se tourner
vers Fanny, une ou deux voix s'élevèrent pour dire : « Si
mademoiselle Price voulait bien être assez bonne pour *lire* le
rôle ». Elle fut assaillie de supplications, tous lui demandè-
rent de leur accorder cette faveur, et Edmond même dit :
« Acceptez, Fanny, si cela ne vous est pas trop pénible. »

Mais Fanny ne montrait guère d'empressement. Elle ne
pouvait supporter pareille idée. Pourquoi ne pouvait-on
recourir aux services de mademoiselle Crawford ? Pourquoi
n'était-elle pas plutôt allée dans sa chambre dans laquelle elle
se sentait à l'abri, au lieu d'assister à la répétition ? Elle savait
pourtant que cela ne ferait que l'irriter et l'affliger ; elle savait
bien qu'elle eût dû rester à l'écart. Elle était justement
punie.

« Il suffit que vous *lisiez* le rôle », dit Henry Crawford,
renouvelant sa prière.

« Et, en vérité, je crois qu'elle sait par cœur le rôle entier »,
ajouta Maria, « car elle a été capable l'autre jour de corriger
madame Grant en une vingtaine d'endroits. Fanny, je suis
sûre que vous connaissez le rôle ».

Fanny ne put *nier* le fait et comme ils insistaient tous,
comme Edmond réitéra sa requête, avec l'air de dire que tout
dépendait de son bon naturel, elle ne put que céder. Elle
ferait de son mieux. Tout le monde fut satisfait, et pendant
que les autres s'apprêtaient à commencer, elle demeura toute
tremblante et le cœur frémissant.

Ils *commencèrent* enfin, et ils étaient si absorbés par le
bruit qu'ils faisaient qu'ils n'entendirent pas le bruit inhabituel qui se produisait dans l'autre partie de la maison, et ils
avaient avancé quelque peu dans la scène lorsque la porte du
théâtre s'ouvrit violemment pour laisser apparaître Julia qui,
le visage tout bouleversé, s'écria : « Mon père est arrivé ! Il
est en ce moment même dans la grande salle. »

CHAPITRE XIX

Comment décrire la consternation générale ? Ils furent presque tous saisis d'une véritable terreur. Sir Thomas dans la maison ! Cela leur apparut immédiatement comme une certitude manifeste. Aucun ne nourrit l'espoir que c'était une supercherie ou une erreur. Le fait était indéniable, l'air de Julia en était la preuve vivante ; et une fois passés les premiers tressaillements et les premières exclamations, il n'y eut, pendant une demi-minute, pas une parole de prononcée ; chacun regardait les autres, chacun changeait de visage, et tous, ou presque tous sentaient combien fâcheux, combien épouvantable était le coup qu'on leur infligeait. Peut-être monsieur Yates considérait-il cette arrivée comme une simple contrariété qui ne faisait qu'interrompre le cours de la soirée, peut-être monsieur Rushworth s'imaginait-il qu'elle était pour lui une bénédiction, mais tous les autres étaient oppressés jusqu'au plus profond de leur cœur par un sentiment de culpabilité et de vague inquiétude et se demandaient : « Que va-t-il advenir de nous ? Que faire maintenant ? » Ce silence fut terrible ; et terrible aussi la confirmation qu'apportèrent à leurs oreilles les bruits de portes qui s'ouvraient et de pas qui se rapprochaient.

Julia fut la première à rompre le silence et son immobilité. Jalousie et rancœur étaient en suspens : l'égoïsme disparaissait dans cette cause commune ; mais au moment où elle fit son apparition, Frédéric était en train d'écouter le récit d'Agatha avec des airs de dévotion, et de presser sa main sur son cœur, ce qu'elle ne manqua pas de remarquer, et lorsqu'elle se rendit compte que malgré le choc subi il ne lâchait pas la main de sa sœur, son cœur blessé se gonfla sous l'outrage, et, toute aussi rouge maintenant qu'elle avait été pâle auparavant, elle fit demi-tour et quitta la salle sur ces paroles : « Je ne redoute pas *moi* de paraître devant lui. »

Son départ réveilla les autres ; les deux frères avancèrent au même instant de quelques pas, animés par le besoin d'agir. Un petit nombre de mots leur suffit. L'affaire ne supportait pas qu'il y eût entre eux de désaccord ; il était de leur devoir de se rendre au salon sans plus tarder. Maria se joignit à eux, poussée par le même désir, et se montra la plus résolue des trois ; car cette circonstance qui avait chassé Julia était pour elle le plus délicieux des réconforts. Qu'Henry Crawford eût gardé sa main dans la sienne en un pareil moment, moment d'une valeur particulière, d'une importance capitale, cela méritait bien que l'on doutât et s'inquiétât pendant des siècles. Elle salua cet instant comme le gage d'une décision irrévocable, et se sentit de taille même à affronter son père. Ils s'en allèrent sans prêter la moindre attention à monsieur Rushworth qui ne cessait de répéter cette question : « Irais-je moi aussi ? Ne ferais-je pas mieux d'y aller aussi ? Ne serait-ce pas une bonne chose si j'y allais moi aussi ? » mais ils n'eurent pas plus tôt franchi la porte qu'Henry Crawford entreprit de répondre à ces questions qui révélaient une si grande perplexité ; il l'exhorta à ne pas hésiter à rendre hommage à Sir Thomas sans plus attendre et l'envoya là-dessus rejoindre les autres avec un empressement ravi.

Fanny demeura en la seule compagnie des Crawford et de monsieur Yates. Ses cousins et cousines l'avaient totalement oubliée ; et comme elle se jugeait trop humble pour avoir droit à l'affection de Sir Thomas et prétendre pouvoir se ranger parmi ses enfants, elle fut heureuse de demeurer en arrière et d'avoir ainsi le temps de reprendre ses esprits. Son émotion et son inquiétude étaient à leur comble et surpassaient de loin celles des autres, par le privilège d'une nature que l'innocence même ne pouvait empêcher de souffrir. Elle était sur le point de s'évanouir ; toutes ses terreurs passées lorsqu'elle songeait à son oncle ressurgissaient, et elle éprouvait une certaine compassion envers lui et envers presque tous les membres de leur compagnie théâtrale en pensant à la tournure qu'avaient prises les choses et à celui qui devrait affronter une pareille situation ; il y avait de plus chez elle de l'appréhension et une sollicitude indicible envers Edmond. Elle avait trouvé un siège, s'était assise et demeurait là toute tremblante, souffrant excessivement à l'idée de toutes ces choses effroyables, tandis que les trois autres, qui n'étaient retenus par aucune contrainte, déploraient cette arrivée intempestive et prématurée, s'affligeaient de cet événement si malencontreux et regrettaient, sans témoigner de la moindre miséricorde, que le voyage en mer de Sir Thomas n'eût pas été deux fois plus long, ou qu'il ne fût pas resté à Antigua.

Les Crawford s'échauffèrent plus vivement sur le sujet que monsieur Yates, car ils comprenaient mieux la famille et voyaient plus clairement la confusion qui s'ensuivrait nécessairement. C'était une certitude pour eux, c'en était fait de la pièce ; ils sentaient que l'anéantissement total de leur projet était fatal et proche ; alors que monsieur Yates considérait qu'il s'agissait seulement d'une interruption passagère, d'une catastrophe d'un soir, et allait jusqu'à proposer qu'on reprît la répétition après le thé, une fois que serait terminé le remue-ménage de l'arrivée et que Sir Thomas aurait le temps de se laisser peut-être divertir. Une pareille idée fit rire les Crawford ; et étant tombés bientôt d'accord qu'il serait bienséant de rentrer tranquillement chez eux et de laisser la famille en décider par elle-même, ils proposèrent à monsieur Yates de les accompagner et de passer la soirée au presbytère. Mais monsieur Yates ne pouvait juger une telle chose nécessaire, car les gens qu'il fréquentait n'avaient pas une haute opinion des droits de la famille et ne croyaient guère qu'existât entre parents une confiance mutuelle ; il les remercia donc et répondit « qu'il préférerait rester là où il se trouvait afin de se conduire en galant homme et présenter ses respects au vieux gentleman, puisque celui-ci *était* arrivé ; et qu'en outre ce serait se montrer peu équitable envers les autres que de déguerpir ».

Au moment où les trois autres réglaient cette affaire, Fanny commençait à peine à retrouver ses esprits et à penser que si elle demeurait en arrière plus longtemps cela pourrait paraître une marque d'irrespect ; elle laissa le frère et la sœur lui présenter leurs excuses et se préparer à s'en aller, et quitta

elle aussi la pièce pour accomplir le terrible devoir que
représentait pour elle le fait de paraître devant son oncle.

Le moment où elle se trouva à la porte du salon arriva trop
vite à son gré, et après qu'elle se fut arrêtée un instant à
attendre qu'arrivât cette chose, elle le savait bien irréalisable,
c'est-à-dire ce courage qui lui faisait toujours défaut devant
une porte fermée, elle tourna en désespoir de cause le bouton
et vit surgir devant elle les lumières du salon et la famille au
grand complet.

Au moment où elle entrait, elle entendit prononcer son
nom. Sir Thomas était à cet instant en train de regarder
autour de lui et de dire : « Mais où est Fanny ? Pourquoi ne
vois-je pas ma petite Fanny ? » et l'apercevant, il s'avança
vers elle avec une amabilité dont elle fut toute surprise et
pénétrée, l'appelant sa chère Fanny, l'embrassant affectueusement, et faisant remarquer avec un air de plaisir indéniable
qu'elle avait beaucoup grandi ! Fanny ne savait où se mettre
ni où poser ses regards. Elle était tout à fait accablée. Il ne
s'était jamais de sa vie montré envers elle aussi bienveillant, *à
ce point* bienveillant. Son comportement lui semblait changé ; l'émotion due à la joie donnait à sa voix de la vivacité, et
tout ce que sa dignité avait pu comporter de terrible s'était
comme fondu en tendresse. Il la fit venir à la lumière et la
regarda à nouveau, s'enquit tout particulièrement de sa
santé, et puis se reprenant, fit remarquer qu'il n'était *nul
besoin* de s'enquérir, car à voir son air on était suffisamment
éclairé sur ce point. Une vive rougeur ayant succédé à la
pâleur qui recouvrait auparavant son visage, il se convainquit
également des progrès qu'avaient faits sa santé et sa beauté. Il
prit ensuite des nouvelles de sa famille et de William en
particulier ; et sa grande bonté était telle qu'elle se reprochait
de si peu l'aimer et de considérer son retour comme un
malheur ; et lorsqu'elle eut le courage de lever les yeux vers
son visage, qu'elle vit que celui-ci était amaigri, et que la
fatigue et l'ardeur du climat lui avaient donné cet air fourbu
et ce teint brûlé, les sentiments de tendresse qu'elle éprouvait
à son égard en furent accrus, et elle était malheureuse quand
elle pensait à toutes les complications insoupçonnées qui
allaient lui être révélées.

Sir Thomas qui avait fait asseoir tout le monde autour du
feu était à la vérité le boute-en-train de la soirée. C'était à lui

que revenait le droit de parler ; et le bonheur qu'il ressentait à se sentir à nouveau parmi les siens, dans sa maison, après une aussi longue absence, le rendait communicatif et loquace au plus haut point ; et il était prêt à fournir tous les renseignements sur son voyage au long cours, et à répondre aux questions de ses deux fils avant même qu'ils ne les eussent posées. Ses affaires à Antigua avaient dans les derniers temps prospéré rapidement, et il était venu tout droit à Liverpool, ayant eu la possibilité de faire la traversée jusque-là dans le navire d'un particulier, au lieu d'attendre le paquebot ; et ce fut avec le plus grand empressement qu'il raconta ses faits et gestes par le menu, et fit le récit de ses arrivées et départs ainsi que celui des actions qu'il avait entreprises, tout en demeurant assis aux côtés de Lady Bertram et en regardant tous les visages autour de lui avec un plaisir sincère, s'interrompant maintes fois, cependant, pour signaler quelle avait été sa bonne fortune de les trouver tous à la maison, alors qu'il était arrivé à l'improviste, et de les voir rassemblés comme il l'avait précisément souhaité, sans oser en être certain. Monsieur Rushworth ne fut pas oublié ; il l'avait accueilli fort amicalement et avec force poignées de mains chaleureuses, et le rangeait désormais au nombre des êtres qui s'étaient attachés à Mansfield le plus intimement. Il n'y avait rien dans l'apparence de monsieur Rushworth qui fût désagréable, et Sir Thomas commençait déjà à l'aimer.

Mais dans le groupe rassemblé autour de la cheminée, personne plus que sa femme ne l'écoutait avec un plaisir aussi pur et constant, car elle était réellement extrêmement heureuse de le voir ; son arrivée subite avait donné une telle vivacité à ses sentiments qu'elle se trouvait plus près d'être émue qu'elle ne l'avait été au cours des vingt dernières années. Pendant quelques minutes, elle avait *presque* montré de l'agitation, et était encore à ce point troublée qu'elle mit de côté son ouvrage, éloigna Pug et abandonna tout le reste du sofa à son mari. Aucune inquiétude pour qui que ce fût ne venait assombrir *son* plaisir ; elle avait occupé son temps pendant son absence de façon irréprochable ; elle avait fait quantité d'ouvrages de tapisserie et fabriqué de nombreux mètres de frange de passementerie ; et elle eût répondu de la bonne conduite et des activités fructueuses de tous les jeunes gens avec autant de confiance que des siennes. Il lui était si

agréable de le revoir, de l'entendre parler, de sentir son
oreille et son esprit s'emplir de ses récits, de se laisser
divertir, qu'elle se prit à penser en particulier qu'elle
avait sans doute horriblement souffert de son absence,
et qu'elle n'eût pu supporter qu'elle se prolongeât plus
longtemps.

On ne pouvait nullement comparer le bonheur de madame
Norris avec celui qu'éprouvait sa sœur. Non qu'*elle* fût
incommodée par la crainte d'encourir la désapprobation de
Sir Thomas lorsqu'il découvrirait dans quel état se trouvait la
maison, car ses facultés de jugement avaient été aveuglées à
tel point qu'à part la prudence instinctive qui lui avait fait
escamoter prestement la cape de satin rose de monsieur
Rushworth lorsque son beau-frère était entré, on ne pouvait
guère dire qu'elle eût montré le moindre signe d'inquiétude ;
mais elle était contrariée par la *tournure* que prenaient les
choses pour son retour. Il ne lui restait rien à faire. Au lieu de
l'envoyer chercher, lui permettant ainsi d'être la première à le
voir, d'être celle qui répandrait la bonne nouvelle dans toute
la maison, Sir Thomas qui avait à juste titre une confiance
absolue dans les nerfs de sa femme et ceux de ses enfants,
n'avait cherché d'autre confident que le majordome, et l'avait
suivi presque aussitôt au salon. Madame Norris se sentait
dépossédée du rôle qui eût dû, l'avait-elle espéré, être le sien,
celui de communiquer la nouvelle, qu'elle fût celle de son
arrivée ou celle de sa mort ; et elle essayait maintenant de se
donner du mouvement, sans qu'il y eut pour elle de raison de
faire l'empressée, et s'appliquait à se donner des airs importants alors que l'on n'avait besoin que de silence et de
tranquillité. Sir Thomas eût-il consenti à manger, qu'elle s'en
serait allée harceler la femme de l'intendant et lui donner des
ordres, et aurait fait affront aux valets de pied en leur
enjoignant de faire diligence ; mais Sir Thomas déclina
résolument tout offre de dîner ; il ne voulait rien prendre
avant l'heure du thé, il préférait attendre jusque-là. Madame
Norris n'en continuait pas moins cependant à le presser de
changer d'avis, et au passage le plus intéressant du récit qu'il
faisait de son voyage à destination de l'Angleterre, alors que
l'inquiétude due à la présence d'un corsaire français était
portée à son comble, elle interrompit brusquement sa
narration en lui proposant de la soupe : « Sans aucun doute,

mon cher Sir Thomas, un bol de soupe vous ferait plus de bien que du thé. Prenez un bol de soupe. »

Sir Thomas ne pouvait se fâcher. « Toujours le même souci du bien-être des autres, ma chère madame Norris », fut sa réponse. « Mais en vérité je préfère ne rien prendre que du thé. »

« Eh bien alors, Lady Bertram, si nous demandions qu'on nous apporte le thé sur l'heure, si nous pressions Baddeley de se hâter, on dirait qu'il est en retard ce soir. » Elle l'emporta sur ce point, et Sir Thomas poursuivit son récit.

Il y eut enfin un silence. Les nouvelles les plus importantes étaient épuisées, et il se contentait, semblait-il, de regarder joyeusement autour de lui, de poser les yeux tantôt sur l'un, tantôt sur l'autre membre de sa famille chérie ; mais le silence ne fut pas long ; dans l'ardeur de son exaltation Lady Bertram devint bavarde, et quels furent les sentiments de ses enfants à l'entendre dire : « Comment croyez-vous que ces jeunes gens se soient amusés récemment, Sir Thomas. Ils ont fait du théâtre. Nous avons tous été occupés à faire du théâtre. »

« Vraiment, et qu'avez-vous joué ? »

« Oh ! ils vont tout vous raconter. »

« Ce *tout* sera vite dit », s'écria Tom précipitamment et avec une feinte indifférence ; « mais ce ne vaut pas la peine qu'on ennuie mon père avec cette histoire maintenant. Vous en apprendrez, monsieur, suffisamment là-dessus demain. Nous avons seulement essayé, pour faire quelque chose et divertir notre mère, et cela uniquement depuis la dernière semaine, de monter quelques scènes, une pure bagatelle. Nous avons eu depuis le début du mois d'octobre tant de pluies incessantes, que nous avons été confinés à la maison pendant des jours d'affilée. Je n'ai guère pris mon fusil depuis le 3 octobre. Assez bonne chasse les trois premiers jours, mais il n'y a pas eu depuis d'autre tentative. Le premier jour j'ai parcouru le Bois de Mansfield, et Edmond s'est chargé des taillis de l'autre côté d'Easton, et nous avons rapporté six paires à nous deux, et aurions pu en abattre chacun six fois plus ; mais nous respectons nos faisans, monsieur, soyez-en sûr, autant que vous pouvez le souhaiter. Vous trouverez, je crois, vos bois aussi bien pourvus qu'ils l'étaient avant votre départ. *Je* n'ai de ma vie vu autant de faisans que cette année dans le Bois de Mansfield. J'espère, monsieur, que vous consacrerez bientôt une de vos journées à la chasse. »

Le danger se trouvait pour l'instant écarté, et le désarroi de Fanny s'apaisa ; mais peu de temps après qu'on eut servi le thé, Sir Thomas se leva en déclarant qu'il ne pouvait rester plus longtemps sans jeter un coup d'œil à la pièce de la maison qui lui était si chère ; ce fut alors à nouveau un émoi général. Il sortit sans qu'on eût pu dire quoi que ce fût pour la préparer aux transformations qu'il devait y rencontrer ; et un instant d'inquiétude suivit son départ. Edmond fut le premier à prendre la parole.

« Il faut faire quelque chose », dit-il.

« Il est temps de penser à nos visiteurs », dit Maria qui avait encore l'impression qu'Henry Crawford pressait sa main contre son cœur, et ne se souciait guère d'autre chose. « Où avez-vous laissé mademoiselle Crawford, Fanny ? »

Fanny dit qu'elle était partie et lui communiqua leur message.

« Alors le pauvre Yates est tout seul », s'écria Tom. « Je vais aller le chercher. Il nous prêtera main-forte quand tout sera découvert. »

Il se dirigea vers le théâtre, et y parvint à temps pour assister à la première rencontre entre son père et son ami. Si Sir Thomas avait été fort surpris de voir brûler des bougies dans sa pièce, et de voir, lorsqu'il jeta les yeux autour de lui, d'autres symptômes d'habitation récente, ainsi qu'un air général de désordre dans l'ameublement, l'enlèvement de la bibliothèque, qui ne se trouvait plus devant la porte de la salle de billard, le frappa tout particulièrement ; mais il n'eut guère le temps de s'en étonner, car voilà que lui parvenaient de cette même salle des bruits qui l'étonnèrent encore bien plus. Quelqu'un y était en train d'y parler à haute voix, en martelant ses mots, et avec un fort accent étranger ; il ne reconnut pas la voix ; en fait cette voix faisait *plus* que parler sur le ton de la conversation, elle poussait presque des clameurs. Il s'avança jusqu'à la porte, se réjouissant en cet instant d'avoir le moyen de communiquer ainsi immédiatement avec l'autre pièce, et ouvrant celle-ci, se trouva sur la scène d'un théâtre, et confronté avec un jeune homme qui était en train de déclamer avec extravagance, et tout prêt, lui

parut-il, à le bousculer et le faire tomber à la renverse, et tout
cela à l'instant même où Yates apercevait Sir Thomas et
sursautait, faisant peut-être ainsi le plus beau saut qu'il eût
jamais fait tout au long des répétitions, et au moment aussi
où Tom Bertram entrait à l'autre bout de la pièce ; celui-ci
n'avait jamais éprouvé tant de peine à garder son sérieux.
L'air de gravité et d'étonnement qu'avait pris son père à se
trouver ainsi sur scène pour la première fois ainsi que la
métamorphose progressive du Baron Wildenheim qui laissait
là sa passion pour redevenir lentement monsieur Yates,
reprenant ses manières courtoises et policées, saluant, et
présentant ses excuses à Sir Thomas Bertram, étaient un
spectacle tel, un tel exemple de théâtre authentique qu'il
n'eût pour rien au monde voulu le manquer. Ce serait
vraisemblablement la dernière scène qui se jouerait dans ce
théâtre ; mais elle se rangeait parmi les plus belles. Et ce serait
sur un coup d'éclat que le théâtre fermerait ses portes.

Ce n'était guère le moment toutefois de se complaire à des
tableaux divertissants. Il était de son devoir de s'avancer et de
prêter son concours pour que les présentations soient faites,
ce qu'il fit du mieux qu'il le put, avec un sentiment profond
d'embarras. Sir Thomas accueillit monsieur Yates avec tous
les dehors de cordialité que réclamait son personnage, mais il
était en fait loin d'être heureux d'avoir été contraint de faire
sa connaissance, ainsi que de la façon dont ils s'étaient pour
la première fois rencontrés. Il connaissait suffisamment la
famille et la parenté de monsieur Yates pour ressentir comme
un incident des plus fâcheux cette rencontre avec « l'ami
intime » de son fils, ou plutôt l'un parmi la centaine d'amis
intimes que possédait son fils ; et il fallut toute la félicité qu'il
éprouvait à être de nouveau chez lui, et toute la patience qu'il
pouvait mettre en œuvre, pour le préserver de l'accès de
colère qui eût dû le saisir à se voir ainsi désorienté dans sa
propre maison ; à se voir contraint d'être l'acteur involon-
taire d'un spectacle ridicule ; à se voir obligé fort malencon-
treusement de faire la connaissance d'un jeune homme qui
n'était assurément pas du tout à son goût, et dont l'indifférence désinvolte et la volubilité pendant le cours des cinq
premières minutes semblaient le désigner comme celui des
deux qui se sentait le plus à l'aise.

Tom comprit ce que pensait son père, et il se prit à espérer

qu'il pût toujours se montrer disposé à n'exprimer qu'en
partie ses pensées ; il commença à voir plus clairement qu'il
ne l'avait fait auparavant que Sir Thomas avait peut-être lieu
de se sentir offensé, et que le coup d'œil qu'il lançait au
plafond et au stuc de la salle avait peut-être quelque raison
d'être ; et que lorsqu'il demandait avec une gravité empreinte
de douceur ce qu'il était advenu de la table de billard, ce
n'était pas une légitime curiosité qui le poussait à poser cette
question. Quelques minutes suffirent pour produire de part
et d'autre ces sensations désagréables ; et après que Sir
Thomas se fut donné du mal pour prononcer sereinement
quelques paroles d'approbation en réponse aux ardentes
prières de monsieur Yates qui le conjurait de dire s'il trouvait
heureuses les dispositions prises, les trois gentlemen s'en
retournèrent au salon, où la gravité accrue de Sir Thomas ne
passa pas inaperçue aux yeux de certains d'entre eux.

« Je viens de votre théâtre », dit-il paisiblement en s'asseyant. « Je l'ai découvert de façon plutôt inattendue.
Comme il se trouvait si près de ma pièce — mais en vérité j'ai
été à tous égards pris par surprise et je ne soupçonnais pas le
moins du monde que votre représentation avait revêtu un
caractère aussi sérieux. Ce me paraît du travail bien fait,
autant que j'ai pu en juger à la clarté des bougies, qui fait
honneur à mon ami Christopher Jackson. » Il eut désiré alors
changer de sujet et boire son thé à petites gorgées, tout en
parlant d'affaires domestiques en toute tranquillité ; mais
monsieur Yates ne possédait ni le discernement qui lui eût
permis de comprendre quelles étaient les intentions de Sir
Thomas, ni la délicatesse de sentiments, la sagesse ou la
modestie qui lui eussent permis de mener la conversation
tout en se faisant le moins remarquer et en se mêlant aux
autres, s'obstinait à remettre sans cesse le sujet sur le tapis, à
le harceler de questions et de remarques s'y rapportant, et
pour finir s'entêta à lui faire le récit complet de ses
désillusions à Ecclesford. Sir Thomas écouta poliment, le
plus poliment du monde, mais nombreuses furent les choses
qui tout au long de l'histoire offensaient sa conception de la
bienséance et confirmaient la mauvaise opinion qu'il avait des
habitudes de pensée de monsieur Yates ; et quand le récit fut
terminé, il ne parvint à donner d'autre témoignage de son
approbation qu'en inclinant légèrement la tête.

« Voilà en fait quelle est l'origine de *notre* représentation », dit Tom après un instant de réflexion. « Mon ami nous a apporté la contagion d'Ecclesford, et elle s'est répandue comme ces choses-là se répandent toujours, voyez-vous, monsieur, et cela d'autant plus vite sans doute que *vous* nous y aviez souvent vous-même encouragés autrefois. Nous avancions pour ainsi dire en terrain connu. »

Monsieur Yates ne le laissa pas parler plus longtemps, et raconta sur-le-champ à Sir Thomas ce qu'ils avaient fait et étaient en train de faire ; il lui apprit comment leur projet avait peu à peu pris de l'ampleur, lui fit connaître la solution heureuse qu'ils avaient eu le bonheur de trouver pour résoudre leurs premières difficultés, et décrivit l'état promet-teur des choses au moment présent ; et entraîné qu'il était par une ardeur aveugle, non seulement il rapportait chaque chose sans se rendre compte que ses amis s'agitaient sur leurs sièges l'air fort embarrassé, qu'ils changeaient de visage, ne tenaient pas en place, toussotaient dans leur inquiétude, mais encore cet enthousiasme l'empêchait même de voir l'expression du visage sur lequel son regard était fixé, de voir le front de Sir Thomas déjà assombri se contracter lorsqu'il regardait ses filles et Edmond, s'attardant tout particulièrement sur ce dernier, et de comprendre que le langage de ses yeux était chargé des reproches et des remontrances qu'*il* ressentait au plus profond de *son* cœur. Cette réprobation, Fanny la ressentait très vivement ; elle avait repoussé sa chaise derrière le coin du sofa où était assise sa tante, et à l'abri des regards, regardait tout ce qui se passait sous ses yeux. Elle eût cru impossible qu'il lui fût jamais donné de voir Sir Thomas adresser un pareil regard de reproche à son fils, et sentir qu'à la vérité il le méritait dans une certaine mesure aggravait encore les choses. Le regard de Sir Thomas voulait dire : « Je comptais sur votre bon sens, Edmond ; que s'est-il passé ? » En pensée, elle s'agenouillait devant son oncle, et sa poitrine se soulevait car elle mourait d'envie de prononcer ces mots : « Oh ! ne *le* regardez pas ainsi. Les autres, oui, mais pas *lui* ! »

Monsieur Yates continuait à discourir. « Pour dire le vrai de l'affaire, Sir Thomas, nous étions au milieu d'une répétition quand vous êtes arrivé ce soir. Nous travaillions aux trois premiers actes, et la tentative était ma foi assez

réussie. Notre compagnie s'est dispersée, les Crawford sont
rentrés chez eux, si bien que nous ne pouvons rien entreprendre ce soir ; mais si vous nous faites l'honneur de votre
compagnie demain soir, vous ne le regretterez pas. Nous
sollicitons votre indulgence, vous le comprenez, comme
acteurs novices ; nous sollicitons votre indulgence. »

« Mon indulgence vous sera accordée, monsieur », répondit Sir Thomas gravement, « mais sans qu'il y ait d'autre
répétition ». Et se radoucissant il ajouta avec un sourire : « Je
rentre chez moi afin d'être heureux et indulgent. » Puis il se
tourna vers les autres, sans qu'on pût savoir s'il s'adressait à
tous ou à l'un d'eux en particulier : « Dans les dernières
lettres que j'ai reçues de Mansfield, on m'a parlé de monsieur
et de mademoiselle Crawford. Les avez-vous trouvés
d'agréable compagnie ? »

Tom fut le seul à avoir une réponse prête, mais comme
aucun sentiment particulier à leur égard ne l'animait, qu'il
n'avait pour l'un comme pour l'autre aucune jalousie amoureuse ou de théâtre, il sut parler des deux fort élégamment.
« Monsieur Crawford est un homme aimable qui a l'air d'un
gentleman ; sa sœur une charmante et jolie jeune fille,
élégante et pleine de vivacité. »

Monsieur Rushworth ne put se contenir plus longtemps.
« Je ne dis pas que ce n'est pas un galant homme, somme
toute ; mais vous devriez dire à votre père qu'il n'a pas plus
de cinq pieds huit pouces, ou alors il s'attendra à voir un bel
homme. »

Sir Thomas ne comprenait pas très bien ce qu'il entendait
par là, et il regarda l'orateur avec un certain étonnement.

« S'il m'est permis de dire ma pensée », poursuivit monsieur Rushworth, « c'est à mon avis une chose fort désagréable que d'être toujours en train de répéter. Abondance de
biens nuit. Je n'ai plus autant envie de jouer qu'au début. Je
trouve que nous sommes mieux employés, assis comme nous
le sommes en bonne compagnie et à notre aise, à ne rien
faire. »

Sir Thomas le regarda à nouveau et puis répondit avec un
sourire approbateur. « Je suis heureux de voir que nos
sentiments sont si semblables sur ce point. Vous m'en voyez
sincèrement ravi. Que je sois circonspect et perspicace, et
éprouve des scrupules que mes enfants n'*éprouvent pas*, il

n'y a rien là que de parfaitement naturel ; comme il est également naturel que *j'attache* du prix à la paix domestique, à un foyer qui écarte les plaisirs tapageurs, bien plus qu'ils ne le font. Mais que vos sentiments soient tels à l'âge que vous avez, parle le plus favorablement du monde en votre faveur, et en la faveur de tous ceux de votre parenté ; et j'apprécie l'importance d'avoir un allié aussi puissant. »

Sir Thomas voulait par ce discours exprimer l'opinion de monsieur Rushworth en des termes plus choisis que ceux que celui-ci était capable de trouver par lui-même. Il se rendait compte qu'il ne devait pas s'attendre à découvrir un génie en la personne de monsieur Rushworth ; mais il avait l'intention de montrer de la considération à l'égard du jeune homme posé et sérieux qu'il était, jeune homme dont les idées valaient mieux que ne pouvait le laisser entendre sa façon de s'exprimer. Les auditeurs ne purent se retenir de sourire. Monsieur Rushworth ne savait quelle contenance prendre en entendant tant de louanges ; mais en paraissant ce qu'il était réellement, c'est-à-dire extrêmement satisfait de la haute opinion qu'avait de lui Sir Thomas, et en ne disant quasiment rien, il fit tout ce qu'il fallait pour préserver un peu plus longtemps cette haute opinion.

CHAPITRE XX

Le lendemain matin, Edmond décida tout d'abord d'avoir un entretien en tête à tête avec son père afin de dresser pour lui le tableau des événements qui s'étaient déroulés lorsqu'ils avaient entrepris ce projet de théâtre ; et il était fermement résolu, maintenant qu'il avait repris ses esprits, à ne se défendre que dans la mesure où il jugerait le mériter ; il reconnaissait avec une parfaite candeur que le compromis auquel il en était arrivé n'avait qu'en partie produit de bons résultats, si bien qu'il doutait fort d'avoir fait preuve de sagesse. Il désirait vivement ne rien dire qui fût désobligeant envers les autres, au moment où il soutiendrait sa propre cause ; mais il n'y avait parmi eux qu'une seule personne dont il pourrait mentionner la conduite sans avoir à la défendre ou à la disculper. « Nous méritons tous plus ou moins des reproches », dit-il, « tous tant que nous sommes, à l'exception de Fanny. Fanny est la seule qui ait su discerner ce qu'il était juste de faire d'un bout à l'autre, et qui a été conséquente avec elle-même. *Elle* s'est élevée constamment contre ce projet et ce du début à la fin. Elle n'a jamais cessé de penser à ce qui vous était dû. Fanny s'est montrée, comme vous vous en apercevrez, celle que vous souhaitiez qu'elle fût ».

Sir Thomas vit tout ce qu'avait d'inconvenant un pareil projet, à un pareil moment, et au sein d'une pareille société, et il réagit aussi vigoureusement qu'Edmond l'avait supposé ; ses sentiments là-dessus étaient trop vifs pour qu'il les exprimât par de nombreuses paroles ; il se contenta de serrer

la main de son fils, signifiant par là qu'il entendait faire
disparaître ces sensations pénibles et oublier aussi vite que
possible combien vite on l'avait lui oublié, dès que la maison
aurait été débarrassée de tout ce qui était susceptible de lui
rappeler de pareils souvenirs et rétablie en l'état où elle devait
être. Il n'admonesta aucunement ses autres enfants : il était
plus disposé à croire qu'ils avaient conscience de leurs
erreurs, que désireux de se hasarder à pousser plus loin son
enquête. Il lui suffirait pour marquer sa réprobation de
mettre sur-le-champ un terme aux travaux en cours et de
faire place nette en enlevant ce qui avait été aménagé.

Il ne voulait pas toutefois qu'une certaine personne dans la
maison apprît quelle était sa façon de penser seulement à
travers sa conduite. Il ne put s'empêcher de laisser entendre à
madame Norris qu'il eût souhaité voir ses conseils faire
obstacle à ce projet que son bon sens avait sans aucun doute
désapprouvé. Les jeunes gens s'étaient montrés fort insou-
ciants ; ils eussent dû être capables d'arrêter leur choix
autrement ; mais ils étaient jeunes et, hormis Edmond, peu
raisonnables à son avis ; il ne pouvait donc manquer d'être
étonné qu'elle eût donné son assentiment à des mesures si
peu judicieuses et accordé son soutien à des divertissements
aussi dangereux ; cela le surprenait plus que le fait même
qu'un pareil divertissement eût été proposé. Madame Norris
fut quelque peu décontenancée, et plus près d'être réduite au
silence qu'elle ne l'avait jamais été dans sa vie ; car elle avait
honte d'avouer qu'elle n'avait rien vu là d'inconvenant, alors
que cela paraissait si manifeste pour Sir Thomas, et elle eût
refusé de reconnaître que son autorité était insuffisante et ses
paroles inefficaces. Sa seule ressource fut de laisser tomber le
sujet aussi vite que possible, et de changer le cours des pensées
de Sir Thomas pour leur donner un tour plus heureux.
Faisant son propre éloge, elle laissa habilement entendre
qu'elle avait beaucoup fait *d'une façon générale* pour défendre les intérêts de la famille et veiller à son bien-être, et fit
allusion à ses nombreux efforts et sacrifices sous la forme de
marches précipitées et d'un brusque éloignement de son
propre foyer, énuméra dans le détail les recommandations
adressées à Lady Bertram et à Edmond leur enjoignant de se
montrer plus méfiants et économes, ce qui avait permis de
limiter considérablement la dépense et de prendre sur

le fait plus d'un mauvais serviteur. Mais son atout majeur était Sotherton. Son plus grand réconfort et sa plus grande gloire était d'avoir établi des liens avec la famille Rushworth. Elle était *sur ce point* inattaquable. Elle s'arrogea tout l'honneur d'avoir suscité l'admiration de monsieur Rushworth envers Maria. « Si je n'avais pas pris les choses en main », dit-elle, « et ne m'étais fait un devoir d'être présentée à sa mère, si je n'avais persuadé ma sœur de lui rendre visite la première, je suis certaine, aussi sûr que deux et deux font quatre, que rien ne se serait produit, car monsieur Rushworth fait partie de ces jeunes gens aimables et modestes qui ont besoin de beaucoup d'encouragement ; si nous étions restés les bras croisés, bien des jeunes filles étaient disposées à l'attraper. Mais je n'ai rien négligé. J'étais prête à remuer ciel et terre pour convaincre ma sœur, et j'ai fini par y parvenir. Vous savez que nous ne sommes pas tout près de Sotherton ; c'était au milieu de l'hiver, les routes étaient presque impraticables ; eh bien j'ai réussi à la convaincre ».

« Je sais que votre autorité sur Lady Bertram et sur ses enfants est considérable, grande et juste, et je regrette qu'il n'y ait pas eu... »

« Mon cher Sir Thomas, si vous aviez vu l'état des routes *ce jour-là* ; je croyais que nous n'y parviendrions jamais, bien que nous ayons eu évidemment les quatre chevaux à notre disposition ; et le pauvre vieux cocher a tenu à nous accompagner, bien qu'il ait eu du mal à demeurer assis sur son siège à cause de ses rhumatismes ; je le soignais pour cela depuis la Saint-Michel. Je l'ai enfin guéri ; mais tout l'hiver, il ne s'est pas senti très bien et c'était l'un de ses mauvais jours ; je n'ai pas pu m'empêcher de monter dans sa chambre avant notre départ pour lui conseiller de ne pas se risquer à sortir ; il était en train de mettre sa perruque, aussi lui ai-je dit : « Cocher, vous feriez mieux de ne pas venir, votre maîtresse et moi-même serons en sécurité ; vous savez que Stephen conduit fermement, et que Charles s'est occupé si souvent des chevaux de flèche qu'il n'y a certainement rien à redouter. » Mais je me suis vite aperçue que cela ne servait à rien ; il s'était mis en tête de venir, et comme je déteste importuner les gens en me montrant trop zélée, je n'ai plus rien dit ; mais à chaque cahot, j'avais mal pour lui, et quand nous fûmes arrivés dans les chemins malaisés des environs de

Stoke, où avec toute la neige et le verglas sur les lits de pierre, ce fut pire que tout ce que vous pourriez imaginer, je souffris le martyre rien qu'en pensant à lui. Et puis il y avait aussi ces malheureux chevaux ! Il fallait les voir peiner à la tâche ! Vous savez comme j'aime les chevaux. Eh bien quand nous nous sommes trouvés au pied de la colline de Sandcroft, que pensez-vous que j'aie fait ? Vous allez vous moquer de moi. Mais je suis descendue de voiture et ai grimpé la côte à pied. Oui, c'est ce que j'ai fait ; ce n'était peut-être pas beaucoup alléger leur peine, mais c'était un petit quelque chose, et je ne pouvais supporter de rester assise à mon aise, et de voir ces nobles animaux me tirer tant bien que mal jusqu'en haut de la colline au prix de tant d'efforts. J'y ai attrapé un fort méchant rhume, mais *cela* n'avait pas d'importance. J'avais par cette visite atteint mon but. »

« J'espère que ces nouvelles connaissances se montreront toujours dignes de la peine que vous avez prise pour entrer en relation avec elles. Il n'y a rien de très remarquable chez monsieur Rushworth, mais j'ai été heureux hier au soir d'entendre son avis sur *un* sujet, c'est-à-dire sa préférence marquée pour une vie de famille tranquille plutôt que pour le remue-ménage et la confusion qui se produisent lorsqu'on fait du théâtre. Il m'a paru éprouver précisément les sentiments qu'on était en droit d'attendre. »

« Oui, certes, et plus vous le connaîtrez, plus vous l'aimerez. Ce n'est peut-être pas une lumière, mais il a mille qualités, et il est si disposé à vous témoigner du respect, que l'on se moque de moi à ce propos ; car tout le monde considère que s'il agit ainsi c'est parce que je l'y ai invité. « Ma parole, madame Norris », a dit madame Grant l'autre jour, « monsieur Rushworth serait votre propre fils, qu'il ne témoignerait pas un plus grand respect à Sir Thomas ». »

Vaincu par ses réponses évasives et désarmé par ses flatteries, Sir Thomas fut obligé de se contenter de cette certitude : lorsque le bonheur présent de ceux qu'elle aimait était en jeu, la bonté l'emportait parfois chez elle sur les facultés de discernement.

Il fut sur pied toute la matinée. Les propos qu'il échangea avec chacun d'entre eux n'occupèrent qu'une infime partie de son temps. Il lui fallait se rétablir dans ses fonctions de maître de Mansfield, voir son intendant et son régisseur, examiner et évaluer, et dans les intervalles que lui laissaient ses affaires, visiter ses écuries, ses jardins et ses plus proches futaies ; mais avec cette efficacité méthodique qui le caractérisait non seulement, tout cela avait déjà été accompli avant qu'il ne reprenne à la table du dîner sa place de maître de maison, mais encore des ordres avaient été donnés au charpentier pour qu'il démolisse ce qui avait été récemment construit dans la salle de billard ; le peintre de décors avait été renvoyé, et ce suffisamment tôt pour qu'il lui fût permis de penser, avec la plus grande satisfaction, qu'il avait déjà gagné Northampton. Le peintre de décors s'en était allé, après avoir abîmé le parquet d'une seule pièce, gâté toutes les éponges du cocher et transformé les domestiques subalternes en fainéants insatisfaits ; et Sir Thomas voulait croire qu'un jour ou deux suffiraient pour effacer toute trace antérieure, allant même jusqu'à détruire toutes les copies non reliées des « Serments d'amoureux » qu'il trouva dans sa demeure, car il brûlait tout ce qui lui tombait sous les yeux.

Monsieur Yates commençait maintenant à comprendre où voulait en venir Sir Thomas, tout en ne comprenant toujours pas ce qui le poussait à agir ainsi. Lui et son ami avaient passé la plus grande partie de la matinée dehors, avec leurs fusils, et Tom avait saisi l'occasion pour expliquer, en présentant dûment des excuses pour cette particularité de son père, ce à quoi il leur fallait s'attendre. Monsieur Yates fut profondément blessé, comme on peut aisément se l'imaginer. Voir ses espoirs déçus une seconde fois et de la même manière, c'était être frappé par un sort bien cruel ; et n'eût été ce que lui dictait la bienséance à l'égard de son ami et de la plus jeune des sœurs, il s'en serait pris au baronnet, aurait condamné ses façons d'agir et l'aurait persuadé de se montrer un peu plus raisonnable. Il était fermement convaincu qu'il agirait ainsi, tout le temps qu'ils furent dans le Bois de Mansfield, ainsi que sur le chemin du retour ; mais il y avait un je-ne-sais-quoi chez Sir Thomas qui fit que monsieur Yates jugea plus sage de le laisser poursuivre, bien qu'il pensât que c'était déraisonnable, sans s'y opposer. Il avait auparavant fait la connaissance de bien des pères désagréables et avait souvent été frappé par les embarras qu'ils suscitaient, mais il n'avait de sa vie rencontré quelqu'un qui fût comme Sir Thomas aussi inexplicablement soumis aux règles de la morale, aussi outrageusement tyrannique. On ne pouvait le supporter que par amour pour ses enfants, et c'était grâce à la beauté de sa fille si monsieur Yates songeait à demeurer encore quelques jours sous son toit.

La soirée se déroula en apparence tout uniment, bien que tous les esprits fussent troublés ; et la musique que Sir Thomas réclama à ses filles contribua à masquer l'absence d'harmonie. Maria était plongée dans la plus grande agitation. Il était de la plus grande importance pour elle que Crawford ne perdît maintenant plus de temps à se déclarer, et elle était inquiète de ce qu'un jour se fût écoulé sans faire apparemment avancer les choses. Toute la matinée elle s'était attendue à le rencontrer — et la soirée tout entière s'était également passée à l'attendre. Monsieur Rushworth s'était mis en route de bonne heure pour apporter à Sotherton la grande nouvelle ; et elle se figurait naïvement qu'un éclaircissement immédiat lui épargnerait le souci de le voir jamais réapparaître à Mansfield. Mais aucun des habitants du presbytère n'était venu jusqu'à eux ; pas une seule personne, pas un seul être qui y demeurât ne s'était présenté ; à Mansfield aucun message ne leur était parvenu hormis un billet affectueux écrit par madame Grant à Lady Bertram pour la féliciter et s'enquérir. C'était le premier jour, depuis maintes et maintes semaines, où les deux familles se trouvaient totalement séparées. Jamais depuis le début du mois d'août vingt-quatre heures ne s'étaient écoulées sans qu'une raison ou une autre ne les eût réunis. Ce fut une journée de désarroi et de tristesse. Et la journée du lendemain, bien que les tourments qu'elle apportât fussent différents, ne fut pas moins mélancolique. Quelques moments de joie fébrile furent suivis par des heures de souffrance aiguë. Henry Crawford était de nouveau sous leur toit ; il était venu avec le docteur Grant qui désirait présenter ses hommages à Sir Thomas, et, d'assez bonne heure, on les fit entrer dans la petite salle à manger où se trouvait rassemblée presque toute la famille. Sir Thomas fit bientôt son apparition, et Maria, toute émue et ravie, vit l'homme qu'elle aimait être présenté à son père. Impossible de décrire ce qu'elle éprouva à ce moment, et ses sensations étaient encore tout autant indicibles lorsqu'elle entendit, quelques minutes plus tard, Henry Crawford, qui n'était séparé d'elle et de Tom que par une chaise, demander à voix basse à celui-ci s'il était question qu'on se remît au théâtre après cet heureux intermède (avec un coup d'œil poli en direction de Sir Thomas), parce que si c'était le cas, il s'astreindrait à venir à Mansfield à l'instant même où ses amis le lui demanderaient ; il était sur le point de s'en aller, car il se trouvait dans l'obligation de rejoindre son oncle à Bath sans plus tarder, mais s'il y avait le moindre espoir que l'on pût reprendre « les Serments d'amoureux » il se considérerait comme positivement engagé, se libérerait de toute autre invitation, et déclarerait à son oncle qu'il était impératif qu'il pût se rendre à Mansfield dès qu'on aurait besoin de ses services. Si l'on devait renoncer à la pièce, ce ne serait pas à cause de *son* absence. « Je serais prêt à partir dans un délai d'une heure, en quelque endroit que je me trouve, qu'il s'agisse de Bath, du Norfolk, de Londres ou de York », dit-il, « je quitterais les lieux où je me trouverai, quels qu'ils puissent être ».

C'était fort heureusement à Tom de répondre et non à sa sœur. Il trouva facilement les mots pour dire : « Je regrette votre départ, mais pour ce qui est de notre pièce, *cette affaire-là* est tout à fait terminée (avec un regard significatif vers son père). Le peintre de décors a été renvoyé hier, et il ne restera demain pas grand-chose de notre théâtre. J'ai su dès le début qu'il en serait *ainsi*. C'est un peu tôt pour Bath. Vous n'y rencontrerez personne. »

« C'est à peu près l'époque où mon oncle a coutume de s'y rendre. »

« Quand pensez-vous partir ? »

« Je pense aller peut-être jusqu'à Banbury aujourd'hui. »

« Dans quelle écurie mettez-vous vos chevaux à Bath ? » fut la question suivante ; et tandis que la discussion se poursuivait sur ce chapitre, Maria, chez qui ni l'orgueil ni l'esprit de décision ne faisaient défaut, se préparait à affronter la conversation qui allait suivre et demeurait relativement maîtresse d'elle-même.

Il se tourna bientôt vers elle, répétant la plupart des choses qu'il avait déjà dites, se contentant d'y adjoindre un air plus tendre et des expressions de regret plus convaincantes. Mais à quoi bon ses expressions et son air de tendresse ? Il allait partir, et s'il ne partait pas de son plein gré, c'était de son plein gré qu'il choisissait de demeurer loin d'elle ; car hormis ce qui était dû à son oncle, ses autres engagements étaient tous de son propre choix. Il pouvait à son aise parler de nécessité, elle savait bien qu'il pouvait disposer librement de lui-même. La main qui avait si fort pressé la sienne sur son cœur ! Cette main et ce cœur étaient pareillement inertes et immobiles ! Son courage la soutint mais elle souffrait cruellement. Ces souffrances qui surgissaient à écouter un discours que démentait ses actes, ou à ensevelir sous une réserve de bon ton le tumulte de ses sentiments, ne durèrent pas longtemps ; car un échange de politesses l'éloigna bientôt d'elle, et la visite d'adieu, puisque telle il faut bien la nommer, fut des plus brèves. Il était parti — sa main avait touché la sienne pour la dernière fois, il l'avait saluée en prenant congé, et tout ce qui lui restait à faire maintenant était de chercher secours dans la solitude. Henry Crawford était parti, avait quitté la maison et il aurait franchi les limites de la paroisse moins de deux heures plus tard ; voilà comment prirent fin les espérances que sa vanité égoïste avait fait naître dans le cœur de Maria et de Julia Bertram.

Julia avait tout lieu de se réjouir qu'il fût parti, car sa présence commençait à lui devenir odieuse ; et puisque Maria n'avait pas su le conquérir, elle retrouvait alors assez de sang-froid pour se contenter de cette vengeance-là. Nul besoin pour elle d'ajouter un éclat à cet abandon. Le départ d'Henry Crawford l'autorisait même à prendre sa sœur en pitié.

Si Fanny se réjouit de cette nouvelle, ce fut avec une plus grande pureté de sentiments. Elle lui apparut, lorsqu'elle l'apprit au cours du dîner, comme un grand bienfait. Tout le monde sauf elle parlait de ce départ pour le déplorer et vantait les mérites de l'absent ainsi qu'il convenait, avec toutes les gradations possibles, qui allaient de l'estime sincère et bien trop partiale que lui portait Edmond, à l'indifférence de sa mère se contentant de répéter ce qu'elle avait entendu dire de lui. Madame Norris jeta tout d'abord un regard autour d'elle, étonnée qu'elle était que son amour pour Julia n'eût pas produit de résultat ; elle en venait presque à craindre de ne pas avoir montré assez de zèle pour hâter les choses ; mais *elle* aurait beau faire et s'employer aussi diligemment que possible, elle ne pourrait être à la hauteur de ses espérances, car il lui fallait veiller aux intérêts de bien trop de gens !

Un ou deux jours encore, et monsieur Yates s'en alla aussi. Ce fut surtout *son* départ qui retint l'attention de Sir Thomas ; souhaitant demeurer seul avec sa famille, il eût été ennuyé de la présence d'un étranger, eût-il été supérieur en tout point à monsieur Yates, aussi la présence d'un être aussi insignifiant, sûr de lui, désœuvré et prodigue que monsieur Yates était à tous égards fort fâcheuse. Il était assommant, et de plus sa présence comme ami de Tom et admirateur de Julia devenait offensante. Sir Thomas ne s'était nullement soucié que monsieur Crawford partît ou demeurât, mais lorsqu'il souhaita bon voyage à monsieur Yates en l'accompagnant jusqu'à la porte, ce fut une franche satisfaction qu'il éprouva. Monsieur Yates était demeuré assez longtemps sur les lieux pour assister à la destruction de tous les préparatifs de théâtre à Mansfield et voir enlever tout ce qui avait quelque rapport avec la pièce ; et la maison avait repris au moment de son départ cette discrète tranquillité qui la caractérisait généralement ; tout en le reconduisant à la porte, Sir Thomas espérait bien qu'il allait ce faisant être délivré de celui qui était associé de la façon la plus désagréable à cette histoire de théâtre, et qui était le dernier à lui en rappeler l'existence.

Madame Norris s'arrangea pour ôter de sa vue un objet qui eût pu l'affliger. Le rideau à la confection duquel elle avait présidé avec tant de talent et de succès, prit le chemin de sa petite maison pour laquelle il se trouvait qu'elle avait tout particulièrement besoin de serge verte.

CHAPITRE XXI

Le retour de Sir Thomas, indépendamment des « Serments d'amoureux », modifia le cours de la vie de la famille de manière saisissante. Sous son ministère, Mansfield devint méconnaissable. Certains des membres de leur entourage ayant dû quitter les lieux, et un grand nombre d'entre eux ayant perdu leur entrain, ce ne fut plus en comparaison avec le passé que tristesse et monotonie ; une morne assemblée familiale que rien ou presque rien ne venait égayer. Tout commerce avec le presbytère avait quasiment cessé. Sir Thomas, qui évitait en général les effusions, se montra alors particulièrement peu disposé à entretenir des relations avec qui que ce fût, à l'exception d'une seule famille. Les Rushworth furent la seule adjonction au cercle familial qu'il sollicitât. Edmond ne s'étonnait nullement que son père éprouvât de pareils sentiments, et il n'y avait rien qu'il regrettât, hormis le fait que les Grant fussent bannis de leur société. « Car », fit-il remarquer à Fanny, « ils ont des droits. Ils font, à mon avis, partie de notre société, et de notre famille, dirait-on. Je regrette que mon père ne soit pas plus sensible aux égards qu'ils ont eus envers ma mère et mes sœurs pendant qu'il était absent. Je crains qu'ils ne croient qu'on les oublie. Mais la vérité est que mon père ne les connaît qu'à peine. Ils étaient ici depuis moins d'une année lorsqu'il a quitté l'Angleterre. S'il les connaissait mieux, il apprécierait leur compagnie ainsi qu'elle le mérite, car ils sont précisément le genre de personnes qu'il aime. Nous avons parfois besoin parmi nous d'un peu d'animation ; mes

sœurs semblent accablées et Tom n'est certainement pas
très à son aise. Le docteur Grant et sa femme nous appor-
teraient un peu de gaieté, et contribueraient par leur
présence à rendre nos soirées plus joyeuses, même pour
mon père. »

« Croyez-vous ? » dit Fanny. « A mon avis, mon oncle n'a
guère envie d'adjonction nouvelle, *quelle qu'elle soit.* Je crois
que ce qu'il goûte le plus est cette tranquillité dont vous
parlez, et qu'il aspire à cette paix que l'on trouve dans le sein
de sa famille. Il ne m'apparaît pas que nous soyons
maintenant plus graves et rassis que nous n'avions coutume
de l'être auparavant ; je veux dire avant le départ de mon
oncle de l'autre côté des mers. C'était, autant que je me
souvienne, toujours à peu près la même chose. On ne riait
guère en sa présence ; et, s'il y a une différence, elle est
identique à celle qui se produit en général après une aussi
longue absence. Il naît immanquablement une certaine
réserve. Mais à mon souvenir, les soirées n'étaient jamais
joyeuses autrefois, sauf quand mon oncle était en ville. Il en
est de même, j'imagine, pour les jeunes gens et jeunes filles
chaque fois que ceux à qui ils doivent le respect sont à la
maison. »

« Je crois que vous avez raison, Fanny », répondit-il après
un moment de réflexion. « Je crois qu'au lieu de revêtir un
autre caractère nos soirées sont redevenues ce qu'elles étaient
auparavant. La nouveauté résidait dans leur animation.
Combien est forte cependant l'impression que donnent ne
fut-ce que quelques semaines ! J'ai le sentiment de n'avoir
auparavant jamais vécu ainsi. »

« J'imagine que je suis d'un naturel plus grave que les
autres », dit Fanny. « Les soirées ne me paraissent pas
longues. J'aime entendre mon oncle parler des Antilles. Je
pourrais l'écouter une heure d'affilée. Cela *m'amuse plus* que
bien des choses ; mais c'est, je pense, parce que je ne suis pas
comme les autres. »

« Comment osez-vous dire *une telle chose* ? » (avec un
sourire). « Voulez-vous qu'on vous dise que vous êtes
différente des autres parce que vous êtes plus sage et plus
raisonnable ? Mais Fanny, vous ai-je fait à vous ou à qui que
ce soit des compliments ? Allez voir mon père si vous voulez
qu'on vous complimente. Vos vœux seront exaucés. Deman-

dez à votre oncle ce qu'il pense, et vous entendrez suffisamment de compliments ; et bien qu'ils portent surtout sur votre personne, il faudra que vous vous en accommodiez et vous arrangiez de ce qu'il voie autant de beautés de l'esprit en vous à l'avenir. »

Ce langage si nouveau pour Fanny l'embarrassa fort.

« Votre oncle pense que vous êtes très jolie, ma chère Fanny, et c'est le fin mot de l'histoire. Il n'y a que moi pour ne pas en avoir retiré davantage profit, et que vous pour ne point vous être offensée de ce que l'on ne vous ait pas considérée comme jolie auparavant ; mais pour dire la vérité, votre oncle ne vous avait nullement admirée jusqu'à maintenant, et désormais il vous admire. Comme votre teint s'est embelli ! et votre mine et toute votre personne ! Je vous en prie Fanny, ne vous détournez pas ; il ne s'agit que d'un oncle. Si vous ne pouvez supporter l'admiration d'un oncle qu'adviendra-t-il de vous ? Il faut vraiment que vous commenciez à vous aguerrir et à vous faire à l'idée que vous valez la peine que l'on vous regarde. Vous êtes en train de devenir une jolie jeune femme, essayez d'accepter qu'il en soit ainsi. »

« Oh ! ne parlez pas ainsi, ne parlez pas ainsi », s'écria Fanny, plus troublée qu'il ne le pensait ; mais comme il la vit réellement peinée, il ne parla plus du sujet et se contenta d'ajouter avec plus de gravité : « Votre oncle est disposé à se montrer satisfait de vous dans tous les domaines ; et je regrette seulement que vous ne lui parliez pas plus souvent. Vous êtes trop silencieuse, pendant nos soirées. »

« Mais je lui parle plus souvent que je ne le faisais. J'en suis certaine. Ne m'avez-vous pas entendu hier au soir lui poser des questions sur le commerce des esclaves ? »

« Oui, et j'entretenais l'espoir que cette question serait suivie d'autres questions. Mon père eût été heureux de voir quelqu'un s'enquérir plus longuement. »

« Je brûlais d'envie de le faire. Mais il y avait un silence de mort ! Et pendant que mes cousins et cousines étaient assis autour de moi sans dire mot ou paraître éprouver le moindre intérêt pour le sujet, je n'ai pas voulu... j'ai pensé qu'il paraîtrait que je voulais me faire valoir à leurs dépens, en montrant à écouter tous ces détails une curiosité et un plaisir qu'il eût souhaité trouver chez ses filles. »

« Mademoiselle Crawford a eu raison l'autre jour de dire
— en parlant de vous — que vous sembliez redouter d'attirer
l'attention presque autant que les autres femmes ne redou-
tent l'oubli. Nous parlions de vous au presbytère et telles
furent ses paroles. Sa clairvoyance est grande. Nul ne sait
mieux qu'elle pénétrer les caractères. C'est une chose fort
remarquable chez une si jeune femme ! Elle vous comprend
mieux que la plupart de ceux qui vous connaissent depuis si
longtemps ; et pour ce qui est de certaines autres personnes,
je m'aperçois, à certaines remarques spirituelles qu'elle laisse
parfois échapper par inadvertance, qu'elle pourrait esquisser
le portrait du *plus grand nombre* d'entre eux avec autant de
précision, si la délicatesse de ses sentiments ne le lui
interdisait. Je me demande ce qu'elle pense de mon père !
Elle doit admirer sa prestance, la dignité de ses manières et
trouver qu'il a l'air d'un gentleman ; mais peut-être que sa
réserve lui paraît quelque peu rebutante, car elle ne l'a vu que
très rarement. S'ils pouvaient être ensemble plus longtemps,
je suis sûr qu'ils se plairaient mutuellement. Il apprécierait
sa vivacité — et elle serait à même de goûter tous ses
talents. J'aimerais les voir se rencontrer plus fréquemment !
J'espère qu'elle ne croit pas à quelque répugnance de sa
part. »

« Elle doit savoir que la déférence que vous témoignez
tous envers elle », dit Fanny en réprimant un soupir, « est
trop solidement ancrée pour qu'elle ait à craindre quoi que ce
soit de cet ordre. Et que Sir Thomas ait envie dans les
premiers temps de se trouver seul avec sa famille est une
chose naturelle qu'elle ne saurait discuter. Je suis certaine
qu'après un certain temps nous nous rencontrerons à nouveau de la même manière, à la différence qu'il s'agira d'une
autre saison de l'année. »

« C'est la première fois depuis sa toute première enfance
qu'elle passe le mois d'octobre à la campagne. Pour moi,
Tunbridge et Cheltenham ne sont pas la campagne ; le mois
de novembre est austère et je vois que madame Grant craint
qu'elle ne trouve Mansfield ennuyeux à l'approche de
l'hiver. »

Fanny aurait eu beaucoup de choses à dire, mais il était
moins dangereux de se taire là-dessus et de ne toucher mot
des ressources, des talents, de la bonne humeur, de l'autorité

ni des amis de mademoiselle Crawford, de peur que quelque remarque peu généreuse ne la trahît. La bonne opinion que mademoiselle Crawford avait d'elle méritait au moins qu'elle montrât de la patience et de la gratitude, et elle se mit à parler d'autre chose.

« Je crois que mon oncle dîne demain à Sotherton ainsi que vous-même et monsieur Bertram. Nous allons être en tout petit comité à la maison. J'espère que mon oncle continuera à apprécier monsieur Rushworth. »

« Cela est impossible, Fanny. Après la visite de demain, son estime ne pourra que décroître, car nous serons cinq heures en sa compagnie. Je redoute cette journée insipide, et surtout cette conséquence encore plus désagréable, c'est-à-dire l'impression qu'elle ne manquera pas de produire sur Sir Thomas. Il ne pourra s'abuser plus longtemps. Je le regrette et donnerais beaucoup pour que monsieur Rush-worth et Maria ne se fussent jamais rencontrés. »

Il y avait en vérité dans ce domaine pour Sir Thomas bien des désillusions en perspective. Toute sa bonne volonté envers monsieur Rushworth ainsi que toute la déférence de monsieur Rushworth envers lui ne pouvaient empêcher qu'il décelât bientôt une partie de la vérité : Monsieur Rushworth était un jeune homme insignifiant, qui ne connaissait ni les affaires ni les livres, dont les opinions étaient sans cesse vacillantes, et qui ne se rendait guère compte, semblait-il, de sa condition.

Il eût souhaité pour sa fille un autre gendre ; et comme il commençait à songer à la situation de Maria, il essaya de comprendre quels étaient *ses* sentiments. Il n'était pas besoin d'être grand clerc pour comprendre que ce qu'il fallait souhaiter pour eux était qu'ils fussent indifférents l'un à l'autre. Son attitude envers monsieur Rusworth était froide et nonchalante. Il n'était pas possible qu'elle l'aimât ; non, elle ne l'aimait point. Sir Thomas prit la résolution d'avoir avec elle un entretien sérieux. Si avantageuse que pût être cette alliance, si longues et publiques qu'eussent été les fiançailles, son bonheur ne devait pas être sacrifié. Monsieur Rushworth avait peut-être été accepté trop rapide-ment, alors qu'ils ne se connaissaient que de fraîche date, et depuis qu'elle le connaissait mieux, elle se repentait de l'avoir accepté.

Sir Thomas s'adressa à elle avec une bienveillante solennité ; il lui fit part de ses craintes, s'enquit de ses désirs, la supplia de lui parler ouvertement, en toute franchise, et lui assura qu'il affronterait tous les éventuels inconvénients et renoncerait à toute relation avec la famille, si la perspective de cette alliance la rendait malheureuse. Il agirait en son nom et la dégagerait de ses liens. Maria lutta un instant contre elle-même en l'écoutant, mais cette lutte ne dura qu'un instant : quand son père s'arrêta de parler, elle fut en mesure de lui donner sa réponse sur-le-champ, résolument, sans montrer la moindre agitation. Elle le remercia de toutes ses attentions, de la bonté qu'il avait témoignée en tant que père, mais il se trompait du tout au tout s'il supposait qu'elle songeait le moins du monde à rompre ses fiançailles, ou qu'elle avait changé d'opinion ou d'inclination depuis qu'elle s'était engagée dans ces liens. Elle avait la plus haute estime pour le caractère et les talents de monsieur Rushworth et ne doutait nullement de son bonheur futur.

Sir Thomas s'en tint là ; trop heureux peut-être de pouvoir en rester là pour pousser les choses plus à fond, ce que son bon sens l'eût contraint de faire s'il se fût agi d'un autre sujet. Il eût souffert de devoir renoncer à un tel parti ; telle fut sa manière d'argumenter : Monsieur Rushworth était encore assez jeune, donc perfectible ; Monsieur Rushworth ne pouvait manquer dans la fréquentation de gens de bonne compagnie de s'améliorer, et il n'y manquerait pas ; et si Maria pouvait parler maintenant avec tant de fermeté de son bonheur futur, ce qu'elle faisait sans que l'amour l'aveuglât ou ne la prédisposât en sa faveur, il ne pouvait que la croire. Ses sentiments n'étaient certes pas très vifs ; il n'avait jamais supposé qu'ils le seraient ; mais son bonheur ne serait pas moins grand pour autant, et si elle acceptait de renoncer à considérer son mari comme un être brillant, une personne remarquable, tout jouerait par ailleurs en sa faveur. Lorsqu'une jeune femme avait un bon naturel et qu'elle ne se mariait pas par amour, elle n'en était en général que plus attachée à sa propre famille, et la proximité de Sotherton ne pouvait manquer de l'attirer souvent à Mansfield, ce qui serait selon toute vraisemblance une source continuelle de plaisirs tous plus aimables et innocents les uns que les autres. C'est ainsi que débattait en lui-même Sir Thomas, car il était

heureux de pouvoir éviter les désagréments embarrassants
d'une rupture, l'étonnement, les commentaires et les critiques qui accompagneraient celle-ci inévitablement, heureux
aussi d'assurer un mariage qui accroîtrait sa respectabilité et
son autorité, et heureux à l'extrême de découvrir que sa fille
était toute disposée à favoriser ce projet.

Les pourparlers se terminèrent à leur satisfaction mutuelle.
Son état d'esprit était tel qu'elle se réjouissait d'avoir décidé
de son sort de façon irrévocable, d'avoir resserré les liens qui
l'unissaient à Sotherton, de ne plus craindre que Crawford
pût triompher et gouverner ses actes ou anéantir les projets
qu'elle avait faits pour son avenir ; aussi, fière et résolue, se
retira-t-elle en elle-même, et décida-t-elle seulement de se
conduire désormais plus prudemment envers monsieur
Rushworth, afin d'empêcher son père d'éprouver à nouveau
quelque méfiance à son égard.

Sir Thomas se fût-il adressé à sa fille dans les trois ou
quatre premiers jours qui suivirent le départ de monsieur
Crawford, avant qu'elle eût retrouvé quelque peu son
sang-froid, eût abandonné tout espoir de le revoir, ou se fût
complètement résolue à supporter son rival, que sa réponse
eût peut-être été différente ; mais après que trois ou quatre
jours se furent encore écoulés, quand ne survinrent ni
retour, ni lettre, ni message, quand il n'y eut plus le moindre espoir que son cœur se radoucît, ou que la séparation fût
bénéfique, alors elle reprit suffisamment ses esprits pour
rechercher tout le réconfort que pouvaient lui offrir son
orgueil ainsi que cette sorte de vengeance que l'on s'inflige
à soi-même.

Henry Crawford avait détruit son bonheur, mais il ne
l'apprendrait jamais ; il ne détruirait ni sa réputation, ni sa
prospérité ; il ne l'empêcherait pas non plus de faire brillam-
ment son entrée dans le monde. S'il songeait à elle, ce ne
serait pas pour l'imaginer en train de mourir d'amour pour
lui dans sa retraite de Mansfield, ou en train de repousser
pour *l'amour de lui* Londres, Sotherton, une fortune magnifique ainsi que la liberté. Elle avait plus que jamais besoin
d'indépendance ; elle en ressentait l'absence à Mansfield de
façon plus marquée. Elle était de moins en moins capable de
supporter la contrainte que son père lui imposait. La liberté
que son absence leur avait donnée lui était maintenant

devenue absolument nécessaire. Il fallait qu'elle s'échappât
loin de Mansfield dès que cela lui serait possible et
trouvât à consoler son âme blessée en acquérant fortune et
importance et en se plongeant dans l'agitation du monde.
Son choix était arrêté, et immuable.

Il eût été funeste dans de telles dispositions d'esprit de
surseoir plus longtemps, ne fût-ce qu'aux préparatifs de
mariage, et monsieur Rushworth se montrait presque aussi
impatient qu'elle. Elle en avait terminé avec les dispositions à
prendre dans son esprit ; c'était la haine de son foyer, de la
contrainte et de la tranquillité familiale qui l'avait préparée
à la vie conjugale, ainsi que la douleur d'avoir été déçue dans
ses affections et le mépris qu'elle ressentait envers son futur
époux. Le reste pouvait attendre. Les préparatifs nécessaires
pour l'acquisition de nouvelles voitures et nouveaux meubles
attendraient Londres et le printemps, quand elle aurait toute
liberté de choisir à son goût.

Les principaux intéressés étant tous tombés d'accord sur
ce point, il apparut bientôt qu'un nombre fort restreint de
semaines suffirait pour prendre les dispositions qui doivent
toujours précéder la cérémonie du mariage.

Madame Rushworth était toute disposée à se retirer et à
laisser la place à l'heureuse jeune femme que son cher fils
avait choisie ; et dans les premiers jours de novembre, elle
changea de résidence pour se rendre à Bath, emmenant avec
elle sa femme de chambre et son cabriolet, en douairière
qu'elle était, suivant en cela la stricte bienséance, pour y faire
l'étalage des merveilles de Sotherton lorsqu'elle donnait des
soirées, et elle jouissait de ces merveilles peut-être aussi
vivement dans l'animation d'une table de jeux que quand elle
se trouvait sur les lieux mêmes ; puis vint, avant la mi-
novembre, la cérémonie qui donnait à Sotherton une nouvelle maîtresse.

La cérémonie s'accomplit selon les règles. La mariée était
fort élégante, les deux demoiselles d'honneur dûment infé-
rieures ; son père la conduisit à l'autel et sa mère garda tout le
temps qu'elle fut debout une flacon de sels à la main, dans
l'attente de quelque manifestation d'émotion ; sa tante essaya
de pleurer, et le docteur Grant lut le service de façon fort
convaincante. On ne trouva rien à redire à la cérémonie
quand on en discuta dans le voisinage, hormis une chose,

à savoir que la voiture qui emmenait Julia et les mariés de l'église jusqu'à Sotherton était ce même cabriolet que monsieur Rushworth avait utilisé une année durant. Pour tout le reste, l'étiquette de la journée supportait qu'on l'examinât avec la plus sévère minutie.

C'en était terminé, ils étaient partis. Sir Thomas éprouvait cette inquiétude que tout père se doit d'éprouver et ressentait à dire vrai toute l'émotion que sa femme avait redoutée pour elle-même et à laquelle elle avait eu le bonheur d'échapper. Madame Norris, très heureuse d'apporter son soutien pour accomplir les tâches de la journée en passant la journée à Mansfield, dans le but de soutenir le courage de sa sœur et de boire à la santé de monsieur et madame Rushworth un ou deux verres supplémentaires, n'était que joie et ravissement ; car c'était à elle qu'on devait cette alliance, c'était elle qui avait tout fait, et personne n'eût supposé à voir son assurance radieuse qu'elle eût de sa vie jamais entendu parler de mariage malheureux ou fût susceptible de la moindre perspicacité pour pénétrer le caractère de la nièce qui avait été élevée sous ses yeux.

Le jeune couple avait projeté de se rendre à Brighton après un certain nombre de jours et d'y prendre une maison pour quelques semaines. Tous les endroits publics étaient nouveaux pour Maria, et Brighton est presque aussi gai en hiver qu'en été. Quand la nouveauté de ces distractions aurait disparu, il serait temps d'agrandir le cercle de leurs voyages et de se rendre à Londres.

Julia devait aller avec eux à Brighton. Depuis que la rivalité entre les sœurs avait cessé, leur bonne entente d'autrefois s'était rétablie ; et elles étaient du moins suffisamment amies pour que chacune d'elles fût excessivement heureuse d'être avec sa sœur en un moment pareil. Une autre compagnie que monsieur Rushworth était de la toute première importance pour sa lady ; Julia comme Maria était également avide de nouveauté et de plaisir, bien qu'elle n'eût pas eu à lutter autant pour les obtenir, et supportait mieux que sa sœur de jouer un rôle de second ordre.

Ce départ modifia de façon sensible l'atmosphère de Mansfield, et créa un vide qui ne put se combler que lentement. Le cercle de famille fut grandement réduit, et bien que les demoiselles Bertram n'y eussent guère ajouté

récemment de gaieté, on ne pouvait que regretter leur
absence. Elles manquaient même à leur mère, et encore plus à
leur cousine au cœur tendre qui errait dans toute la maison,
pensait à elles et déplorait leur absence avec une tristesse
affectueuse qu'elles n'avaient jamais rien fait pour mériter.

CHAPITRE XXII

Au départ de ses cousines, Fanny commença à jouer dans la maison un rôle plus important. Devenant comme elle le fit alors la seule jeune femme qui parût au salon, la seule qui eût à prendre place dans cette partie de la famille où elle n'avait jusqu'à présent tenu qu'un rang de troisième ordre, il lui fut impossible d'éviter qu'on la regardât plus souvent, qu'on songeât plus à elle, ou s'occupât plus d'elle qu'on ne l'avait fait auparavant ; et la question « où est Fanny ? » fut moins exceptionnelle, même lorsqu'il ne s'agissait pas de lui demander quelque service.

Ce ne fut pas seulement à Mansfield que son mérite s'accrut, mais encore au presbytère. Cette maison dans laquelle elle n'avait guère pénétré plus de deux fois l'an depuis la mort de monsieur Norris, l'accueillit comme une invitée qui était la bienvenue ; et en ces jours tristes et fangeux du mois de novembre sa présence parut fort agréable à mademoiselle Crawford. On la pressa de poursuivre des visites qui n'avaient commencé que fortuitement. Madame Grant, qui désirait ardemment introduire quelque variété dans la vie de sa sœur, n'eut aucun mal à se persuader qu'elle montrait la plus grande bienveillance envers Fanny, en l'exhortant à leur rendre de fréquentes visites, et qu'elle lui offrait ainsi des occasions inestimables et bénéfiques.

Fanny, que sa tante Norris avait envoyée au village faire quelque course, fut surprise par une forte averse près du presbytère, et comme on l'aperçut de l'une des fenêtres en train d'essayer de s'abriter sous les branches d'un chêne

planté juste de l'autre côté de l'habitation, et sur lequel
subsistait encore un peu de feuillage, Fanny fut contrainte
d'entrer, non sans avoir montré une humble réticence. Elle
avait résisté aux offres courtoises d'un domestique ; mais
lorsque le docteur Grant en personne sortit avec un para-
pluie, il n'y eut rien d'autre à faire pour elle que de se sentir
emplie de confusion et de pénétrer dans la maison aussi vite
que possible ; et pour mademoiselle Crawford qui était
justement en train de contempler d'un air accablé la pluie qui
tombait tristement, en déplorant que tous ses projets d'exercice pour la matinée se trouvassent gâchés et qu'il n'y eût
guère de chance pour elle dans les prochaines vingt-quatre
heures de voir d'autre créature vivante que les personnes qui
vivaient sous le même toit, le léger bruit qui se produisit à la
porte d'entrée ainsi que la vue de mademoiselle Price, toute
ruisselante de pluie dans le vestibule, l'enchantèrent. Elle ne
put que reconnaître par force de quel prix était un événement
lors d'une journée de pluie à la campagne. Elle se sentit
renaître immédiatement et déploya son énergie à se rendre
utile à Fanny plus que tout autre, en s'apercevant qu'elle était
plus trempée qu'elle n'avait bien voulu le reconnaître tout
d'abord et en lui procurant des vêtements secs ; Fanny fut
donc obligée de se soumettre à toutes ces attentions, de se
laisser secourir et servir par les maîtresses de maison et les
femmes de chambre, et d'élire domicile pendant une heure
dans leur salon une fois qu'elle fut redescendue de l'étage
supérieur, pendant que la pluie continuait à tomber ; et il fut
ainsi accordé à mademoiselle Crawford de recevoir le bienfait supplémentaire qui lui permettrait peut-être de faire
durer sa bonne humeur jusqu'au moment où elle s'habillerait
pour dîner.

Les deux sœurs furent si bonnes et si aimables que Fanny
eût peut-être apprécié sa visite, si elle avait été certaine de ne
pas gêner et avait pu prévoir avec certitude que le temps allait
s'éclaircir au bout d'une heure, lui épargnant ainsi la
confusion de se faire reconduire chez elle par la voiture et les
chevaux du docteur Grant, ce qu'on menaça de faire. Quant
à s'inquiéter de ce qu'on s'alarmât chez elle de son absence
par un temps pareil, elle n'avait aucun souci à se faire
là-dessus ; car comme ses deux tantes étaient les seules à
savoir qu'elle était dehors, elle était parfaitement assurée

qu'il n'y aurait de ce côté aucune anxiété ; quelle que fût la maison du village que sa tante Norris choisirait comme abri éventuel pour elle, cette maison ne pouvait manquer pour sa tante Bertram de l'abriter.

Le temps commençait à se dégager, lorsque Fanny remarquant une harpe dans la pièce posa quelques questions à son sujet, qui l'amenèrent bientôt à reconnaître qu'elle désirait vivement l'entendre jouer, et à avouer, ce que les autres eurent du mal à croire, qu'elle ne l'avait jamais encore entendue depuis qu'elle était à Mansfield. Cela apparaissait à ses yeux comme une circonstance toute simple et naturelle. Elle n'était presque jamais allée au presbytère depuis l'arrivée de l'instrument, il n'y avait pas eu de raison pour qu'elle s'y rendît ; mais mademoiselle Crawford, qui se remémorait le souhait qu'elle avait exprimé dans le début de leurs relations, fut contrariée de ne pas en avoir tenu compte et de l'avoir oublié ; et « Jouerai-je pour vous maintenant ?» et « Que désirez-vous que je joue ? » furent les questions qu'elle lui posa immédiatement avec la bonne humeur la plus empressée.

Elle joua donc, heureuse d'avoir une auditrice nouvelle, une auditrice qui semblait tellement reconnaissante, tellement émerveillée de la façon dont elle jouait et qui possédait, semblait-il, un certain goût. Elle joua jusqu'à ce que Fanny, laissant vagabonder son regard vers la fenêtre car elle voyait qu'il faisait beau, eût déclaré qu'elle devait partir.

« Encore un quart d'heure », dit mademoiselle Crawford, « et nous verrons comment sera le temps alors. Ne vous enfuyez pas dès le premier instant où il commence à se maintenir. Ces nuages là-bas ont l'air menaçant. »

« Mais ils sont déjà au-dessus de nous », dit Fanny. « Je les ai observés. Ce temps-là nous vient du sud. »

« Du sud ou du nord, je sais reconnaître un nuage noir quand je le vois ; et vous ne devez pas vous mettre en route tant que le temps est si menaçant. Et en outre, je veux vous jouer encore quelque chose, un très joli morceau, celui que votre cousin Edmond préfère entre tous. Il faut que vous restiez pour entendre le morceau favori de votre cousin. »

Fanny sentit qu'elle ne pouvait faire autrement que de rester ; et bien qu'elle n'eût pas attendu cette phrase pour

penser à Edmond, entendre ainsi rappeler son nom lui donna
l'illusion qu'il était là, si bien qu'elle se l'imaginait s'asseyant
à maintes reprises dans cette pièce, à l'endroit précis où elle
était assise maintenant, en train d'écouter son air favori, qui
était joué, à ce qui lui parut, avec des accents et une
expression fort remarquables ; et bien qu'il lui plût, et qu'elle
fût heureuse d'aimer tout ce qu'il aimait, elle fut plus
sincèrement impatiente de s'en aller quand le morceau fut
terminé qu'elle ne l'avait été auparavant ; et comme cette
impatience devenait évidente, ses hôtes l'invitèrent avec tant
de bonté à leur rendre visite à nouveau, à passer par le
presbytère chaque fois qu'elle le pourrait, et à venir écouter
encore jouer de la harpe, qu'elle se rendit compte qu'il lui
faudrait leur obéir, à condition qu'on n'élevât chez elle
aucune objection.

Telle fut l'origine de cette sorte d'intimité qui s'établit
entre elles dans la première quinzaine qui suivit le départ des
demoiselles Bertram, intimité qui provenait surtout chez
mademoiselle Crawford du désir de nouveauté qui l'animait,
et qui n'avait guère chez Fanny d'existence réelle. Fanny
allait la voir tous les deux ou trois jours ; c'était pour elle une
véritable fascination ; si elle ne lui rendait pas visite, elle ne se
sentait pas à l'aise, et cependant elle n'éprouvait aucune
affection pour elle, ne pensait jamais comme elle, n'avait pas
le sentiment qu'il était de son devoir de lui être reconnaissante pour avoir bien voulu rechercher sa présence en un
moment où elle était la seule à être disponible ; le plus grand
plaisir qu'elle retirait de sa conversation était d'être à
l'occasion amusée, et c'était *dans ce cas* souvent au détriment
de son bon sens, car ces plaisanteries qui l'amusaient s'en
prenaient à des sujets et à des personnes qu'elle eût souhaité
voir respecter. Elle allait cependant la voir, et toutes deux
passaient souvent ensemble une demi-heure à se promener
nonchalamment parmi les massifs d'arbustes de madame
Grant, le temps étant exceptionnellement doux pour cette
époque de l'année ; elles se risquaient parfois à s'asseoir sur
l'un des bancs alors relativement exposé aux intempéries, et il
leur arrivait d'y demeurer jusqu'à ce qu'une brusque rafale de
vent froid soulevât au-dessus de leurs têtes les dernières et
rares feuilles jaunies et les fît pleuvoir sur elles, les contrai-
gnant à se lever d'un bond et à partir en quête d'un peu de

chaleur, et ce au moment précis où Fanny s'attendrissait sur les douceurs d'un automne tardif.

« Comme tout cela est joli, vraiment joli », dit Fanny en regardant autour d'elle, alors qu'elles se trouvaient un jour assises sur ce banc : « Chaque fois que je pénètre dans ce bosquet, je suis de plus en plus frappée par sa beauté et par la croissance de ses arbustes. Il y a trois ans, ceux-ci n'étaient rien d'autre qu'une bordure à peine esquissée et qui longeait le champ de l'autre côté ; c'était moins que rien, on eût pu croire que rien n'en sortirait, et voilà que cette bordure s'est transformée en une allée, aussi ornementale qu'utile (il est difficile d'en juger) ; et peut-être que dans trois ans nous aurons presque oublié comment elle était auparavant. Quels prodiges, quels véritables prodiges accomplit le temps ! Comme il métamorphose les choses et l'esprit de l'homme ! » Et, poursuivant le cours de ses idées, elle ajouta un instant après : « S'il est une faculté de notre nature de laquelle on puisse dire qu'elle est *plus* merveilleuse que les autres, c'est bien, à mon avis, la mémoire. Il y a, semble-t-il, dans les facultés, les défaillances et les incertitudes de la mémoire, quelque chose à l'évidence de bien plus incompréhensible que dans toute autre faculté de notre intelligence. La mémoire est parfois si fidèle, si serviable, si obéissante ; parfois si confuse et si faible, et parfois encore si tyrannique, si ingouvernable ! Nous sommes sans contredit le fruit d'un miracle, tout bien considéré, mais les raisons pour lesquelles nous oublions et nous rappelons semblent particulièrement difficiles à comprendre. »

Mademoiselle Crawford, indifférente et distraite, ne trouva rien à répondre ; et Fanny revint, après qu'elle se fut aperçue de son indifférence, à des sujets qui devaient, pensait-elle, l'intéresser.

« Vous trouverez peut-être impertinent de ma part que j'admire le goût dont madame Grant a fait preuve dans ce jardin, mais *je* ne peux que l'en complimenter. Il y a dans le tracé de cette allée tant de réserve et de simplicité ! On n'a pas essayé d'en faire trop ! »

« Oui », répondit mademoiselle Crawford avec indolence, « cela convient parfaitement ici. Il n'est *ici* pas question d'espace, et soit dit entre nous, je n'avais, jusqu'à mon arrivée à Mansfield, guère imaginé qu'un pasteur de campa-

gne pût aspirer jamais à avoir un bosquet ou quoi que ce soit
de cet ordre dans son jardin ! »

« Je suis si heureuse de voir prospérer les arbustes persistants ! » répliqua Fanny. « Le jardinier de mon oncle dit
toujours que la terre d'ici est meilleure que la sienne ; et il
semble qu'il dise vrai à voir comment poussent les lauriers et
tous les persistants en général. Quelle merveilleuse beauté
dans un arbre toujours vert, et comme il est le bienvenu !
Quand on y songe, comme la nature sait mettre de la
diversité de façon étonnante ! Dans certains pays, l'arbre qui
perd ses feuilles est l'élément qui introduit la diversité, mais il
n'en est pas moins étonnant pour autant que la même terre
et le même soleil nourrissent des plantes dont l'existence
est régie par des lois et des règles si différentes. Vous allez
penser que je montre bien de l'enthousiasme ; mais quand je
suis dehors, surtout quand je suis assise à l'extérieur, il
m'arrive très souvent de me lancer dans de grands discours
sur un ton de surprise émerveillée. On ne peut arrêter son
regard sur la plus banale des productions de la nature sans
que celle-ci ne vous incite à laisser libre cours à votre
imagination. »

« A dire vrai », répondit mademoiselle Crawford, « je
ressemble plutôt à ce célèbre Doge qui se trouvait à la cour de
Louis XIV ; et affirme que je ne vois rien de merveilleux dans
ce bosquet, sinon que je m'y trouve. Si on m'avait dit voici
un an que cet endroit deviendrait mon foyer, que je passerais
mois après mois dans ces lieux, ainsi que je l'ai fait, je ne
l'eusse certainement pas cru ! Je suis ici depuis presque cinq
mois ! Les cinq mois les plus tranquilles que j'aie jamais
connus. »

« *Trop* tranquilles à votre goût, je crois. »

« *En théorie*, c'est ce que j'aurais dû penser, mais », et ses
yeux se mirent à briller quand elle prononça ces mots, « tout
bien considéré, je n'ai jamais passé un été aussi heureux.
Mais alors », baissant la voix et avec un air pensif, « nul ne
sait ce qu'il adviendra. »

Le cœur de Fanny se mit à battre précipitamment, et elle
ne se sentit pas en mesure de faire des suppositions ou de la
presser plus avant. Cependant, mademoiselle Crawford
poursuivit bientôt avec une ardeur renouvelée :

« Je me suis réconciliée, me semble-t-il, avec l'idée de

vivre à la campagne, plus que je l'eusse jamais cru. Il m'arrive même d'imaginer qu'il puisse être agréable d'y passer la *moitié* de l'année, dans de certaines circonstances. Une maison élégante, aux dimensions modestes, au centre d'un cercle familial, un commerce continuel avec tous les membres de la parenté ; régner sur la meilleure société des alentours, être considérée comme occupant la première place loin devant les familles en possession d'une grande fortune peut-être, et ne rien trouver de pire après le cortège joyeux de ces divertissements qu'un tête-à-tête avec la personne qui est pour vous la plus aimable qui soit au monde. Il n'y a rien d'effrayant dans un pareil tableau, n'est-ce pas, mademoiselle Price ? Nul besoin d'envier la nouvelle madame Rushworth, lorsqu'on a un foyer comme *celui-là.* » « Envier madame Rushworth ! » Fanny ne se hasarda pas plus loin. « Allons, allons, il serait peu généreux de nous montrer sévères envers madame Rushworth, car j'attends avec impatience de lui devoir de nombreuses heures de bonheur, joyeuses et brillantes. Je crois que nous serons tous très souvent à Sotherton l'année prochaine. Un mariage comme celui de mademoiselle Bertram est un bienfait public, car ce sera pour la femme de monsieur Rushworth un de ses premiers plaisirs que de remplir sa maison et de donner les plus beaux bals de tous les alentours. »

Fanny était silencieuse, et mademoiselle Crawford se replongea dans sa rêverie jusqu'au moment où elle s'exclama, après avoir soudain levé les yeux au bout de quelques minutes : « Ah ! le voici. » Ce ne fut pas monsieur Rushworth toutefois, mais Edmond qui fit alors son apparition, et s'avança vers elle en compagnie de madame Grant. « Voici ma sœur et monsieur Bertram, je suis si heureuse que l'aîné de vos cousins soit parti, cela *permettra* à son frère d'être à nouveau monsieur Bertram. Je déteste ce monsieur *Edmond* Bertram ; cela vous a un air cérémonieux, pitoyable, et par trop frère cadet. »

« Comme nos sentiments diffèrent ! » s'écria Fanny. « Pour moi, ce *monsieur* Bertram est si froid et vide de sens, si dépourvu de chaleur et de caractère ! C'est un nom de gentleman, et voilà tout. Mais il y a de la noblesse dans le nom d'Edmond. C'est un nom qui parle d'héroïsme et de gloire, de rois, de princes et de chevaliers ; il semble être le souffle même de l'esprit de chevalerie et fait songer à de tendres attachements. »

« Je vous accorde que le nom est beau en lui-même, et que *Lord* Edmond ou *Sir* Edmond sonnent délicieusement ; mais faites-le disparaître, anéantissez-le sous la froideur glaciale d'un Monsieur, et monsieur Edmond ne vaudra guère mieux que monsieur John ou monsieur Thomas. Eh bien, irons-nous les rejoindre et écourter ainsi de moitié leur sermon sur les dangers qu'il y a à demeurer assises dehors à cette époque de l'année, en nous levant avant qu'ils n'aient pu le commencer ? »

Edmond éprouva à cette rencontre un plaisir tout particulier. C'était la première fois qu'il les voyait ensemble, depuis qu'elles avaient, ainsi qu'il l'avait appris à sa grande satisfaction, commencé à faire plus ample connaissance. Une amitié entre ces deux êtres si chers à son cœur était précisément ce qu'il eût pu lui-même souhaiter ; et c'est tout à l'honneur de ses facultés de discernement amoureux, doit-on reconnaître, s'il ne pensait en aucun cas que Fanny dût être la seule et la plus grande bénéficiaire d'une telle amitié.

« Eh bien », dit mademoiselle Crawford, « vous ne nous grondez pas pour notre imprudence ? Pour quelle raison pensez-vous que nous soyons restées assises sur ce banc, sinon pour entendre à ce sujet quelque réprimande, pour que l'on nous implore et nous supplie de ne plus jamais agir ainsi ? »

« Peut-être vous eus-je adressé des remontrances », dit Edmond, « si je n'avais trouvé que l'une d'entre vous ; mais si vous vous mettez à deux pour commettre une faute, je ne peux que fermer les yeux. »

« Elles ne sont certainement pas restées assises longtemps », s'écria madame Grant, « car lorsque je me suis levée pour prendre mon châle, je les ai vues de la fenêtre de l'escalier en train de se promener. »

« Et de plus », ajouta Edmond, « la journée est vraiment si clémente, qu'on ne peut guère considérer comme une imprudence le fait de s'asseoir quelques minutes. On ne doit pas toujours juger le temps qu'il fait d'après le calendrier. Il nous arrive parfois de prendre de plus grandes libertés en novembre qu'au mois de mai. »

« Ma foi », s'écria mademoiselle Crawford, « vous êtes de tous nos bons amis les plus décevants et insensibles que j'aie jamais rencontrés ! Impossible de susciter en vous la plus légère inquiétude ! Vous ne savez pas combien nous avons souffert, ni combien nous avons frissonné de froid ! Mais je pense depuis longtemps que monsieur Bertram est l'un des êtres les plus difficiles à influencer qui soit, lorsqu'on s'en prend ne fût-ce qu'un peu au bon sens, et qui puisse tourmenter une femme. Je n'attends, depuis le début, pas grand-chose de *lui* ; mais quant à vous, madame Grant, ma sœur, ma propre sœur, je croyais avoir le droit de vous alarmer quelque peu. »

« Ne vous faites pas d'illusions ma chère Mary. Vous n'avez pas la moindre chance de m'émouvoir. J'ai mes propres inquiétudes, mais elles sont d'un autre ordre ; et s'il avait été en mon pouvoir de changer le temps, vous auriez senti souffler sur vous tout ce temps-là avec toute sa violence un bon vent d'est, car voici quelques-unes des plantes que Robert *s'obstine* à vouloir laisser dehors parce que les nuits sont si douces, et je sais qu'il finira par y avoir un brusque changement de temps, que tout soudain une forte gelée recouvrira le tout, qui prendra tout le monde par surprise (Robert du moins), et chacune de ces plantes sera perdue ; et ce qui est pire, la cuisinière vient de me dire que la dinde que je voudrais tout particulièrement ne pas préparer avant dimanche, parce que je sais combien le docteur Grant l'apprécierait après les fatigues de la journée, ne se gardera pas au-delà de demain. Voilà de véritables raisons de se plaindre, et elles m'incitent à penser que le temps est anormalement lourd pour la maison. »

« Voici les joies de l'économie domestique à la campagne ! » dit mademoiselle Crawford d'un air espiègle. « Recommandez-moi à votre marchand de volailles et votre pépiniériste. »

« Ma chère enfant, recommandez plutôt le docteur Grant pour le doyenné de Westminster ou de Saint-Paul, et je serai aussi satisfaite de votre pépiniériste ou de votre marchand de volailles que vous. Mais ces gens-là n'existent pas à Mansfield. Que voudriez-vous que je fasse ? »

« Oh, vous ne pouvez rien faire que vous ne fassiez déjà ;

vous voir empoisonner l'existence sans jamais perdre votre sang-froid. »

« Merci, mais il est impossible d'échapper à ces menus désagréments, Mary, où que l'on habite ; quand vous serez installée à la ville et que je viendrai vous voir, je vous trouverai certainement aux prises avec vos propres soucis, en dépit du marchand de volailles et du pépiniériste, ou peut-être à cause d'eux. Leur éloignement ou leur manque de ponctualité, ou les prix exorbitants qu'ils pratiquent ainsi que leurs agissements frauduleux vous arracheront d'amères lamentations. »

« Il est dans mon intention de devenir si riche que je n'aurai pas à me lamenter ou à éprouver des sentiments de cet ordre. Un vaste revenu, voilà la meilleure recette de bonheur dont j'aie jamais entendu parler. Il vous procure assurément toutes les dindes et toute la myrte que vous voulez. »

« Vous avez l'intention de devenir très riche », dit Edmond avec un air qui parut à Fanny empreint d'une extrême gravité.

« Certainement. Pas vous ? N'est-ce pas là ce que nous voulons tous ? »

« Je ne peux songer à obtenir ce qui est hors de ma portée. Mademoiselle Crawford peut choisir quel sera son degré de richesse. Il lui suffit d'arrêter son choix sur le nombre de milliers de livres qu'elle souhaite, et nul doute qu'ils ne surgissent devant elle. Quant à moi, mon seul souhait est de ne pas être pauvre. »

« A force de modération et d'économie, et en réduisant vos besoins selon votre revenu, et tout ce qui s'ensuit. Je comprends ; voilà un projet fort convenable pour une personne de votre âge, qui a des moyens de subsistance si limités et une parenté si médiocre. De quoi pouvez-*vous* avoir besoin sinon d'un revenu modeste ? Vous n'avez pas beaucoup de temps devant vous ; et vos proches ne sont pas dans une situation qui leur permette de faire quoi que ce soit pour vous, ou de vous humilier par le contraste de leur propre richesse et importance. Soyez honnête et pauvre, rien ne vous en empêche ! mais je ne vous envierai pas ; je ne crois même pas que je vous respecterai. Je respecte beaucoup plus ceux qui sont honnêtes et riches. »

« Que votre respect pour l'honnêteté d'un riche ou d'un

pauvre soit plus ou moins grand, voilà précisément ce dont je ne me soucie guère. Je n'ai pas l'intention d'être pauvre. J'ai résolu d'éviter la pauvreté. Tout ce que je désire acquérir, afin que vous ne me méprisiez pas, est une honnêteté moyenne, qui se situe à mi-chemin entre ces situations de fortune dont vous avez parlé. »

« Mais elle encourt mon mépris, car elle eût pu accéder à de plus hautes positions. Je ne peux que mépriser ce qui se contente de l'obscurité, alors qu'il est possible d'atteindre la distinction. »

« Mais comment s'élever ? Comment du moins mon honnêteté peut-elle atteindre quelque distinction ? »

Il n'était pas facile de répondre à cette question, et elle fit naître un « oh » sur les lèvres de la jolie jeune lady qui se prolongea un moment avant qu'elle trouvât quelque chose à ajouter : « Vous devriez être au parlement, ou vous auriez dû partir à l'armée il y a dix ans. »

« *Voilà* qui est hors de propos maintenant ; et pour ce qui est de ma présence au parlement, je crois qu'il faudra que j'attende qu'il y ait une assemblée de fils cadets qui n'ont que de maigres ressources. Non, mademoiselle Crawford », ajouta-t-il, sur un ton plus grave, « *il y a* des distinctions que je serais malheureux de ne pouvoir atteindre, si je pensais qu'il m'était impossible de les acquérir, mais elles sont d'un autre ordre. »

L'air contraint qu'il prit pour parler, ainsi que les manières apparemment contraintes de mademoiselle Crawford, quand elle lui répondit en riant, firent naître chez Fanny de pénibles pensées ; elle était hors d'état de prêter attention ainsi qu'elle le devait à madame Grant, et était presque décidée à rentrer chez elle sans plus tarder, attendant seulement d'avoir assez de courage pour le dire, lorsque la grande horloge de Mansfield sonna trois coups, lui rappelant qu'elle avait été absente plus longtemps que de coutume, et apportant une réponse immédiate à la question qu'elle s'était posée précé-demment pour savoir si elle devait partir, et si oui, quand et comment. Elle entreprit aussitôt de faire ses adieux ; et Edmond commença à se rappeler que sa mère s'était enquis de son absence et qu'il s'était rendu au presbytère afin de la ramener.

Fanny était de plus en plus impatiente de s'en aller ; et elle se fût hâtée de partir seule, car elle ne s'attendait pas à ce qu'Edmond la raccompagnât ; mais ils pressèrent le pas et avancèrent avec elle jusqu'à la maison à travers laquelle il fallait nécessairement passer pour sortir du presbytère. Le docteur Grant était dans le vestibule, et elle comprit lorsqu'ils s'arrêtèrent pour lui parler, à la façon dont Edmond se tenait, qu'il avait *vraiment* l'intention de l'accompagner. Il était lui aussi en train de prendre congé. Elle ne pouvait que lui en être reconnaissante. Au moment du départ, le docteur Grant invita Edmond à venir partager son plat de mouton du lendemain ; et en l'occurrence, Fanny n'eut guère le temps d'éprouver des sentiments désagréables, car madame Grant, avec la mine de quelqu'un qui se rappelle quelque chose, se tourna vers elle et lui demanda si elle leur ferait le plaisir de leur accorder sa compagnie, elle aussi. Cette attention était si nouvelle, cette circonstance si entièrement imprévue dans les événements de sa vie, qu'elle fut plongée dans l'étonnement et l'embarras ; et tout en balbutiant son extrême reconnaissance et déclarant « qu'elle ne supposait pas que cela fût possible », elle regardait Edmond espérant qu'il l'aiderait et donnerait son opinion. Mais Edmond, ravi qu'un tel bonheur lui fût proposé, et assurant en partie avec un regard, en partie avec une phrase qu'elle n'avait aucune objection à faire sinon à cause de sa tante, ne pouvait imaginer que sa mère pût faire quelque difficulté à se priver d'elle, et déclara par conséquent franchement qu'à son avis l'invitation devait être acceptée ; et bien que Fanny n'osât pas se hasarder, même encouragée par lui, à accepter une indépendance aussi hardie, il fut bientôt décidé que si rien ne venait s'y opposer, madame Grant pouvait compter sur sa présence.

« Et vous savez ce que nous aurons à dîner », dit madame Grant avec un sourire, « la dinde, et je peux vous assurer qu'elle est fort belle ; car mon cher », se tournant vers son mari, « la cuisinière insiste pour que la dinde soit apprêtée demain. »

« Très bien, très bien », s'écria le docteur Grant, « tant mieux. Je suis très heureux d'apprendre que vous avez quelque chose de si bon dans la maison. Mais mademoiselle Price et monsieur Edmond Bertram sont prêts à tenter leur chance. Aucun de nous ne veut connaître le menu. Une réunion amicale et non un bon dîner est tout ce que nous avons en vue. Une dinde ou une oie ou un gigot de mouton, ou quoi que ce soit que vous et votre cuisinière vous proposiez de nous offrir fera l'affaire. »

Les deux cousins rentrèrent ensemble chez eux ; et ce fut une promenade silencieuse, sauf lorsqu'ils discutèrent aussi-tôt après leur départ de cette invitation dont Edmond se montrait excessivement enchanté ; il pensait qu'elle était particulièrement souhaitable pour elle, car elle était un témoignage de cette intimité qu'il avait vue s'établir avec tant de plaisir ; mais une fois qu'il eut épuisé le sujet, il devint pensif et se montra peu disposé à parler d'autre chose.

CHAPITRE XXIII

« Mais pourquoi madame Grant devait-elle inviter Fanny ? » dit Lady Bertram. « Comment se fait-il qu'elle ait songé à prier Fanny de venir ? Fanny n'a jamais dîné là-bas, vous le savez bien. Je ne peux me passer d'elle, et je suis certaine qu'elle n'a aucune envie d'y aller. Fanny, vous ne voulez pas y aller, n'est-ce pas ? »

« Si vous lui posez la question ainsi », s'écria Edmond, coupant la parole à sa cousine, « Fanny dira non, immédiatement ; mais je suis sûr, ma chère mère, qu'elle aimerait y aller ; et je ne vois aucune raison pour qu'elle refuse cette invitation. »

« Je n'arrive pas à imaginer la raison pour laquelle madame Grant a songé à elle. C'est une chose qu'elle n'a jamais faite auparavant. Elle avait coutume d'inviter parfois vos sœurs, mais elle n'a jamais invité Fanny. »

« Si vous ne pouvez vous passer de moi, madame », dit Fanny, d'une voix pleine d'abnégation...

« Mais ma mère sera en compagnie de mon père toute la soirée. »

« Bien sûr, il sera là. »

« Et si nous demandions l'avis de mon père, madame. »

« C'est une excellente idée. C'est ce que je ferai, Edmond. Je demanderai à Sir Thomas, dès qu'il rentrera, si je peux me passer d'elle. »

« Vous agirez sur ce point comme vous l'entendrez, madame ; mais je voulais avoir l'avis de mon père pour savoir s'il était *bienséant* d'accepter ou non cette invitation ; et je crois, que comme il s'agit tant pour madame Grant que pour Fanny d'une *première* invitation, il considérera qu'il est juste de l'accepter. »

« Je n'en suis pas sûre. Nous le lui demanderons. Mais il sera fort surpris que madame Grant ait invité Fanny. »

Il n'y avait rien à ajouter, ou du moins rien d'utile, jusqu'à l'arrivée de Sir Thomas ; mais ce sujet, lié comme il l'était au confort de sa soirée du lendemain, occupait tant de place dans l'esprit de Lady Bertram, qu'une demi-heure après, alors que Sir Thomas venait lui faire une visite d'une minute (il arrivait de sa futaie et se rendait à son cabinet de toilette), elle le rappela, alors qu'il avait presque refermé la porte, avec un « Sir Thomas, arrêtez un instant, j'ai quelque chose à vous dire ».

Elle ne se donnait jamais la peine de hausser la voix, qu'elle avait calme et nonchalante, mais elle se faisait toujours entendre et on était toujours attentif à la moindre de ses paroles ; aussi Sir Thomas revint-il sur ses pas. Elle commença son histoire et tout aussitôt Fanny quitta la pièce furtivement ; car entendre sa tante et son oncle la choisir comme sujet de conversation était plus que n'en pouvaient supporter ses nerfs. Elle était avide de savoir, elle s'en rendait compte, plus impatiente qu'elle n'eût peut-être dû l'être, car qu'importait après tout qu'elle s'en allât ou demeurât ? Mais si son oncle devait passer beaucoup de temps à délibérer et décider, et cela avec des airs de solennité en la regardant, et s'il devait finir par se prononcer contre le projet, elle pourrait bien ne pas être capable de paraître suffisamment soumise et indifférente. Pendant ce temps, sa cause allait bon train. Lady Bertram commença ainsi : « J'ai quelque chose à vous dire qui vous surprendra. Madame Grant a invité Fanny à dîner ! »

« Eh bien », dit Sir Thomas, comme s'il s'attendait à trouver matière à le surprendre dans ce qui allait suivre.

« Edmond désire qu'elle accepte l'invitation. Mais comment puis-je me passer d'elle ? »

« Elle sera en retard », dit Sir Thomas, en sortant sa montre, « mais qu'y a-t-il là de difficile pour vous ? »

Edmond se trouva dans l'obligation de parler et de remplir les vides que sa mère avait laissés dans son récit. Il raconta toute l'histoire, et elle se contenta d'ajouter : « C'est si inhabituel ! Madame Grant ne l'avait jamais invitée auparavant. »

« Mais n'est-ce pas là chose fort naturelle », fit remarquer Edmond, « si madame Grant désire gratifier sa sœur d'un aussi aimable visiteur ? »

« Rien de plus naturel », dit Sir Thomas, après avoir délibéré un instant ; « et même s'il ne s'agissait pas de sa sœur dans cette affaire, il ne pourrait à mon avis y avoir rien de plus naturel. Que madame Grant fasse preuve de courtoisie à l'égard de mademoiselle Price, à l'égard de la nièce de Lady Bertram, ne devrait jamais requérir d'explications. Mon seul étonnement est que ce soit la *première* fois qu'une telle politesse ait été faite. Fanny a eu tout à fait raison de ne donner qu'une réponse conditionnelle. Elle agit, à ce qu'il me semble, en tout point ainsi qu'elle le doit. Mais comme je conclus qu'elle doit désirer accepter, puisque tous les jeunes gens et jeunes filles aiment à être ensemble, je ne vois pas pourquoi on lui refuserait ce plaisir. »

« Mais puis-je me passer d'elle, Sir Thomas ? »

« Assurément, je pense que oui. »

« Elle prépare toujours le thé, voyez-vous, quand ma sœur n'est pas là. »

« Peut-être pourrons-nous obtenir de votre sœur qu'elle passe la journée avec nous et, quant à moi, je serai certainement à la maison. »

« Eh bien alors, Fanny peut accepter, Edmond. »

La bonne nouvelle parvint bientôt jusqu'à Fanny. Edmond qui se rendait dans sa chambre frappa à sa porte.

« Eh bien, Fanny, tout est réglé pour le mieux, et sans la moindre hésitation de la part de votre oncle. Il n'a eu qu'une seule et même opinion. Vous devez accepter. »

« Merci, je suis *si* heureuse », répondit Fanny sans réfléchir plus longuement ; mais elle ne put s'empêcher de penser, une fois qu'elle eut détourné la tête et fermé la porte : « Et pourtant, pourquoi serais-je heureuse ? ne suis-je pas sûre de voir et d'entendre là-bas des choses qui m'affligeront ? »

Malgré cette conviction, elle était toutefois heureuse, car si ordinaire que pût paraître cette invitation aux yeux des autres, elle offrait de la nouveauté et était pour elle importante ; en effet, hormis la journée passée à Sotherton, elle n'avait jamais dîné en dehors de Mansfield auparavant ; et bien qu'il n'y eût eu dans ce cas-là qu'un demi-mille à franchir et ce pour voir seulement trois personnes, il s'agissait pourtant d'une invitation à dîner, et elle avait plaisir à songer aux menus préparatifs que cette invitation requérait. Elle ne reçut ni marques de sympathie ni assistance de ceux qui eussent dû partager ses sentiments et contribuer à former son goût ; car Lady Bertram n'avait jamais songé à être utile à qui que ce fût, et madame Norris, quand elle vint le lendemain, répondant ainsi à la visite que lui avait faite de bonne heure Sir Thomas pour lui porter une invitation, était de fort méchante humeur, et semblait ne songer qu'à diminuer autant que possible le plaisir présent ou futur que pouvait éprouver sa nièce.

« Ma parole, Fanny, vous avez grandement de la chance d'être l'objet de tant d'attentions et de marques de complaisance ! Vous devriez témoigner la plus grande reconnaissance à madame Grant qui a songé à vous, et à votre tante qui vous permet de vous rendre au presbytère, et cela devrait vous apparaître comme une chose extraordinaire : car j'espère que vous vous rendez compte qu'il n'y a aucune raison réelle pour que vous vous joigniez ainsi à cette compagnie, ou que vous soyez du tout invitée à dîner ; et comptez bien que cela ne se reproduira plus. Et vous ne devez pas non plus imaginer que cette invitation a été faite dans le but de *vous* adresser quelque compliment particulier ; le compliment est destiné à votre oncle, à votre tante et à moi-même. Madame Grant pense que vous accorder quelque attention est un hommage qui *nous* est dû, ou alors cette idée ne lui aurait jamais traversé l'esprit, et croyez-moi, si votre cousine Julia s'était trouvée à la maison, on ne vous aurait rien demandé du tout. »

Madame Norris avait désormais avec une si grande habileté détruit tout ce que madame Grant avait pu faire en sa faveur que Fanny parvint seulement à dire, lorsqu'elle s'aperçut qu'on s'attendait à ce qu'elle prononçât quelques paroles, qu'elle était fort reconnaissante à sa tante Bertram qui voulait bien se passer de sa présence, et qu'elle s'efforcerait de mettre en ordre l'ouvrage de sa tante pour la soirée afin d'empêcher qu'on pût regretter son absence.

« Oh ! soyez certaine que votre tante peut très bien se passer de vous, on ne vous aurait pas autorisée à y aller. *Je*

serai présente, aussi vous pouvez vous sentir tout à fait
tranquille en ce qui concerne votre tante. Et j'espère que
vous passerez une très *agréable* journée et que vous trouverez tout *charmant* au plus haut point. Mais je dois vous faire
remarquer que le chiffre cinq est le plus malcommode de tous
les chiffres possibles, lorsqu'on s'assoit à une table ; et je ne
peux que m'étonner qu'une lady aussi *élégante* que madame
Grant ne s'y soit pas pris autrement ! Et dire que de plus
vous serez autour d'une table énorme, si grande et si large
qu'elle remplit à elle seule toute la pièce d'effroyable façon !
Si le docteur s'était contenté de prendre ma table de salle à
manger quand je suis partie, ainsi que l'eût fait toute
personne sensée, au lieu de faire venir cette ridicule nouvelle
table qui est la sienne, et qui est plus large, littéralement plus
large que la table de salle à manger de Mansfield, comme cela
eût été infiniment préférable ! et combien plus on l'eût
respecté ! car l'on ne respecte jamais ceux qui s'écartent de la
sphère qui est la leur. N'oubliez pas *cela*, Fanny. Cinq, cinq
seulement à être assis autour de cette table ! Il y aura
toutefois, certainement, à manger à suffisance pour dix. »

Madame Norris reprit son souffle et poursuivit.

« La stupidité et la déraison de ceux qui s'écartent du rang
qui est le leur et essaient de paraître plus qu'ils ne sont, me
fait penser qu'il est juste de *vous* prévenir, Fanny, maintenant que vous allez sans nous dans la société ; et je vous
implore et vous supplie de ne pas vous mettre en avant, de ne
pas parler et donner votre avis comme si vous étiez l'une de
vos cousines, comme si vous étiez notre chère madame
Rushworth ou Julia. *Cela* ne conviendra pas du tout.
Rappelez-vous, où que vous soyez, que vous devez être la
plus humble et passer en dernier ; et bien que mademoiselle
soit en quelque sorte chez elle, au presbytère, il ne faut pas
que vous jouiez le même rôle qu'elle. Et quant au retour du
soir, vous resterez aussi longtemps qu'Edmond le désirera.
Laissez-le *en* décider. »

« Oui, madame, je ne pouvais penser agir autrement. »

« Et si par hasard il pleuvait, ce qui est fort probable, car
je n'ai de ma vie vu soirée qui annonce autant la pluie, il
faudra que vous vous débrouilliez comme vous le pourrez, et
ne vous attendiez pas à ce qu'on envoie la voiture pour vous.
Je ne rentrerai certainement pas chez moi ce soir, et par

conséquent la voiture ne sortira pas ; aussi faut-il que vous vous accommodiez de la situation quelle qu'elle soit, et agissiez en conséquence. »

Sa nièce trouva cela parfaitement raisonnable. Elle ne prétendait pas à plus de confort que celui que sa tante jugeait nécessaire pour elle ; et quand Sir Thomas dit peu de temps après en ouvrant la porte : « Fanny, à quelle heure voulez-vous que la voiture vienne vous chercher ? » elle fut à ce point étonnée qu'il lui fut impossible de répondre.

« Mon cher Sir Thomas ! » s'écria madame Norris, rouge de colère, « Fanny peut s'y rendre à pied. »

« À pied ! » répéta Sir Thomas, d'un air de dignité qui ne souffrait aucune réplique, en s'avançant dans la pièce. « Que ma nièce se rende à pied à une invitation à dîner à cette époque de l'année ! Est-ce que quatre heures vingt vous conviendra ? »

« Oui, monsieur », répondit Fanny humblement, car elle avait presque le sentiment d'être une criminelle envers madame Norris ; et comme elle ne supportait pas de demeurer à ses côtés alors qu'elle pouvait avoir l'air de triompher, elle suivit son oncle qui quittait sa pièce, mais pas assez rapidement pour ne pas surprendre ces paroles prononcées sur un ton de colère et dans la plus grande agitation :

« Tout à fait inutile ! beaucoup trop bon ! mais Edmond y va, c'est vrai — c'est à cause d'Édmond. J'ai remarqué que mardi soir il était enroué. »

Mais ces paroles ne pouvaient l'abuser. Fanny savait que la voiture était pour elle et pour elle seule ; et les égards que son oncle avait montrés envers elle, succédant d'aussi près aux remontrances de sa tante, lui firent verser des larmes de gratitude quand elle se trouva seule.

Le cocher avança la voiture à l'heure dite ; le gentleman descendit une minute plus tard, et comme la jeune lady était assise depuis de nombreuses minutes dans le salon, car elle redoutait fort d'être en retard, ils partirent à l'heure ainsi que l'exigeaient les habitudes de ponctualité de Sir Thomas.

« Laissez-moi vous regarder, maintenant, Fanny », dit Edmond, avec le sourire affectueux d'un frère aimant, « et vous dire si vous me plaisez ainsi ; dans la mesure où cette lumière me permet d'en juger, vous êtes très bien en vérité ; qu'est-ce que vous portez ? »

« La nouvelle robe que mon oncle a eu la bonté de me donner le jour du mariage de ma cousine. J'espère qu'elle n'est pas trop habillée ; mais j'ai pensé qu'il fallait que je la porte dès que je le pourrais, et que je n'aurais peut-être aucune autre occasion de tout l'hiver. J'espère que vous ne me trouvez pas trop parée. »

« Une femme n'a jamais l'air trop richement parée lorsqu'elle est vêtue de blanc. Non, je ne trouve pas que vous ayez l'air trop parée. Votre robe est très jolie. J'aime ces petits points brillants. Mademoiselle Crawford n'a-t-elle pas une robe qui ressemble à la vôtre ? »

En approchant du presbytère, ils passèrent à côté de la cour de l'écurie et de la remise aux voitures.

« Tiens ! » dit Edmond, « voici de la compagnie, voici une voiture ! Qui ont-ils trouvé pour dîner avec nous ? » et abaissant la vitre latérale pour mieux voir, « c'est Crawford, je suis sûr que c'est la voiture de Crawford ! Voilà ses deux domestiques qui la poussent pour la faire rentrer dans les lieux qu'elle occupait précédemment. Il est ici, cela est évident. Quelle surprise, Fanny ! Je serai très heureux de le revoir. »

Fanny n'eut ni le temps ni l'occasion de dire combien elle ressentait les choses différemment ; mais l'idée, qu'il y avait encore quelqu'un pour l'observer, accrut grandement son émoi quand il lui fallut accomplir la redoutable cérémonie qui consistait à pénétrer dans le salon.

Monsieur Crawford se trouvait bel et bien dans le salon en effet ; et il avait eu le temps, étant arrivé suffisamment à l'avance, de se préparer pour le dîner ; les sourires et l'air de bonheur des trois personnes qui l'entouraient, montraient que la soudaine décision qu'il avait prise de leur rendre visite quelques jours après son départ de Bath était accueillie avec plaisir. La rencontre entre monsieur Crawford et Edmond fut des plus cordiales, et à l'exception de Fanny, la joie était générale ; et sa présence se révélerait peut-être pour *elle* un avantage, puisque tout nouveau venu permettrait la satisfaction de son plus cher désir qui était qu'on souffrît de la voir demeurer silencieuse et qu'on ne s'occupât point d'elle. Les choses se passèrent ainsi, comme elle s'en rendit bientôt compte elle-même ; car s'il lui fallut, ainsi que le lui dictait son sens des convenances, et ce malgré les recommandations de sa tante Norris, accepter d'être la plus importante des dames présentes, et recevoir par conséquent toutes les menues marques de distinction qui lui étaient dues, elle s'aperçut pendant qu'ils étaient à table, que la conversation allait bon train sans qu'on réclamât qu'elle y prît part : le frère et la sœur avaient tant de choses à échanger à propos de Bath, les deux jeunes gens tant à dire sur la chasse, monsieur Crawford et le docteur Grant avaient tant à dire sur la politique, quant à monsieur Crawford et madame Grant ils parlaient de tout et tous les deux ensemble, si bien qu'il y avait les plus grandes chances pour qu'elle pût se contenter d'écouter en silence et de passer ainsi une soirée fort agréable. Elle ne put toutefois ni montrer le moindre semblant d'intérêt, ni adresser le plus petit compliment au gentleman nouvellement arrivé pour le projet qu'il faisait de prolonger son séjour à Mansfield et d'envoyer chercher ses hunters dans le Norfolk ; cette idée, suggérée par le docteur Grant, recommandée par Edmond et vivement encouragée par les deux sœurs, s'empara bientôt de lui, et il semblait même ne plus attendre que ses encouragements pour prendre sa décision. On lui demanda son avis pour savoir s'il y avait quelque probabilité pour que se prolongeât ce temps si clément, mais ses réponses furent aussi brèves et indifférentes que le lui permettait la politesse. Elle ne pouvait pas souhaiter qu'il restât, et eut préféré qu'il ne lui adressât point la parole.

Malgré leur absence, ses deux cousines, Julia surtout, occupaient ses pensées, lorsque son regard se posait sur lui ; mais sa bonne humeur *à lui* n'était troublée par aucun souvenir embarrassant. Il était de nouveau sur les lieux mêmes où s'étaient déroulés tous les événements précédents et était selon toute apparence aussi désireux de rester et d'être heureux sans les demoiselles Bertram que s'il n'avait jamais connu Mansfield en d'autres circonstances. Elle l'entendit qui parlait d'elles, mais seulement d'une façon générale, jusqu'au moment où ils se trouvèrent tous réunis à nouveau au salon ; et là, tandis qu'Edmond était engagé avec le docteur Grant dans une conversation portant sur quelque sujet d'affaires qui semblait les absorber complètement, et que madame Grant était occupée à la table où le thé était servi, il commença à parler d'elles à son autre sœur avec plus de minutie. Avec un sourire chargé de sous-entendus, qui fit que Fanny se prit à le haïr, il dit : « Ainsi Rushworth et sa belle épousée sont à Brighton, d'après ce que je comprends. Heureux homme ! »

« Oui, ils sont là-bas depuis environ une quinzaine de jours, mademoiselle Price, n'est-ce pas ? et Julia est avec eux. »

« Et monsieur Yates, je présume, n'est pas loin. »

« Monsieur Yates ! Oh ! Nous n'avons aucune nouvelle de monsieur Yates. Je n'imagine pas qu'il figure beaucoup dans les lettres adressées à Mansfield Park, n'est-ce pas mademoiselle Price ? Je pense que mon amie Julia est bien trop avisée pour divertir son père en lui parlant de monsieur Yates. »

« Pauvre monsieur Rushworth et ses quarante-deux tirades ! » poursuivit Crawford. « Personne ne pourra jamais les oublier. Le pauvre garçon ! Je le revois maintenant ; sa peine et son désespoir. Eh bien, si je ne me trompe, la charmante Maria, son épouse, ne lui demandera jamais de prononcer pour elle quarante-deux discours », et il ajouta, avec un air sérieux qui ne dura qu'un instant : « Elle est trop bien pour lui, beaucoup trop bien. » Puis il changea à nouveau de ton et s'adressa à Fanny sur un ton d'aimable courtoisie : « Vous vous êtes montrée fort bonne envers monsieur Rushworth. Votre gentillesse et votre patience sont de celles que l'on n'oublie pas, votre inlassable patience, ainsi que vos efforts pour lui permettre d'apprendre son rôle et lui donner des lumières que la nature lui a refusées en composant pour lui un entendement à sa mesure à partir de cette surabondance d'esprit qui est la vôtre ! Peut-être n'a-t-*il* pas eu suffisamment de jugement pour apprécier votre bonté, mais j'ose affirmer qu'elle a reçu les hommages de tous les autres habitants de Mansfield. »

Fanny rougit et ne dit mot.

« Il me semble avoir fait un rêve, un rêve agréable ! » s'exclama-t-il, puis il reprit après quelques minutes de rêverie : « Je garderai toujours en mémoire le souvenir exquis de notre théâtre d'amateurs. Quelle ardeur, quelle animation, quel enthousiasme partout répandus ! Tout le monde était animé par le même esprit. Nous étions tous pleins d'entrain. Chaque heure du jour avait ses occupations

particulières, ses espoirs, ses soucis, son animation affairée.
Et toujours quelque légère objection, quelque léger doute,
quelque légère inquiétude à surmonter. Je n'ai jamais été plus
heureux. »

Muette d'indignation, Fanny se répétait en son for intérieur : « Jamais plus heureux ! jamais plus heureux qu'en
agissant sciemment de façon inique, jamais plus heureux
qu'en vous conduisant de façon indigne, en insensible que
vous êtes ! Oh ! quel esprit corrompu ! »

« Nous n'avons pas eu de chance, mademoiselle Price »,
poursuivit-il à voix basse, afin d'éviter qu'Edmond pût les
entendre, et sans s'apercevoir le moins du monde qu'elle
éprouvait de pareils sentiments, « nous n'avons certes pas eu
beaucoup de chance. Une autre semaine, une seule, et cela
nous eût suffi. Je pense que si nous avions pu décider du
cours des événements, si Mansfield Park avait eu la maîtrise
des vents, ne fût-ce qu'une semaine ou deux au moment de
l'équinoxe, il en eût été tout autrement. Non que nous
eussions mis sa vie en danger en faisant intervenir un temps
épouvantable ; mais il nous eût suffi qu'un vent contraire
soufflât continuellement, ou qu'il y eût calme plat. Je crois,
mademoiselle Price, que nous nous serions offert le plaisir
d'une semaine d'accalmie sur l'Atlantique en cette saison. »

Il semblait résolu à obtenir d'elle une réponse ; et Fanny,
détournant le visage, dit d'une voix plus assurée que de
coutume : « En ce qui *me* concerne, monsieur, je n'aurais pas
retardé son retour d'un seul jour. La désapprobation que
mon oncle a montrée à son arrivée a été si totale qu'à mon
avis nous avions mené les choses bien trop loin. »

Jamais de sa vie elle ne lui avait adressé la parole aussi
longuement, et elle n'avait jamais parlé avec autant de
colère ; et quand elle en eut terminé avec son discours, elle se
prit à trembler et à rougir de sa témérité. Il fut surpris ; mais
après l'avoir considérée quelques instants en silence, il
répondit d'une voix plus calme et plus sérieuse, comme
sincèrement convaincu par ses paroles : « Je crois que vous
avez raison. C'était une entreprise plus agréable que judicieuse. Nous commencions à faire un peu trop de tapage. »
Et puis désireux de changer de conversation, il l'eût volontiers entrepris sur quelque autre sujet, mais ses réponses

furent si timides et si réticentes qu'il ne put progresser plus avant.

Mademoiselle Crawford, qui n'avait cessé d'observer le docteur Grant et Edmond d'un œil soupçonneux, fit alors remarquer : « Ces gentlemen ont sans conteste des sujets de conversation fort intéressants. »

« Le plus intéressant qui soit au monde », répondit son frère. « Comment gagner de l'argent, comment faire prospérer un bon revenu pour qu'il devienne meilleur encore. Le docteur Grant donne à Bertram des instructions à propos du bénéfice qu'il doit obtenir très prochainement. Je crois qu'il va être ordonné dans quelques semaines. Ils étaient déjà en train d'en parler dans la petite salle à manger. Je suis heureux d'apprendre que Bertram puisse jouir d'une belle aisance. Il aura un fort joli revenu à jeter par les fenêtres, et il le gagnera sans beaucoup de souci. Je crois qu'il n'aura guère moins de sept cents livres par an. Sept cents livres par an, voilà une belle somme pour un frère cadet ; et comme bien sûr il continuera à habiter chez lui, elle sera destinée à ses *menus plaisirs* (1) ; un sermon à Noël et un à Pâques, voilà à quoi s'élèvera le montant de son sacrifice. »

Sa sœur essaya de prendre la chose en riant : « Rien ne m'amuse plus que la facilité avec laquelle chacun arrange à sa façon l'abondance de biens de ceux qui disposent de moins qu'eux. Vous seriez plutôt désemparé, Henry, si vos menus plaisirs devaient se réduire à sept cents livres par an. »

« Peut-être bien ; mais tout *ce que* vous savez là-dessus est tout à fait relatif. Le droit du sang et l'habitude doivent arranger les choses. Bertram est assurément, pour un cadet appartenant à la famille d'un baronnet, suffisamment bien pourvu. Quand il aura atteint sa vingt-quatrième ou sa vingt-cinquième année, il aura sept cents livres par an, et rien à faire pour les obtenir. »

Mademoiselle Crawford *eût pu* dire qu'il y avait quelque chose à faire pour les obtenir et quelque chose de pénible à supporter, qu'elle ne pouvait considérer comme dénuée d'importance ; mais elle se retint de parler et ne fit aucune remarque à ce sujet ; et lorsque les deux gentlemen la

---

(1) En français dans le texte.

rejoignirent peu de temps après, elle essaya de paraître calme et indifférente.

« Bertram », dit Henry Crawford, « je m'efforcerai de venir à Mansfield vous entendre prêcher votre premier sermon. Je viendrai dans le but d'encourager un jeune débutant. Quand cela aura-t-il lieu ? Mademoiselle Price, ne vous joindrez-vous pas à nous pour encourager votre cousin ? Ne vous engagerez-vous pas à l'écouter tout le temps qu'il parlera, les yeux fixés sur son visage — car c'est ce que je ferai — afin de ne pas perdre un seul mot ; ou bien à ne détourner les yeux que pour noter quelque phrase d'une beauté remarquable ? Nous nous munirons d'une tablette pour écrire et d'un crayon. Quand cela aura-t-il lieu ? Il faudra que vous prêchiez à Mansfield, afin que Sir Thomas et Lady Bertram puissent vous entendre. »

« Aussi longtemps que cela me sera possible, Crawford, je me tiendrai loin de vous », dit Edmond, « car vous me feriez probablement perdre contenance et je serais désolé de vous voir vous tout particulièrement, et non un autre vous employer à cette tâche. »

« Et cela, ne le comprendra-t-il pas ? » pensa Fanny. « Non, aucune de ses réactions n'est ce qu'elle devrait être. »

Tous les membres de la compagnie étaient maintenant réunis, et comme les principaux orateurs exerçaient leur pouvoir l'un sur l'autre, rien ne vint troubler sa tranquillité ; et comme après le thé, une table de whist fut formée dans le seul but en réalité de procurer quelque distraction au docteur Grant — décision prise par son épouse attentionnée bien qu'elle ne voulût pas que cela fût dit — et comme mademoiselle Crawford se mit à la harpe, elle n'eut rien d'autre à faire qu'à écouter et la soirée s'écoula pour elle sans que rien n'en vint déranger le cours, sauf parfois quand monsieur Crawford lui adressait la parole en lui posant une question ou lui faisant une remarque auxquelles elle ne pouvait éviter de répondre. Mademoiselle Crawford était trop irritée par ce qui s'était passé pour être d'humeur à s'employer à autre chose que faire de la musique. Et ce fut en jouant de la harpe qu'elle se consola et divertit ses amis.

La certitude qu'Edmond allait si prochainement être ordonné, s'abattant sur elle comme un coup un instant

retenu alors qu'elle espérait encore qu'il s'agissait d'une
chose lointaine et incertaine, lui fit éprouver du dépit et du
ressentiment. Elle était fort en colère contre lui. Elle avait cru
avoir plus d'influence. Elle *avait* bel et bien commencé à
penser à lui — elle avait eu l'impression d'avoir pensé à lui
avec beaucoup de déférence et presque avec des intentions
bien arrêtées ; mais dorénavant elle rivaliserait avec lui de
froideur quand elle le rencontrerait. Il était évident qu'il ne
pouvait songer à elle sérieusement, ni éprouver un véritable
attachement, lorsqu'il se préparait à occuper une position à
laquelle elle ne s'abaisserait, il devait le savoir, jamais. Elle
apprendrait à montrer la même indifférence. Elle accepterait
désormais ses attentions sans les considérer autrement que
comme un divertissement d'un instant. S'*il* était ainsi capable
de rester maître de ses sentiments, *elle* resterait également
maîtresse des siens, ce qui ne pourrait en rien lui nuire.

CHAPITRE XXIV

Le lendemain matin, Henry Crawford avait tout à fait décidé de s'accorder encore une semaine à Mansfield, et ayant fait chercher ses hunters et écrit quelques lignes à l'Amiral, il se tourna vers sa sœur tout en cachetant sa lettre et la jetant loin de lui, et dit avec un sourire, car il voyait qu'il avait le champ libre en l'absence des autres membres de la famille : « Et comment croyez-vous que je vais trouver à m'amuser les jours où je ne chasserai pas ? Je suis trop vieux pour sortir plus de trois jours par semaine ; mais j'ai un projet pour les jours intermédiaires, et que pensez-vous que ce soit ? »

« Faire bien sûr des promenades avec moi, à pied ou à cheval. »

« Pas exactement, bien que je sois tout disposé à faire ces deux choses, mais *ce* ne serait là qu'exercer mon corps seulement, et je dois prendre soin de mon esprit. En outre, *agir ainsi* serait pur divertissement et satisfaction de mes désirs, sans le salutaire alliage du travail, et je n'aime pas manger le pain de l'oisiveté. Non, mon plan est de rendre Fanny amoureuse de moi. »

« Fanny Price ! Sottises ! Non, non. Vous devriez vous contenter des deux cousines. »

« Mais je ne saurais être satisfait sans Fanny Price, il faut que je fasse un petit trou dans le cœur de Fanny Price. Vous ne paraissez pas dûment vous rendre compte qu'elle mérite qu'on la remarque. Quand nous avons parlé d'elle la semaine dernière, aucun de nous n'a paru être sensible aux merveil-

leuses transformations qui se sont accomplies au cours des
dix dernières semaines. Vous la voyez chaque jour et par
conséquent ne les avez pas remarquées, mais je vous assure,
c'est une toute autre personne que celle que nous avons
connue l'été dernier. C'était alors simplement une jeune fille
réservée et modeste, qui n'était pas vilaine à regarder, mais
elle est maintenant franchement jolie. J'avais coutume de
penser que son visage était dépourvu d'expression et son
teint de coloris ; mais le velouté de sa peau, qui se colore si
souvent lorsqu'elle rougit, comme je l'ai vue faire hier, est
d'une beauté marquée ; et d'après ce que j'ai remarqué, je ne
désespère pas de voir ses yeux et sa bouche capables
d'exprimer un grand nombre de choses, dès l'instant où elle a
quelque chose à exprimer. Et puis, quelle métamorphose
indescriptible dans son apparence générale, ses manières et
l'ensemble de sa personne ! Elle a certainement grandi de
deux pouces au moins depuis le mois d'octobre. »

« Bah ! bah ! C'est uniquement parce que vous ne pouviez
la comparer avec d'autres femmes de belle prestance et que
vous ne l'aviez jamais vue aussi bien habillée auparavant. Elle
n'est pas différente de ce qu'elle était en octobre, croyez-
moi. La vérité est que c'est la seule jeune fille de la compagnie
que vous puissiez distinguer, et il vous faut quelqu'un à qui
accorder votre attention. J'ai toujours pensé qu'elle était
jolie, pas de façon frappante, mais " assez jolie ", comme on
dit ; cette sorte de joliesse qui grandit avec le temps lorsque
vous y songez. Ses yeux devraient être plus sombres, mais il
y a beaucoup de douceur dans son sourire ; mais quant à sa
merveilleuse métamorphose, elle se réduit assurément à une
mise plus distinguée et au fait que vous n'aviez personne
d'autre à regarder ; et par conséquent, si vous vous mettez en
tête de flirter avec elle, vous ne me persuaderez jamais que
c'est pour rendre hommage à sa beauté, ou que cette décision
provient d'autre chose que de votre oisiveté et votre
folie. »

Son frère ne répondit à cette accusation que par un sourire
et dit un instant plus tard : « Je ne sais pas très bien que
penser de mademoiselle Fanny. Je ne la comprends pas. Je
n'ai pas réussi à comprendre quel était son but hier. Quel est
son caractère ? Est-elle grave ? est-elle bizarre ? est-elle
prude ? Pourquoi s'est-elle reculée en me dévisageant d'un

air sérieux ? Je suis à peine parvenu à la faire parler. Je ne me
suis jamais de ma vie trouvé en compagnie d'une jeune fille
— et avoir essayé de l'amuser— avec aussi peu de succès ! Je
n'ai jamais rencontré de jeune fille qui me regarde d'un air
aussi sérieux ! Il faut que j'essaie de vaincre cette difficulté.
Tout son air me dit : " Je ne vous aimerai pas, je suis résolue à
ne pas vous aimer ", et moi je dis, elle m'aimera. »

« Quelle sottise ! Et ainsi voilà en quoi réside sa séduction
après tout ! C'est le fait qu'elle ne se soucie pas de vous qui
donne à sa peau ce velouté et la fait paraître beaucoup plus
grande qu'elle n'est, c'est cela qui est la cause de tous ses
attraits et ses appas ! Je souhaite fort que vous ne la rendiez
pas réellement malheureuse ; peut-être *un peu* d'amour lui
donnera de l'animation et lui fera du bien, mais je ne veux pas
que vous l'obligiez à se jeter corps et âme dans l'amour, car
c'est un petit être charmant, et elle a beaucoup de cœur. »

« Cela ne durera qu'une quinzaine de jours », dit Henry,
« et si quinze jours peuvent la tuer, c'est que sa constitution
était de celles que rien ne pouvait sauver. Non, je ne lui ferai
aucun mal, la chère petite créature ! Je veux seulement
qu'elle me regarde avec gentillesse, me gratifie de ses sourires
et de ses rougeurs de timide, qu'elle garde auprès d'elle une
chaise pour moi où que nous soyons, et que sa physionomie
s'anime lorsque je m'assiérai pour parler avec elle ; qu'elle
pense comme moi, s'intéresse à mes biens et à mes plaisirs,
essaye de me retenir plus longtemps à Mansfield, et ait
l'impression, quand je partirai, qu'il n'y aura plus jamais de
bonheur possible pour elle. Je n'exige rien de plus. »

« Voilà qui est la modération même ! » dit Mary. « Impossible pour moi maintenant, d'avoir des scrupules. Eh bien,
vous aurez suffisamment d'occasions de vous efforcer de
vous recommander auprès d'elle, car nous allons être souvent ensemble. »

Et sans essayer de l'admonester plus longuement, elle
abandonna Fanny à son sort ; et si le cœur de Fanny n'avait
pas été protégé d'une façon que mademoiselle Crawford ne
soupçonnait aucunement, ce cœur eût pu être blessé plus
cruellement qu'elle ne le méritait ; car s'il existe sans aucun
doute des jeunes ladies de dix-huit ans impossibles à conquérir (et on ne devrait alors les trouver dans aucun livre),
qu'aucun talent, aucune manœuvre, attention ou flatterie ne

sauraient persuader d'aimer contre leur jugement, je ne suis pas du tout encline à croire que Fanny faisait partie de cette catégorie-là, ou à penser qu'avec un naturel aussi tendre et tant de goût à sa disposition, elle eût pu s'échapper le cœur libre alors qu'un homme comme Crawford lui faisait la cour (même si cette cour ne devait durer qu'une quinzaine de jours), bien qu'il lui eût fallu pour cela surmonter la mauvaise opinion qu'elle avait eu de lui auparavant, si son cœur n'avait pas été engagé par ailleurs. Malgré toute l'assurance que l'amour d'un autre et le manque d'estime à son égard pouvaient donner à cette âme sereine qu'il voulait vaincre, ses attentions continuelles (continuelles mais pas intempestives, et qui se conformaient de plus en plus à la délicatesse et la douceur de son caractère) la contraignirent à moins le détester qu'autrefois. Elle n'avait aucunement oublié le passé et le tenait en aussi piètre estime qu'auparavant ; mais elle reconnaissait ses talents ; il était divertissant, ses manières s'étaient amendées ; elles étaient devenues si polies, d'une politesse si grave et irréprochable qu'il lui était impossible de ne point se montrer pareillement courtoise.

Un nombre infime de jours suffit à accomplir ce résultat ; et à la fin de ces quelques jours des circonstances s'élevèrent qui eurent plutôt tendance à faire avancer le dessein qu'il avait formé de lui plaire, dans la mesure où elles procurèrent à Fanny un bonheur tel qu'elle était disposée à se montrer heureuse de tout. William, son frère, ce frère si longtemps absent et si tendrement aimé était de nouveau en Angleterre. Elle avait reçu une lettre de lui, quelques lignes écrites à la hâte pour exprimer sa joie, au moment où son navire avait gagné la Manche, et qu'il avait fait porter à Portsmouth par le premier bateau quittant l'*Anvers*, alors ancré à Spithead ; et lorsque Crawford arriva avec à la main le journal qui apporterait, espérait-il, les premières nouvelles, il la trouva en train de lire cette lettre, toute tremblante de joie, et écoutant, avec une expression de gratitude sur son visage rayonnant, l'affectueuse invitation que son oncle était en train de dicter le plus calmement du monde en guise de réponse.

Crawford avait eu vent de cette affaire la veille seulement, et c'était à ce moment qu'il avait appris l'existence de ce frère, ainsi que le fait qu'il se trouvait à bord d'un navire, mais l'intérêt suscité alors par cette nouvelle avait été suffisamment vif pour le pousser à s'enquérir à son retour en ville sur la date probable à laquelle l'*Anvers* devait revenir de son périple en Méditerranée, etc. ; et il fut assez heureux lors de l'examen matinal qu'il fit des nouvelles maritimes pour être récompensé à la fois de son habileté à découvrir ce moyen de lui plaire, et de la déférence respectueuse qu'il avait témoignée à l'Amiral en ayant pendant de nombreuses années fait venir le journal qui était considéré comme étant le plus rapidement informé des nouvelles de la mer. Il s'avéra toutefois qu'il était arrivé trop tard. Tous ces beaux sentiments, dont il avait espéré être l'instigateur, avaient déjà été prodigués dans leur prime fraîcheur. Mais elle lui fut reconnaissante de s'être montré attentionné ; le remercia chaleureusement de sa bonté — chaleureusement et avec beaucoup d'empressement, car en s'abandonnant à des effusions de tendresse envers William, elle s'élevait au-dessus de sa timidité coutumière.

Ce cher William allait bientôt être parmi eux. On lui accorderait sur-le-champ, sans aucun doute, la permission de descendre à terre, car il n'était encore qu'aspirant ; et comme ses parents, qui habitaient sur les lieux, avaient déjà dû le voir et ce peut-être chaque jour, ses vacances immédiates pourraient en toute justice être consacrées dès les premiers instants à la sœur qui, sept années durant, avait été sa meilleure correspondante, et à l'oncle qui avait fait le plus pour le soutenir et aider à son avancement ; et en conséquence, la réponse à sa réponse, qui fixait le jour de son arrivée dans les jours qui suivaient, arriva dès que possible ; et dix jours s'étaient à peine écoulés depuis que Fanny avait été plongée dans l'agitation d'une première invitation à dîner, lorsqu'elle se trouva plongée dans un émoi d'une nature plus noble — elle guettait dans l'entrée, le vestibule, l'escalier, les premiers bruits de la voiture qui devait conduire son frère jusqu'à elle.

Fort heureusement elle entendit ce bruit alors qu'elle attendait ainsi ; et comme aucun cérémonial, aucune appréhension ne vint retarder le moment de la rencontre, elle se trouva près de lui dès l'instant où il pénétra dans la maison, et les premières minutes d'émotion délicieuse ne furent pas interrompues, n'eurent aucun témoin, à moins d'appeler

ainsi les domestiques qui étaient tout entiers absorbés par la
tâche d'ouvrir les bonnes portes. C'était précisément la
situation que, chacun de son côté, Sir Thomas et Edmond
s'étaient employés à créer ; et ils s'aperçurent qu'ils avaient
tous deux eu la même idée, à la célérité attentive avec laquelle
ils recommandèrent à madame Norris de rester là où elle
était, au lieu de se précipiter dans l'entrée dès que les bruits
de l'arrivée seraient parvenus jusqu'à eux.

William et Fanny firent bientôt leur apparition ; et Sir
Thomas eut le plaisir d'accueillir, en la personne de son
protégé, quelqu'un de bien différent du marin qu'il avait
équipé sept ans auparavant, car celui-ci était maintenant un
jeune homme à l'expression ouverte et aimable, aux manières
franches et sans apprêt, mais sensibles et respectueuses, ce
qui le fortifia dans son amitié pour lui.

Il fallut un long moment pour que Fanny retrouvât son
calme, après l'émotion et le bonheur de cette heure qui s'était
composée tout d'abord de trente minutes d'attente, puis de
ces trente minutes pendant lesquelles s'étaient réalisées ses
espérances ; il s'écoula même un certain temps avant qu'on
pût dire qu'elle était heureuse de son bonheur, avant que ne
fût évanouie la déception qui était inséparable des transformations qu'elle découvrait chez son frère William, qu'elle
pût reconnaître le frère qu'elle connaissait, et lui parler en
employant les mots que son cœur avait pendant tant d'années
dans le passé brûlé de lui dire. Cet instant finit toutefois par
arriver, favorisé de son côté par une affection aussi vive que
la sienne, et bien moins contrariée par la méfiance de soi ou le
raffinement. Elle était pour lui le premier objet d'amour,
mais c'était un amour que sa plus grande énergie et son
tempérament plus hardi lui permettaient à la fois de ressentir
et d'exprimer avec naturel. Le lendemain, ils se promenèrent
ensemble et ce fut pour eux un véritable bonheur, et les jours
suivants renouvelèrent leur tête-à-tête, ce que Sir Thomas
observa avec satisfaction avant même qu'Edmond ne le lui
eût fait remarquer.

Hormis ces instants de bonheur singulier qu'avaient
suscité en elle pendant les derniers mois les marques d'attention inattendues et remarquables qu'Edmond lui avait prodi-
guées, elle n'avait jamais connu de sa vie pareille félicité, car
c'était là un commerce égal, sans peur et sans contrainte, avec

un frère et ami qui laissait s'épancher son cœur, lui racontait tous les espoirs, les craintes, les projets, les soucis que faisait naître cet avancement chèrement gagné et considéré justement comme un bienfait, et auquel il avait songé depuis si longtemps, ce frère qui pouvait lui donner le détail et sur-le-champ des nouvelles du père et de la mère, des frères et des sœurs dont elle entendait rarement parler, qui montrait de l'intérêt pour les menues épreuves et le réconfort que lui avait apporté sa maison de Mansfield, qui était prêt à porter le même jugement qu'elle sur tous les membres de la famille, qui ne différait d'elle que par des opinions moins scrupuleuses, qui critiquait plus franchement leur tante Norris, et avec qui (ce qui était peut-être le plus grand plaisir pour elle) elle pouvait revenir sur tous les événements, bons ou mauvais, de leurs premières années, et reconstituer avec la plus grande tendresse les souffrances et les joies qui se mêlaient dans leur vie passée. Cet avantage, qui fortifie l'amour, fait que les liens fraternels surpassent même les liens conjugaux. Les enfants d'une même famille, du même sang, qui ont en commun les souvenirs et les habitudes des premières années de leur vie, ont en leur pouvoir une source de bonheur qu'aucun attachement ultérieur ne peut procurer ; et pour faire oublier les restes précieux des premiers attachements de l'enfance, il faudra qu'il y ait une séparation longue et contre nature, une rupture que ne saurait justifier aucun lien ultérieur. Il en est, hélas, trop souvent ainsi. L'amour fraternel, qui parfois prime tout, est parfois aussi presque réduit à néant. Mais ce sentiment n'avait encore, chez William et Fanny, rien perdu de sa fraîcheur ni de sa perfection ; aucun conflit d'intérêt ne l'avait blessé, aucun autre attachement ne l'avait refroidi et le temps comme l'absence contribuaient seulement à l'accroître.

Une affection aussi aimable augmentait encore la bonne opinion qu'avaient d'eux tous ceux qui avaient assez de cœur pour faire grand cas des bons sentiments. Henry Crawford en fut tout aussi frappé que les autres. Il rendait hommage à la tendresse brusque et chaleureuse du jeune marin, cette tendresse qui lui faisait dire en tendant la main vers la chevelure de Fanny : « Savez-vous que je commence déjà à aimer cette drôle de mode, bien que j'aie eu du mal à croire qu'une pareille chose pût exister, la première fois où l'on

m'en a parlé, et lorsque madame Brown et les autres dames
de son entourage apparurent chez le Commissaire de la
Marine, à Gibraltar, avec cette même coiffure, j'ai cru
qu'elles étaient devenues folles ; mais Fanny parvient à me
réconcilier avec beaucoup de choses » ; et, empli d'une vive
admiration, il vit la rougeur qui se répandait sur les joues de
Fanny, l'éclat de ses yeux, le profond intérêt et l'attention
soutenue avec lesquels elle écoutait et regardait son frère,
tandis que celui-ci décrivait l'un de ces périls menaçants, l'un
de ces spectacles terribles que la mer faisait souvent surgir à
cette époque.

Henry Crawford avait suffisamment de goût et de sens
moral pour priser le tableau qui était sous ses yeux. Les
pouvoirs de séduction de Fanny s'accrurent doublement, car
la sensibilité, qui ajoutait de l'éclat à son teint et illuminait
son visage, était en elle-même une séduction. Il ne doutait
plus qu'elle fût capable d'aimer. Elle avait un cœur sensible,
des sentiments vrais. Ce serait une chose extraordinaire que
de se faire aimer d'une pareille jeune fille, que d'éveiller les
premières ardeurs d'une âme jeune et candide ! Il était plus
captivé qu'il ne l'avait prévu. Quinze jours ne suffisaient pas.
Il lui fallait une durée illimitée.

Sir Thomas demandait souvent à son neveu William de
leur raconter ses expériences. Les récits qu'il faisait étaient en
eux-mêmes divertissants pour Sir Thomas, mais son principal objet lorsqu'il les suscitait était de comprendre le
narrateur, de connaître le jeune homme d'après les histoires
qu'il racontait ; et il écoutait avec une profonde satisfaction
tous les détails clairs, simples, racontés avec de la verve et du
feu, voyant en eux la manifestation de bons principes, la
preuve qu'il possédait la connaissance de son métier, de
l'énergie, du courage et de l'ardeur, toutes choses qui
auguraient bien de l'avenir. Malgré sa jeunesse, William avait
déjà beaucoup vu. Il était allé en Méditerranée, aux Antilles,
de nouveau en Méditerranée, s'était souvent rendu à terre
grâce à la faveur de son Capitaine et, au cours de ces sept
années passées en mer, avait connu dans leur diversité tous
les dangers que peuvent offrir la mer et la guerre conjuguées.
Avec de pareils moyens à sa disposition, il méritait qu'on
l'écoutât ; et madame Norris, qui ne tenait pas en place, avait
beau aller et venir dans la pièce et déranger tout le monde

parce qu'elle était à la recherche de deux aiguillées de fil ou
d'un bouton de chemise, au beau milieu du récit de naufrage
ou de combat naval que faisait son neveu, tout le monde à
part elle demeurait attentif ; et Lady Bertram elle-même ne
pouvait entendre ces choses terribles sans montrer quelque
émotion ; il lui arrivait même parfois de lever les yeux de son
ouvrage et de dire : « Grand Dieu ! Comme c'est fâcheux. Je
me demande comment on peut songer à aller en mer. »

Ces récits produisaient sur Henry Crawford des impres-
sions toutes différentes. Il regrettait vivement de ne pas avoir
été en mer, de ne pas avoir accompli ou supporté autant de
choses. Son cœur s'échauffait, son imagination s'enflammait,
et il éprouvait le plus grand respect pour ce jeune garçon qui
avait avant sa vingtième année subi tant d'épreuves dans sa
chair et fait preuve de tant d'intelligence. Son héroïsme, son
efficacité, son endurance, la façon dont il avait exercé ses
talents, tout cela était auréolé d'une gloire qui faisait paraître
honteuses ses habitudes d'égoïsme et de plaisirs ; et il
regrettait d'être ce qu'il était et non un William Price, qui se
distinguait et travaillait à gagner la fortune et à atteindre un
rang d'importance dans la société, avec autant de fierté et
d'heureux enthousiasme !

Ce désir était plus vif que durable. Edmond le réveilla de
sa rêverie rétrospective en lui demandant quels étaient les
projets pour la journée de chasse du lendemain ; et il se rendit
compte qu'il valait tout autant être riche, avec à sa disposition sans plus attendre des chevaux et des valets d'écurie.
Cela était en tout cas préférable, car cela lui permit de faire
acte de bienveillance là où il désirait obliger. William, dont
l'ardeur, le courage et la curiosité étaient prêts à s'employer à
tout, exprima le désir de chasser ; et Crawford lui procura
une monture sans que cela lui procurât le moindre désagrément ; il y eut seulement de la part de Sir Thomas quelques
scrupules à écarter, car ce dernier connaissait mieux que son
neveu la valeur d'un tel prêt ; et il y eut aussi quelques
inquiétudes de la part de Fanny qu'on apaisa en la raisonnant. Elle redoutait quelque accident pour William ; celui-ci
eut beau lui parler de ses talents de cavalier qu'il avait mis en
pratique dans divers pays, des ascensions difficiles dans
lesquelles il avait été engagé, des chevaux et des mules
récalcitrants qu'il avait montés et qu'il lui avait fallu rudoyer,

et du nombre de fois où il avait manqué faire des chutes
terribles, rien de tout cela ne put la convaincre qu'il serait
capable de mener un hunter bien nourri dans une chasse à
courre au renard en Angleterre ; et ce ne fut pas avant qu'il
s'en fût retourné sain et sauf, sans accident ou discrédit,
qu'elle put se réconcilier avec le danger encouru, ou éprouver
envers monsieur Crawford cette reconnaissance qu'il avait eu
pleinement l'intention de faire naître en elle, lorsqu'il avait
prêté à William ce cheval. Quand il s'avéra cependant que
rien de fâcheux ne s'était produit, elle s'autorisa à reconnaître
qu'il s'agissait d'un acte de bonté, et remercia même d'un
sourire le propriétaire du cheval, quand l'animal se trouva
l'espace d'une minute de nouveau entre ses mains ; et quand
l'instant d'après, avec une extrême cordialité, monsieur
Crawford offrit à William, sans que celui-ci puisse refuser, la
possibilité de le monter aussi longtemps qu'il resterait dans le
comté de Northampton.

ACHEVÉ D'IMPRIMER SUR LES PRESSES
DE COX & WYMAN LTD (GRANDE-BRETAGNE)

N° d'édition : 1542
Dépôt légal : janvier 1985